Евгений Сухов

Я-ВОР в законе

СХОДНЯК

Москва
«АСТ-ПРЕСС КНИГА»
2002

От издательства

Когда настоящая книга была готова к печати, издательство неожиданно получило письмо от г-на Игнатова Вячеслава Геннадьевича.

Братва! И леди!

Ко мне в письмах через издателя обращаются многие. Интересуются, как и что. Могу сказать: читайте книжки серии "Я — вор в законе", там всё правильно авторы изложили, а мои друзья-издатели из "АСТ-ПРЕСС" напечатали.

За письма благодарю. Слова ваши добрые силы дают. Кто и кем обижен был, вижу. Уладим. Всему своё время. И воля Божья. Всем ответ держать придётся. Подлых жизнь всё равно накажет. А кто по-людски живёт, тем воздастся. А мы ведь с вами за людское говорим, значит, за Божье. Вот и судите, что к чему.

Если какие ничтожные людишки будут вам напевать о том, что, дескать, они тоже причастны к писанию обо мне — не верьте. Всё это враньё. Не за друзей своих заступаюсь, а за справедливость. А кто живёт по справедливости, тем от Бога воздастся. Сколько ни смотрю — всегда так было. Моего издателя Серёжку Деревянко благодарю особо. Все наши книжки его трудами созданы. Кто будет из других коммерсантов обо мне книжонки распространять, гоните в шею. Вся правда обо мне здесь, в этой серии.

С приветом всем добрым людям.

Варяг

Братва! И леди!

Ко мне в письмах через издателя обращаются многие. Интересуются, как и что. Могу сказать: читайте книжки серии "Я — вор в законе", там всё правильно авторы изложили, а мои друзья — издатели из "АСТ-ПРЕСС" напечатали.

За письма благодарю. Слова ваши добрые силы дают. Что и всех блажен был вижу. Улыбки. Всему своё время. И всех Вотих. Всем ответ держать придётся. Бедных жизнь всё равно накажет. Бедных живёт, тем воздастся. А кто по-людски за людское говорил, значит, за Божье. Вот и судите, что к чему.

Если какие накопленные людишки будут вам напевать о том, что, дескать, они тоже причастны к писанию обо мне — не верьте. Всё это враньё. Не за лохов, своих заступаюсь, а за справедливость. А кто тебя по справедливости там от Бога воздаётся. Сколько ни сестру — всегда так было. Моего издателя Серёгу Деревянко благодарю особо, книжки его трудами созданы ...

Получив разрешение автора письма, мы решили его опубликовать:

«Братва! И леди!

Ко мне в письмах через издателя обращаются многие. Интересуются, как и что. Могу сказать: читайте книжки серии «Я — вор в законе», там все правильно авторы изложили, а мои друзья-издатели из «АСТ-ПРЕСС» напечатали.

За письма благодарю. Слова ваши добрые силы дают. Кто и кем обижен был, вижу. Уладим. Всему свое время. И воля Божья. Всем ответ держать придется. Подлых жизнь все равно накажет. А кто по-людски живет, тем воздастся. А мы ведь с вами за людское говорим, значит, за Божье. Вот и судите, что к чему.

Если какие ничтожные людишки будут вам напевать о том, что, дескать, они тоже причастны к писанию обо мне — не верьте. Все это вранье. Не за друзей своих заступаюсь, а за справедливость. А кто живет по справедливости, тем от Бога воздастся. Сколько ни смотрю — всегда так было. Моего издателя Сережку Деревянко благодарю особо. Все наши книжки его трудами созданы. Кто будет из других коммерсантов обо мне книжонки распространять, гоните в шею. Вся правда обо мне здесь, в этой серии.

С приветом всем добрым людям

Варяг».

УДК 882
ББК 84 (2Рос-Рус)6-44
С91

Герои и персонажи в романе вымышленны.
Совпадения с реальными лицами и событиями случайны.

Сухов Е.
С 91 Я — вор в законе: Сходняк. — М.: АСТ-ПРЕСС КНИГА, 2002. — 432 с.

ISBN 5-7805-0701-5

Большой воровской сход объявляет смотрящему России, знаменитому вору в законе Варягу, жестокую войну. Став жертвой подлого заговора, Варяг оказывается в неволе — в страшной подземной камере-одиночке.

А между тем в стране происходит смена политической элиты, чем пытаются воспользоваться предавшие Варяга новоиспеченные «законные». Они стремятся тайно договориться с новой властью, навязав воровской среде кровавый передел сфер влияния.

Ценой неимоверных усилий Варяг вырывается из заточения, залечивает раны и, собрав горстку самых верных людей, в суровой борьбе отвоевывает принадлежащее ему по праву место непререкаемого авторитета, наказывает предателей и восстанавливает справедливость.

УДК 882
ББК 84 (2Рос-Рус)6-44

ISBN 5-7805-0701-5 © ООО «АСТ-ПРЕСС КНИГА», 2002

ПРОЛОГ

В густых кустах позади себя Полупан услышал шорох и, мгновенно развернувшись на сто восемьдесят градусов, ткнул туда коротким блестящим стволом с навернутым глушителем. Он замер и напряг слух. Кто там еще? Их бригадир Слива приказал держать ухо востро, потому что не исключал возможности налета чужих. С местными ментами, сказал Слива, как всегда, есть четкий уговор — они сюда не сунутся, а если заметят на подходе незваных гостей из Москвы, то просигналят заранее на мобилу. Но вот наезда каких-нибудь отморозков, купленных за пачку «зеленых», исключать было нельзя, и Слива дал команду: если покажутся НЛО — то есть неопознанные лоховатые объекты, — стрелять без предупреждения, для начала по ногам.

У Полупана заныло под ложечкой. Сегодня он впервые пошел в дозор и потому — хотя он не мог даже сам себе в этом признаться — малость сдрейфил. Точнее сказать, перебздел. Во всяком случае, короткоствольный «узи» — такой, какими обычно вооружены азиаты-наркокурьеры в американских боевиках, ему пришлось держать в руках впервые. Раньше он все больше действовал «пером» или «тэтэшником».

В кустах опять шорхнуло. По звуку он не смог определить, что там — может, человек, может, зверь лесной. Он подождал, потом медленно опустился на корточки, подобрал с земли ветку и бросил в кустарник. И вдруг высокие ветки резко качнулись — и прямо на него из густой зелени прянуло что-то темное. Полупана бросило в жар — он нажал на спусковой крючок, и железный инструмент смерти мелко задрожал у него в ладонях, выплевывая один за другим огненные плевки. Темное мохнатое пятно дернулось в воздухе и с тихим взвизгом упало на зеленую траву. Только теперь Полупан понял, что это была кошка. Должно быть, из соседней деревеньки. «Вот сука! — подумал Полупан, опуская еще дымящийся ствол. — Как же напугала, котяра паршивая!» Он радовался только тому, что автомат с глушителем и никто выстрелов не услышал. И что никого из пацанов не было рядом и они не видели, как перепугала Полупана эта лесная бродяжка.

А еще Полупан подумал, что его начальник Слива, отвечавший за безопасность сегодняшнего мероприятия, отправлявший его в дозор вместе с другими пятью пацанами, за эту стрельбу точно бы уши отрезал!

Облегченно вздохнув, Полупан стал думать о том, что к шести вечера сюда подъедут шесть или семь тачек с самыми авторитетными в России «людьми» и что сегодня на этой подмосковной даче будет важный воровской сход, в котором должны участвовать и Паша Сибирский, и Дядя Толя, и Закир Большой, и Тима Подольский и, может быть, даже сам Шота Черноморский — знаменитый грузинский вор. Полупан мечтал хотя бы одним глазком поглядеть на известных воров в законе, о которых до этого разве что читал в криминальной хронике, но приказ есть приказ: ему, как и остальным четверым дозорным, надо было пристально следить за всеми подходами к даче, чтобы, не дай бог, кто из чужаков не пробрался к ней.

Полупан глянул на часы: половина шестого. Сейчас начнут подваливать тачки. Он двинулся сквозь редкий кустарник в сторону шоссе. Вдали показалось асфальтовое полотно. Укрывшись за толстым стволом березы, Полупан замер. Ждать пришлось недолго. Минуты через три послышалось мерное урчание автомобильного движка, и еще секунд через десять мимо него, мягко шурша шинами, проследовал белый «мерседес», за которым — в метре один за другим, можно сказать, зависая друг у друга на заднем бампере, — прошли два тяжеленных черных джипа «шевроле» с тонированными стеклами. «Круто!» — зацокал языком Полупан и восхищенно шмыгнул носом, проводив взглядом кортеж. У самого Полупана была старенькая, перекупленная через третьи руки двенадцатилетняя «шкода», и он давно уже хотел сменить ее на хоть какую, но новенькую тачку. «Ну ничего, — подумал Полупан, — надо потерпеть малехо, хотя бы полгодика, а там поднакоплю деньжат и справлю «обновку»...

Он не заметил, как из кустов у него за спиной внезапно вырос рослый мужичара лет тридцати с копной рыжих волос на голове. Не говоря ни слова, рыжий выхватил из-за пояса пистолет с глушителем и практически в упор выпустил дозорному в затылок две пули. Полупан дернулся и, не успев даже удивиться, рухнул в высокую траву, широко раскинув руки. Бесполезный автомат, тихо звякнув, упал рядом.

Рыжий исчез в кустах так же неожиданно, как и появился.

***

Традиция устраивать раз в году большие сходняки с участием крупнейших, авторитетнейших коронованных воров России сложилась еще при Медведе — «крестном отце» российского криминального мира, который на протяжении более тридцати лет держал братву под своим строгим неусыпным контролем. Поначалу большие сходки собирались из пятнадцати воров. Когда в начале 90-х на большой сходняк, по инициативе того же Медведя, пригласили Варяга и благословили его на смотрящего России, большой сходняк стал собираться в составе шестнадцати человек. Но потом старый Медведь отдал Богу душу — и все вернулось на круги своя, большой сходняк опять сократился на одного человека. С благословения смотрящего время от времени для решения экстренных проблем воры собирались на малых сходняках. Как правило, здесь рассматривались вопросы не столь значительные, и считалось, что для их решения не требовалось присутствия всех авторитетных людей. В малых сходках принимали участие те, у кого был непосредственный интерес к обсуждаемым делам.

Сегодня малый сход собрался втайне от смотрящего и без участия многих крупных авторитетов России, которых и не собирались извещать о том, что в подмосковном поселке Красноводово проводится эта встреча «в верхах».

Тому была веская причина, так как собравшиеся предполагали обсудить весьма щекотливый вопрос, который мог бы не понравиться кое-кому из старой гвардии законных воров, свято чтящих память старика Медведя и беззаветно доверяющих его выдвиженцу Варягу.

А именно о Варяге и должна была пойти сегодня речь в Красноводово... Сходняк собрали по предложению старого вора Дяди Толи, но хитрый вор идею-то подбросил, а сам благоразумно на сход не приехал и остался сидеть в «каменном дворце» под Звенигородом, в последний момент сказавшись больным. Боевым слоном Дядя Толя выставил хозяина подмосковных вещевых и строительных рынков Антона Тимакова по кличке Тима. Этот был из новых, и, по слухам, воровскую корону он приобрел себе не за дела, а за бабки. Таких воры звали «апельсинами». Тима был мужик с гонором и вечно лез на рожон — даже когда стоило бы хлебало не разевать.

Но собравшиеся с особым нетерпением ждали сегодня Шоту Черноморского, который, как было всем собравшимся за столом известно, не далее как две недели назад открыто выступил против Варяга... И теперь формальное объявление войны требовало конкретного развития. Ради этого и собрались сегодня в Красноводово сторонники Шоты.

Стол, по обыкновению, был густо уставлен изысканными яствами: жирной лоснящейся севрюгой в нарезку, зернистой икрой, запеченными карбонатами, копчеными цыплятами. Между тарелками уместились квадратные бутылки с яркими иностранными этикетками. Шесть человек сидели за столом и неторопливо закусывали, томительно дожидаясь, кто же подаст голос первым.

Шота Черноморский не торопился выступать, храня хладнокровное молчание. И тут не выдержал Тима. Он отъехал на кресле от стола, распахнул свой зеленовато-желтый пиджак и, по привычке растопырив пухлую пятерню, яростно жестикулируя, заговорил:

— Мы собрались, люди, чтобы потолковать про Варяга. Варяг, конечно, вор авторитетный, большой человек, кто ж будет спорить. Но он чисто конкретно в последнее время стал все больше на себя играть. Смотрите, он же все под себя подобрал — нефтяные дела без него не решаются ни на Каспии, ни в Тюмени... Алюминиевые дела — опять же он там колеса крутит, своих людей расставляет. И портовые дела у него под контролем. Нам стало совсем не продохнуть. Раньше такого не было, чтобы я в своем родном городе не мог решить самолично, открыть мне бензоколонку или не открыть...

— Верно говорит Тима! — поддержал его Максим Кайзер. — Варяг стал слишком много на себя брать. Я вот знаю, что он как сел в этот свой концерн, так на торговле оружием наварил хренову тучу бабок, да только эти бабки в какую-то черную дыру уходят. В общак, сдается мне, он не шибко-то отстегивает.

Максим говорит правильные слова, подумал Закир Большой. Игнатов и впрямь в последнее время занимается делами, которые многим ворам были непонятны и которые многими не одобрялись. Самая главная претензия к нему заключалась в том, что он много тратил общаковских средств на неясные политические дела и всякие вложения в малопонятный бизнес.

— Верно Кайзер сказал! — продолжал, войдя в раж, Тима. — Я считаю, его надо, в натуре, на правиловку вызвать. Пусть объяснит свои дела. А если не объяснит — пускай общак передает другим. Мы и сами с общаком сумеем разобраться. Не хуже Варяга!

— Ты Тиман, прэдлагаэшь вместо Вариага нового сматрящего избрать? Я тебя правильно понял? — уточнил Шота.

Закир исподлобья чиркнул острым взглядом по лицу Тимы. После выпитого (а Тима, как заметил Закир, виски пил как водку — залпом стограммовыми стопарями) подольский авторитет раскраснелся и, по всему было видно, малость слетел с катушек.

Над столом повисла зловещая тишина. Воры точно размышляли над услышанным, хотя было ясно, что никому не в диковинку то, что произнес Тима. Более того, многие из собравшихся на этой даче вполне разделяли Тимин наигранный гнев. Но не спешили высказываться. Никто ведь не мог предугадать, как дело повернется, — так что на всякий случай лучше было не суетиться и попридержать язык.

— Самое главное для нас — понять, как к этому отнесутся региональные. Большой сходняк нельзя созывать, не зная заранее настроение людей, — подал голос Виктор Резунов, которого в молодости звали Тульский Пряник, а сейчас просто — Витя Тульский.

Но Тима не унимался.

— Нет, люди! Надо принимать решение! Я не удивлюсь, если выяснится, что наш любезный Варяг снюхался с ментами или с гэбухой — и на них пашет! Смотрите, уж больно у него все гладко выходит — был под следствием, на зоне сидел, бежал, ментов помочил, а ему все списали. Так же не бывает! Чтобы просто так — взяли и забыли обо всем. Тут явно дело нечисто. И главное, пусть четко скажет: сколько в общаке, сколько на грев идет, сколько... И воще, в натуре, пусть финансовый отчет представит! — Тима, обведя мутноватыми глазами стол, хохотнул своей шутке.

Все посмотрели на Закира. После отсутствовавшего Дяди Толи и Шоты он тут был самым старшим и уважаемым. Дагестанский вор сложил ладони вместе и медленно произнес:

— Что ж, Тима прав. Надо с Варяга спросить по всем правилам. — Он помолчал, точно подыскивал слова: — Верно Тима сказал: Варяга вызовем на большой сходняк — и там решим!

— А че там решать, блин! — рявкнул Тима, опрокинув в глотку очередной — кажется, уже шестой — стопарь виски «Джонни Уокер». — Зовем на большой сход, устраиваем ему допрос с пристрастием и лишаем на хрен общака! Хорош ему бабками нашими распоряжаться. Я, блин, воще не понимаю, кто его на это теплое место посадил!

Кажется, никто не обратил внимания на то, как хитроумно Закир перевел стрелки на Тиму, отдав ему целиком и полностью инициативу зазвать Варяга на большой сходняк. Теперь, без сомнения, все запомнят его слова о том, что про финансовый отчет Варяга «Тима сказал». И если что, вся ответственность ляжет на этого говоруна, который вдруг взял и обосрал Варяга и который уже, видно, забыл, как шесть лет назад на региональном сходе Варяг отстоял его, тогда еще совсем желторотого пацана, только что вышедшего после «пятерочки», еще не коронованного. Тогда Варяг прикрыл Тиму, хотя подмосковные воры ни в какую не хотели уступать тому контроль за рынками, но именно благодаря авторитету Варяга Тима получил то, что тогда заслужил и что имел сейчас...

Впрочем, Закир точно знал, что происходит с Тимой и по чьим нотам он сейчас так заливисто поет. Потому что и сам Закир Большой недавно попал в мышеловку и теперь ломал голову, как бы унести ноги подобру-поздорову. И он не исключал, что эту песню Тима разучил с «учителем пения» из той же музыкальной школы...

— Нас тут шесть человек, — заговорил Закир. — Нет Дяди Толи, но на большом сходе он точно будет с нами...

— У Варяга много сторонников за Уралом. Сибирские воры за него горой стоят, потому что он в былые годы на зоны щедро грев гонял, — заметил Матвей Воронин по кличке Ворона, смотрящий Дальнего Востока. — Да и здесь, в центральной части и на юге, его поддерживают.

Эти слова не понравились Паше, контролировавшему Восточную Сибирь.

— Ни хера! Сибирских можно уговорить... или пугнуть... Или... Да мало ли что может случиться... Вдруг заболеет кто или, не дай бог, не дозвонимся... — при этих словах Паша осклабился.

— А питерского смотрящего тоже обработаешь сам? — поинтересовался с вызовом Тима.

В Питере с недавних пор смотрящим был поставлен Филат — правая рука старика Михалыча и доверенный человек Варяга.

— Филат и Михалыч останутся при своем мнении, — спокойно сказал Паша, игнорируя нагловатый тон подольского авторитета. — Но их голоса все равно ничего не решают. Когда будем собирать людей?

— Давайте назначать сход на последнее воскресенье месяца, — предложил Закир. И, подумав, добавил: — Соберемся в ресторане «Золотая нива» на Дмитровском.

— Где обычно? — уточнил Тима, откидываясь на спинку стула.

Закир, не удостоив Тиму ответом, встал и двинулся к выходу.

ЧАСТЬ I

Глава 1

В казино «Фламинго», которое располагалось в тихом переулке недалеко от Садового кольца, сегодня было непривычно тихо. На двери висела табличка: «Закрыто по техническим причинам». На самом же деле заведение работало весь вечер, потому что его сняли уважаемые клиенты, и менеджер казино суетился вовсю, желая угодить дорогим гостям.

В главном зале за рулеткой сидели четверо молодых парней, изысканно одетых: на всех были дорогие костюмы, рубашки, галстуки и ботинки от знаменитых итальянских модельеров. Официанты молча сновали с подносами, на которых стояли бокалы с шабли, хрустальные вазочки с белужьей икрой, лоснящимися черными маслинами и ломтиками поджаренного белого хлеба.

— Ну, Грин, может, паузу сделаем? — предложил один из играющих.

Грин посмотрел на часы и кивнул:

— Можно, Филя. Давай сходим проветримся.

Все четверо встали и двинулись к выходу. Они спустились в подвальный этаж и проследовали по пути, указанному стрелкой с надписью: «Сауна». У дверей сауны их уже ждали три длинноногие красотки в коротких белых халатиках.

— Здравствуйте! — прощебетали в один голос девушки. — Сегодня как обычно?

— Как обычно, но в темпе, — заметил Грин. — У нас сегодня мало времени.

— Понятно, — отозвалась красотка-брюнетка, обнажив ровный ряд ослепительных жемчужно-белых зубов. — Тогда я скажу Сухареву, чтобы он подбавил жару. А вы проходите пока, раздевайтесь — халаты и полотенца уже готовы.

***

Банщик Сухарев, как только услышал за дверью цокот каблучков, глухо проговорил:

— Все понял, больше говорить не могу! — и судорожно бросил телефонную трубку на рычаг. Он метнулся прочь от телефона и вцепился в чистые полотенца, сложенные горкой на столике под зеркалом.

— Клиенты ждут, — строго сказала вошедшая массажистка-брюнетка. — Четверо. Поторапливайся, Палыч!

— Те самые, кого ждали, Светочка? — осторожно поинтересовался Сухарев. — Большие люди?

Светочка закатила глазки к потолку.

— Выше не бывает!

— Ну не президент же с премьер-министром!

Светочка надула губки.

— Дурак ты, Палыч! Там Филя, Грин, Штырь и Акула подвалили. Знаешь, при ком они состоят? При Владиславе Геннадьевиче — а он-то, пожалуй, повыше президента будет! — сказала она и вышла.

Сухарев дождался, пока стихнет в коридоре цокот каблуков, снял трубку и быстро нажал семь кнопок. Услышав ответ на другом конце провода, он торопливо зашептал:

— Они тут. Да... Точно они... Филя, Грин, Штырь и Акула. Варяговы пацаны. Через час можно... Они как раз после бани да после девок распаренные будут... хе-хе-хе... Можно взять их, как говорится, тепленькими. Вы только... это, не забудьте, как договаривались — меня свяжите, ну и разок можно ударить, чтобы со следами насилия на теле... Да... А то если заподозрят что... мне не жить!

Сухарев осторожно положил трубку и подхватил стопку душистых махровых полотенец. В предбаннике уже весело шумели посетители. Сухарев, состроив сладкую мину, вошел и бочком-бочком двинулся к длинной лавке.

— Здорово, Палыч! — звонко поприветствовал его Филя. — Ты что-то сегодня с лица сбледнул? Случилось что?

— Да нет, Феликс, что вы! — испуганно отмахнулся Сухарев. — Все путем. Сейчас пойду проверю аппарат — а то вчера больше ста десяти градусов не натягивало...

Сухарев попятился к выходу спиной и, выйдя за дверь, бросился в конец коридора, к служебному выходу на улицу, который всегда был закрыт. Озираясь, он вытащил из кармана ключ и отпер замок.

В предбаннике тем временем четверо эксклюзивных посетителей казино «Фламинго» сняли свои дорогие костюмы и переоделись в халаты.

— Ну, мужики, сделаем первый заход, а там и по массажу? — предложил Грин. — Филя, Ролик, айда в опочивальню. — И, обратившись к четвертому, добавил: — Ты бы, Баклан, поторопился, а то ничего тебе не достанется!

Баклан быстро набросил на голые плечи халат.

— Готов!

Через полчаса к старому кирпичному дому, торцом выходящему на Садовое кольцо, подъехал коричневый фургон «газель», из которого выскочили шестеро мужчин в черном. У каждого в руке болталась длинная спортивная сумка. Пассажиры «газели» юркнули в подворотню и уверенной рысцой пустились вдоль большого дома. Очутившись у противоположного торца, они резко свернули за угол и, пройдя еще метров пятьдесят, оказались у служебной двери в казино «Фламинго».

Тот, кто шел первым, осторожно потянул рукой дверь. Та бесшумно приоткрылась.

— Порядок, банщик все подготовил. Можно начинать! — шепнул он.

— Не рано? — засомневался второй. — Час-то еще не прошел.

— Вот и хорошо. Люблю устраивать сюрпризы.

Распахнув дверь служебного выхода настежь, шестеро непрошеных посетителей казино «Фламинго» просочились внутрь.

***

— Давайте, девочки! Давайте! Не останавливайтесь! Не стесняйся, Катюха! Представь, что это эскимо с клубничным джемом! Засоси поглубже! — постанывал Филя, лежа на кушетке в теплом предбаннике. Над ним трудились две юные феи. Светланка и Катюша, встав на четвереньки и склонившись над «жертвой», энергично массировали восставший член Фили, время от времени по очереди пробегая по его блестящей багровой головке горячими язычками. Филя, закрыв глаза и блаженно улыбаясь, корчился от мучительно-сладостной боли. Девчонки действительно были мастерицы своего дела. По соседству еще одна грудастая красотка обрабатывала забалдевшего от удовольствия Грина, предложив ему сеанс тайского массажа: Грин лежал на животе, а девица своими тяжелыми белыми грудями проводила по его спине так, чтобы он чувствовал только легкое прикосновение крупных сосков. Через некоторое время она скомандовала ему: «А теперь, голубчик, пожалуйста, на спину!» Грин послушно повернулся и увидел перед глазами два белых шара с коричневыми кружками. Ленка обхватила груди обеими руками, сжала их и медленно провела по его животу, все ниже и ниже, пока шары не уткнулись в его офигительного «бойца», стоящего по стойке «смирно». Ленка зажала «молодца» между грудей и стала легонько, но ритмично сжимать и разжимать его, пока Грин не начал судорожно подергиваться от наслаждения.

— Вот это массаж так массаж, — хрипел он. — Кто тебя этому научил, Ленок?

— Жизнь научила, Гриня, — усмехнулась массажистка. — Приятно?

— М-м-м... — только и смог ответить Грин.

Остальные двое сидели за столом и дожидались своей очереди, не отводя взгляда от двух массажных кушеток в центре предбанника. По правилам, установленным в этом заведении, массажистки никогда не вступали в непосредственный половой контакт с клиентами, но клиентам этого даже и не требовалось: массажное мастерство профессионалок казино «Фламинго» было на столь высоком уровне, что клиенты испытывали долгий сладчайший оргазм и без непосредственного соития, бесконтактным путем — как говорят в народе, при участии «Маши Кулаковой».

Филя издал утробный рык, и мощный белый фонтан ударил Светке прямо в лицо.

— Еще, еще, курвы! — стонал Филя, скрежеща зубами. — Давайте еще!

И Катька со Светкой давали: одна втягивала содрогающийся член в рот и терзала его языком, отчего Филя стонал и извивался еще больше. Другая в этот момент выцеловывала ему все, что только можно было придумать. Помучив клиента еще минут пять, массажистки наконец оставили его в покое, слезли с него и стали как ни в чем не бывало одеваться.

— Побудьте тут, мальчики, не скучайте — мы сейчас быстренько попудрим носик и вернемся! — лукаво прощебетала Лена.

Грин плеснул себе водки в стопку и залпом осушил.

— Ну, блин, намяла мне... — блаженно заметил он, кутаясь в огромную махровую простыню. И, с усмешкой поглядев на очумевшего Филю, добавил: — Это тебе не в кустах в засаде лежать... Кайф словил?

Филя молча кивнул.

— Я вот все думаю: заметили нас тогда или нет? — продолжал Грин. — Вроде мы не слишком шумели...

— Не слишком, ага! — насмешливо отозвался Акула — плотный парень лет тридцати с рыжеватыми кудрями. — Вот только одного дозорного шмальнули — а так ничего, все тихо...

— Выхода не было. Если бы не эта сучья кошка, этот глухарь ни хера бы не услышал. Кошку ты, Акула, спугнул — вот и пришлось тебе его замочить, — недовольно пробурчал Грин, растягиваясь на широкой лавке. — Ладно. Баба с возу — лошадь в галоп. Я, кстати, точно знаю, что воры тогда в Красноводово собрались теплой компанией не просто водочку попить. Толковище у них было. Дошел до меня слушок: что-то зреет против Варяга.

— А он в курсе? — озабоченно спросил Акула. — Я, между прочим, тоже про это мутилово сегодня слышал. Закорешился я тут с одним чуваком из бригады Толяна. Так этот придурок сболтнул, что у Толяна, то бишь у Дяди Толи, зуб вырос на Варяга.

— Я тоже что-то слыхал, — подтвердил Грин. — Про Дядю Толю. Да, надо бы Варяга на всякий случай предупредить. Я звонил к нему позавчера, хотел повидаться, да секретарша сказала: занят. Ну, я передал, что Грин звонил... Но только без толку... Хотя я уверен, он и сам небось про эти дела знает. У него ведь служба внешней разведки ого-го как работает. Не хуже, чем кремлевская...

Вдруг за дверью раздался странный стук, потом послышались тихие шаги. Это были явно не девчонки-массажистки на высоких каблуках. Грин тут же вскочил с лавки и навострил уши.

— Что это? — тревожно выдохнул Филя и знаком приказал Штырю подойти к двери.

И в эту самую секунду дверь в предбанник с грохотом распахнулась, в помещение вбежали несколько человек и тотчас, ни слова ни говоря, выхватили из-под длинных черных пальто короткоствольные автоматы с навернутыми глушителями. Четыре ствола закашляли глухо и коротко, впечатывая свинцовые харкотины точно в цель. Пятый автоматчик не стрелял: он прикрыл дверь и загородил ее, держа автомат наперевес.

Предбанник наполнился удушливым смрадом пороховой гари.

— Готовы, Ляха? — поинтересовался человек, стоявший у двери.

— Ну а куда же эти мудаки денутся! Наповал! — подтвердил один из киллеров в черном, кого назвали Ляхой.

— Быстро уходим! — скомандовал тот, который не стрелял.

Бригада бесшумно выскользнула в темный коридор.

— Банщик не сдаст? — шепнул Ляха.

Тот, что не стрелял, кивнул.

— Вы рвите к фургону, а я с ним сейчас перекинусь парой слов. — С этими словами он толкнул дверь с надписью: «Служебное помещение».

Сухарев сидел ни жив ни мертв в уголочке на стуле и теребил в руках длинную белую веревку. Как только человек в черном плаще зашел к нему в комнатушку, он вскочил и, нервно дергая щекой, произнес срывающимся голосом:

— Вот это... я тут... веревку приготовил. Как договаривались... Связывайте меня... Да побыстрее, а то ща девки вернутся — хай подымут.

Вошедший, не проронив ни слова, вскинул черный автомат и нажал на спусковой крючок. Автомат недовольно закашлял, дергаясь стволом. На груди у банщика взбугрились кровавые кратеры, из которых сразу потекли алые струйки.

— Мы же договори... только связа... — просипел жалобно Сухарев и выбросил вперед слабеющую руку с зажатой веревкой.

— Ну, будем считать, Палыч, что я тебя кинул... — криво усмехнулся убийца и, сунув еще дымящийся автомат под плащ, вышел и плотно прикрыл за собой дверь.

Глава 2

Старый вор Михалыч, по своему обыкновению, полулежал на мягком кожаном диване, прикрыв ноги стареньким клетчатым пледом. В последние недели он резко сдал, и Варягу казалось, что в его запавших, потухших глазах уже блуждает призрак очень скорой смерти. Варяг и сам не знал, зачем он приехал сегодня в Серебряный Бор. Вроде бы посоветоваться — да только какой совет сегодня может дать ему, смотрящему России, этот старый больной человек. Хотя чем черт не шутит. Михалыч был вором еще тогда, когда Варяг даже не родился. Когда у руля всех основных воровских дел стоял легендарный Медведь. Михалыч был уважаемым вором и после смерти Медведя, как говорится, «последним из могикан», из старой гвардии воров в законе. Он много повидал на своем долгом веку, но вот, видно, и ему подошел срок оставить нашу грешную землю. Но он не собирался сдаваться на милость безносой так уж легко. Михалыч славно пожил и конечно же мечтал как можно дольше продлить срок своей бренной земной жизни.

Варяг уважал Михалыча. И сейчас сидел у него не по праздной прихоти. Но и не совета приехал к нему просить Варяг, а моральной поддержки, потому что знал: в конфликтах с авторитетными ворами старик всегда будет держать его сторону. Так было всегда — взять хотя бы недавнюю размолвку со сходняком по поводу приватизации «Балтийского торгового флота», с которой, собственно, и начались все последние неприятности Варяга. И в нынешнем конфликте с законными Михалыч его непременно поддержит — если не делом, то хотя бы словом.

— Ну давай выкладывай, Владик, — без предупреждения начал Михалыч. — Не томи. Стар я стал — все в сон клонит. Вот и теперь, ты уж извини, что я лежу, — что-то глаза слипаются. А ты давай налей себе стопочку — у меня, как ты знаешь, напитки отменные, я охоч был до этого дела, когда в молодых ходил. — И с этими словами он смежил веки.

Варяг улыбнулся: старик и впрямь был известен своей склонностью к изысканным заморским напиткам. К водочке он, странное дело, оставался всегда равнодушен, предпочитая французские коньяки да германские вина. Варяг подошел к круглому ореховому столику у книжного стеллажа, взял пузатую темную бутылку коньяка «Реми Мартен», с хлопком вытащил плотно пригнанную пробку и плеснул в низенькую рюмку коричневатой жидкости.

— Хорош! — шевельнулся Михалыч и потянул ноздрями воздух. — Запах сразу чую! Пей, пей.

Варяг неторопливо, врастяжечку выпил ароматную жидкость и почувствовал, как огненная струйка потекла по пищеводу.

— Ну, в общем, Михалыч, ты и так все знаешь — все закрутилось в тугой узел, — тихо начал Варяг. — Был я на прошлой неделе на сходе. Причем, что странно, разговор вышел у нас нехороший. Песочили меня как коммуниста на партактиве — все по очереди выступали, критиковали. Предложили, чтобы я отдал им общак. Не нравится им, видишь ли, что я большие дела стал делать! — Он бросил взгляд на старика. Тот лежал, прикрыв глаза, и, казалось, спал. Варяг недовольно осекся: что он языком тут чешет, а Михалычу все до фени. Да и не мог он не знать о воровских делах. Хотя последнее время старик сиднем сидел в своей серебряноборской берлоге, не высовывая носа, сведения со всей России, а тем паче из Москвы стекались сюда тонкими струйками.

Вдруг Михалыч дернул головой и громко заметил:

— Нет, Владик, не все так просто, как ты говоришь. Тут не в ворах только дело. Не знаю, как Максим, но слыхал я, что Закир чей-то серьезный заказ сейчас выполняет.

Это было Варягу не в новость, но он решил на всякий случай прощупать Михалыча.

— И чей же? — спросил он.

— Сдается мне, взяли Закира в разработку, — отозвался Михалыч, — люди в погонах с крупными звездами. И если он на тебя бочку катит, то не по собственной инициативе, а потому, что так его научили.

— Кто? — Варяг подумал: «Вот так Михалыч! Все сказывается старым да немощным, а ведь он, пожалуй, не меньше моего знает».

Старый вор крякнул и, скинув плед, резко выпрямился и сел на диване.

— А ну-ка, Владик, плесни и мне коньячку для бодрости.

Вылив в глотку «Реми Мартен», Михалыч устремил пристальный взгляд на Владислава.

— Каша заваривается покруче, чем ты думаешь. Слыхал я о твоих неладах кое с кем из воров — и тут не в общаке дело. Общак — только повод. Ты же читаешь газеты, телевизор смотришь... Сам знаешь, что в Кремле творится.

— Да при чем тут Кремль, Михалыч, — махнул рукой Варяг. — Мы как-то всегда ухитрялись от Кремля подальше держаться. Чего нам в их дела лезть. Пусть они там сами разбираются. Нам же довольно своих гешефтов с эмвэдэ...

— Не перебивай! — недовольно прервал его старик. — Ты дослушай до конца! При том тут Кремль, что «Дед» совсем плох стал — не сегодня завтра объявит о своей отставке! Вот тут-то вся карусель и закрутится!

— Ха-ха-ха! Да ты, Михалыч, фантазер! — хохотнул Варяг. — Чтобы «Дед» добровольно власть отдал — да не такой он мужик! Он из Кремля только ногами вперед выедет. Какая там отставка!

Михалыч покачал головой.

— Чудак ты, Владик. Вроде умный мужик, всю Россию под своим контролем уже сколько лет держишь, а таких простых вещей прочухать не в состоянии. Что-то готовится интересное. То-то ведь все сейчас засуетились — ты глянь: и менты, и военные. Особенно военные — сейчас они опять кашу заварят в Чечне, помяни мое слово! И уж тогда-то их не остановишь. Проутюжат там все так, что Терек галькой засыплют и горы сровняют с долинами. Да и у нас в Москве большие разборки пойдут. Ведь эта история с генеральным прокурором, которого все уволить хотят, да никак не могут, неспроста возникла. Вся эта возня — только подготовка к главному: кое-кто хочет убрать «Деда» и поставить своего человека. По-тихому, по-мирному, без скандала. Может, ему на ушко что нашептывают, внушают. А может, и припугивают — кто их разберет. А как только «Деда» уберут — все пойдет наперекосяк. Начнется большая дележка — крупная дележка, все опять перетряхнут. Алюминий, нефть и газ, алмазы да золото начнут по-новому хапать. Опять начнется большой отстрел. А как станут «заказывать» друг дружку, тут уж, сам понимаешь, без бандитов им не обойтись. Да и нас, воров, будут приманивать, чтоб под себя подмять. Потому как с нашей помощью, Владик, а точнее, руками самых глупых, самых алчных, самых беспринципных начнут обделывать свои делишки. Помнишь Капусту?

— Киллера, который пару лет тому назад пулю ментовскую схлопотал... — тут же вспомнил Варяг.

— Вот-вот. Он же, дурило, позарился на бабки, а о своей воровской наколке позабыл — вот и поплатился: подох, как собака, на пустыре. Этих дураков и сейчас немало. И околокремлевские люди это прекрасно понимают и будут использовать таких, как Тима или Максим Кайзер. За ними ведь длинный шлейф всяких делишек тянется, и эмвэдэшные генералы этим пользуются. Я не удивлюсь, если ты мне скажешь, что и Закира в свое время вызывали на улицу Огарева и показывали его секретное досье. А там, в этом досье, много чего интересного есть — уж это я знаю! Так что, если, допустим, прикажут и ему против тебя войну объявить, он ведь и объявит, не вспомнит, что тебя на место смотрящего Медведь — царство ему небесное — благословил.

Варяг покачал головой.

— Что-то я не совсем понимаю, что происходит. Наверное, правы те, кто считает, что слишком я отдалился от коронованных. Твои слова, Михалыч, для меня как китайская загадка. Сделай милость, просвети!

Михалыч усмехнулся:

— Просто, пока «Дед» сидел на троне все эти годы, все как-то устоялось, устаканилось. Всяк сверчок знал свой шесток. А теперь как только люди почуяли, что пахнет большими переменами, — и законные это почуяли, и, главное, околокремлевские начальники, которые наших братков прикормили, — сразу началась вся эта неразбериха. Я думаю, сейчас многозвездные генералы в МВД и ФСБ сами даже не понимают, с кем они, за кого они. Вот и начали среди воров воду мутить. В Кремле люди за свою шкуру трясутся. Ну и наши тоже забеспокоились, засуетились. Многие решили, что надо побыстрее закорешиться с новыми хозяевами, тогда, может быть, все утрясется. Но проблема в том, что никто сейчас не знает толком, кто эти новые хозяева...

Недаром же что ни день, то новый слушок — того снимут, этого снимут. Теперь ведь не как в советское время: одного сняли, другого назначили — а машина знай себе крутится, как и прежде. Нынче коли кого снимут — так за ним рухнет целая пирамида на местах: чиновники посыплются, люди в погонах зашатаются, а за ними и те, кто с оружием за пазухой. У нас сейчас каждый крупный начальник — это как замкнутое государство, со своей трудовой армией, вооруженной охраной, системой кормежки... Вон в таможне как — как только начальника меняют, так вся пирамида таможенного комплекса к едрене матери летит, и ее приходится всякий раз заново строить. Так-то вот.

Михалыч снова прилег на диван. Видно, он устал от своих речей. Варяг молчал, размышляя о словах старого вора. Он расстегнул две верхние пуговки на рубашке. Под рубашкой мелькнули голубые линии наколки на груди. Эта наколка была для него дорогой памятью, оставшейся от одной из первых отсидок. Парился на одной зоне с Варягом известный художник, который за пайку делал тамошним сидельцам изумительные наколки. Именно этот тощий и вечно поддатый ханурик сотворил самую главную наколку Варяга — крест с двумя парящими над ним ангелами, — с которой он потом, когда сводил свои знаки воровской чести, не пожелал расстаться.

То, о чем рассказал ему Михалыч, вернее, не рассказал, а намекнул, озадачило Варяга. Он и впрямь не подумал, что тяжелый разговор с ворами, который едва не закончился кровопролитием, мог стать следствием не недовольства людей его, Варяга, коммерческими проектами, а прямого «заказа» со стороны. Сверху... Может, надо покопать где-то рядом, прощупать почву вокруг каждого из больших воровских авторитетов. Но кто этим может заняться? Только самые верные люди. Сержант. Филат...

— Ты, Владик, еще вот о чем подумай, — подал слабый голос Михалыч. — Не знаю, какие ты дела крутишь с властью, но учти: преемственность кремлевских начальников закончилась. Теперь будет взрыв. «Дед» уйдет — это, я думаю, дело давно решенное, только пока они там не знают, как все это озвучить и обставить. Наверняка и сменщика ему уже присмотрели. И не из тех, кто на телеэкранах мелькает, это будет совсем неизвестный человек, чью фамилию народ даже не знает — ну, может, краем уха слыхал пару раз, но и только. И знаешь почему?

Варяг бросил на старого вора вопросительный взгляд.

— Их всех «Дед» сильно напугал — своим упрямством и самодержавными ухватками. Больше они такого не допустят. Им нужен тихий, послушный, гуттаперчевый мальчик, — Михалыч хихикнул.— Помнишь, был такой детский рассказ «Гуттаперчевый мальчик»? Про циркового артиста-мальчишку, который выступал на арене. Ловкий был, цепкий, гнулся, как резиновая кукла. Вот такой податливый тихоня им теперь и понадобится. Чтобы никаких проблем с ним не было — ни в смысле физического здоровья, ни в смысле моральных устоев.

— Такие только в гэбэ водятся, — усмехнулся Варяг.

Михалыч очень серьезно поглядел на него:

— А я и не исключаю... И те, кто посадит его на трон, потребуют от него отработать по полной программе. Так что грядут темные времена, Владик! — И старик замолчал. — Да, кстати, я слыхал, позавчера твоих ребят положили в какой-то сауне...

Варяг нахмурился:

— Да, Михалыч, положили.

— Отморозки?

— Не похоже. Скорее, это мне сигнал. Или... — Варяг помолчал. — Один из этих ребят... Грин... уже дня три ко мне просился на встречу, а я замотался... Все время не мог выкроить. Грин просто так не стал бы стрелку забивать. Наверное, было что сказать. Да вот не успел...

Варяг ехал от Михалыча погруженный в тревожные мысли. После гибели Светланы и Олежки он сильно изменился — он это чувствовал. Прошло уже три месяца после их смерти, но горечь утраты не утихала. Он до сих пор не верил, не хотел поверить, что мина, подложенная под его «мерседес» в тот злополучный день, предназначалась не ему, а им. Конечно, метили в него — и он казнил себя за то, что не смог уберечь жену и сына от гибели. Он немного даже завидовал старым коронованным ворам, которые всю жизнь оставались бобылями — без законной жены, без семьи. Жена, дети, дом — все это налагало дополнительную ответственность, отвлекало от славных воровских дел. Но то были понятия прошлой, ушедшей эпохи. Варяг был авторитетом нового покроя — его таким сделал Медведь и, в куда большей степени, Егор Сергеевич Нестеренко, его учитель. Не зря же по повелению Медведя он в свое время свел все воровские наколки — предмет гордости любого урки, изменил внешность, привычки, образ жизни. Ему позволено было завести семью, свой дом, свой быт. Самые старые, самые уважаемые авторитеты, многие из которых уже ушли в мир иной, считали, что так он лучше сумеет отстаивать воровскую идею. Светлана и Олежек были его семьей — и хотя, как он понимал, ему приходилось уделять им слишком мало времени, теперь, когда он потерял их, Владислав сполна ощутил пустоту вокруг себя. Он оказался в вакууме.

Конечно, это тягостное ощущение усугублялось и той враждебной аурой, которая возникла в последнее время в его отношениях с ворами. Но эта враждебность его почему-то совсем не беспокоила. Напротив, он исподволь ощущал какую-то равнодушную усталость от тлеющего конфликта, не заботясь о его возможном исходе. Все мысли были заняты одним вопросом: как жить дальше? И ответ на этот вопрос был только один — у него оставалась Лиза. Дочка. Девочка, с которой он, по сути, был едва знаком, которую он и видел за эти годы считанные разы.

И Лена... Вот тут было совсем непросто. Лизина няня Лена как-то сразу вошла в его жизнь и встала вровень с образом Светланы. Почему — он и сам не мог понять. Он часто сравнивал их — погибшую жену, пережившую с ним столько горя, страшных испытаний и лишений, что не дай бог кому-нибудь, и тихую, молчаливую Лену. Они были такие разные! Чем-то эта очень неглупая и острая на язык девушка напоминала ему другую Лену — внучку священника Потапа из глухого таежного скита, которая его выходила и, можно сказать, вытащила с того света полтора года назад. Воспоминания о мимолетном таежном увлечении остро кольнули сердце Варяга. Та Лена тоже погибла из-за него. Он даже застонал от своих мыслей, так что водитель Серега слегка повернул голову — не случилось ли с шефом чего... Варяг отвернулся к окну. За тонированным стеклом мелькали новостройки Строгино.

Да, он изменился после их гибели. Наверное, жестокая смерть всех этих невинных людей, которые любили его и которых — каждого по-своему — любил он, произвела на его душу некое неосязаемое воздействие, следствием чего стало внутреннее ожесточение и — апатия. Он стал спокойнее, нет... равнодушнее относиться ко всему, что раньше казалось ему важным, — к своим делам, к планам на будущее и, главное, к неприятностям, которые в последние месяцы валились на него со всех сторон. Теперь, после потери самых дорогих ему людей, Варягу уже ничего не было нужно. Или ему так только казалось. Лишь упрямый азарт игрока, привыкшего побеждать, врожденный инстинкт бойца заставляли его держать себя в руках.

Вспоминая разговор с Михалычем и прокручивая в голове последние слова старого вора, Варяг понял, что он все-таки не прогадал и в последние полгода все делал правильно, вложив немалые средства в политическую деятельность, которую ему, в частности, и поставили в вину воры. Они сочли, что он бросает деньги на ветер, занимается не тем, чем надо, но теперь выходит, что он был прав. Он все делал правильно. Он не зря терпеливо и упрямо взращивал по всей стране — от Калининграда до Владивостока — своих людей в политических кругах, во властных структурах, в прессе. Он ковал свою политическую организацию, свой передовой отряд верных людей, на которых можно было опереться в грядущей большой драке. Если слова Михалыча верны, если и впрямь «Деда» уберут — сам ли он уйдет, или его вынудят уйти, неважно, — то начнется передел. И в общей суматохе можно будет протолкнуть своих людей в Думу. Ведь сам он, Владислав Геннадьевич Щербатов — тогда, в начале 90-х, такая была у него фамилия, — прошел в Думу «на ура». Так неужели сейчас, спустя восемь лет, когда он поднабрался опыта и обрел невиданный авторитет, ему не удастся протолкнуть в Думу и Совет Федерации армию своих людей — депутатов, губернаторов... И самое главное — своего кандидата в президенты.

Такой у него на примете давно уже был и давно им вскармливался. Известный политический деятель с десятилетним стажем, чье имя на слуху у миллионов россиян, который не первый год депутатствует в Думе, возглавляя сильную фракцию, — Леонид Васильевич Шелехов, председатель партии «Союз». Варяг только в этом году ассигновал три миллиона долларов на избирательную кампанию Шелехова. Конечно, Леонид Васильевич, оперируя своими правильными лозунгами, среди которых борьба с коррупцией и криминалом занимала не последнее место, даже под пыткой не признался бы, что его парламентскую фракцию финансирует известный российский вор в законе Варяг... Но факт оставался фактом — это была полюбовная сделка, о которой обе стороны договорились на тайной встрече в Сан-Франциско четыре года назад, как раз перед тем, как был убит один из «крестных отцов» американской мафии Монтиссори, а российского бизнесмена Владислава Игнатова арестовали и посадили в тюрьму.

С тех пор, то есть за эти четыре года, Шелехов значительно прибавил в политическом весе. Теперь он уже входил в группу «политических тяжеловесов», и на предстоящих президентских выборах у него были неплохие шансы занять почетное место, а может быть, даже проскочить во второй тур. Об этом, во всяком случае, свидетельствовали опросы общественного мнения, проведенные независимым агентством «ГЛАС». Мало кто знал, впрочем, что агентство «ГЛАС» также финансировалось Варягом и занимало важное место в политической пирамиде, которую Владислав Геннадьевич строил на деньги общака. При очень благоприятном раскладе политических карт могло произойти и вовсе невероятное — Шелехов мог стать новым российским президентом. В конце концов, думал Варяг, это же не Италия, не Франция, не Соединенные Штаты, это Россия. А в российской политике действует закон покера: либо ты срываешь куш дуриком, либо ты проиграешь, опять-таки дуриком, либо втихаря подменяешь колоду и банкомет сдает тебе четыре туза с джокером в придачу.

Варяг предпочитал играть в «русский покер» наверняка, поэтому всегда, во всех случаях, выбирал последний — беспроигрышный — вариант. Только один раз он рискнул сыграть наудачу — как в истории с приватизацией «Балтийского торгового флота» — и потерпел фиаско. Но больше таких глупостей он не сделает. Тем более играя в политический покер. Тут все должно быть заранее просчитано и везде расставлены свои надежные люди — и банкомет, и официанты, и кассир, и даже швейцары при входе. А там, глядишь, получишь тузовый покер с первой сдачи.

Теперь, думал Варяг, если события будут развиваться по тому сценарию, который ему только что набросал Михалыч, Шелехов может стать для него тем припрятанным в кармане джокером, который позволит умелому шулеру сорвать весь банк. Варяг обхватил ладонью лоб и сильно потер виски большим пальцем и мизинцем. Да это же будет большой джекпот! Самое любопытное, что у Шелехова действительно были шансы стать президентом — в этом Варяг не сомневался. Разумеется, надо было поскорее создать благоприятные условия для его победы.

Что такое благоприятные условия, Владислав пока и сам до конца не понимал, но ясно было одно: как на автогонках для одного из фаворитов создаются выгодные условия, например перед стартом обнаруживается, что у машины основного соперника пробит бензопровод... Такие досадные сбои бывают.

В политических же играх благоприятные условия создаются путем перетасовки игроков. И Варяг был готов к любым ходам. Ради победы в этой сложной игре он был готов пойти на все.

Возможно, придется вызывать из Питера Сержанта и просить его расчехлить любимую снайперскую винтовку.

Глава 3

Группки иностранных и российских туристов, чинно перетекавшие от Царь-колокола к Царь-пушке, а затем — к белокаменным соборам около колокольни Ивана Великого, не удостаивали вниманием строгое пятиэтажное здание в глубине кремлевского ансамбля. Но как бы удивились эти гости столицы, скажи им, что вовсе не в помпезно-великолепном кабинете президента России в Большом Кремлевском дворце, не в длинных коридорах брежневской высотки Белого Дома и не в сталинском гранитном бронтозавре на Охотном ряду — бывшем Госплане и нынешней Госдуме, а вот в этом желтом здании прошлого века, в одной из его тихих комнат, принимаются решения, которым, даст бог, суждено сыграть важнейшую роль в судьбе великой державы на заре третьего тысячелетия...

В просторном кабинете, обшитом темными деревянными панелями, было как всегда тихо. Вдоль трех стен, убегая к высокому потолку, высились книжные стеллажи, плотно заставленные тонкими и толстыми томами — судя по ветхим корешкам, это были очень старые книги, и как-то не верилось, что нынешний обитатель этого кабинета хоть изредка да раскрывает их и листает.

И впрямь, Александр Иванович Сапрыкин — для близких знакомых просто Алик, — хотя и занимал этот кремлевский кабинет шестой год и уже прижился к здешней антикварной обстановке, все равно почему-то не ощущал себя здесь хозяином и робел брать с полки эти ветхие книги. Как до сих пор никак не мог привыкнуть к мелодичному перезвону колоколов главных часов страны. Он даже порой подходил к занавешенному белой портьерой окну, откидывал тяжелую шелковую ткань и с каким-то недоумением глядел на видневшуюся вдали краснокирпичную башню с темным циферблатом часов, которые отмеряли ход истории. Ему как будто еще не верилось, что после смерти отца, старого кремлевского чиновника, пережившего пять генеральных секретарей, все его наследство перешло целиком к нему, Алику Сапрыкину. Это было нетленное наследство: крепкие знакомства, надежные связи, а главное — информация. Не та, что рачительно накапливалась в бесчисленных папках с секретными стенограммами заседаний политбюро и секретариатов, президиумов и съездов, а та, что держалась в головах по крайней мере трех поколений безымянных аппаратчиков — настоящих носителей государственных секретов страны. Отец Алика — Иван Пахомович Сапрыкин — был главным аппаратчиком Советского Союза — он ведал Центральным архивом специальной документации (данное учреждение не значилось ни в одном справочнике) и знал многих и многое, о чем лучше было бы не знать и забыть.

Но Иван Пахомович знал и не забыл — и в последние два месяца перед кончиной, лежа на смертном одре на даче в Жуковке-5, тихим хриплым шепотом рассказывал на ухо сыну все то, что считал своим долгом ему поведать. Смышленому Алику не стоило большого труда понять, каким богатством он располагает, — и первое, что он сделал после смерти папы, позвонил по одному из переданных ему Сапрыкиным-старшим телефонов, встретился с нужным человеком и после недолгих переговоров получил ключ вот от этого самого кабинета. Это случилось шесть с лишком лет назад.

За эти шесть лет он многого добился. Страна пережила бурные события: взлет и падение политических «тяжеловесов», шахтерские забастовки и финансовые скандалы, банковские войны, криминальные войны, войны на Северном Кавказе... В стране создавались и разрушались политические партии, политические репутации... Но только в этом тихом кабинете на третьем этаже неприметной кремлевской пятиэтажки эпохи Александра III царили покой и безмятежность. И хозяин кабинета Алик Сапрыкин, и немногие люди, посещавшие этот кабинет, — друзья и единомышленники Сапрыкина, которых он полушутя-полусерьезно величал своими «подельниками», — занимали в иерархии государственной власти негромкие должности. Но именно они, «подельники», и были тайными режиссерами и кукловодами в том пугающем многоактном трагифарсе, что разыгрывался на российских театральных подмостках вот уже не первый год. Причем многие актеры, исполнявшие даже главные роли в этом страшном спектакле, даже и не подозревали, чьей воле они повинуются и в чьих интригах они являются невольными исполнителями...

Сапрыкин давно убеждал своих «подельников» в том, что Владислав Игнатов, смотрящий России по кличке Варяг, затеял опасную игру: он стал вести себя совсем не так, как от него ожидали, и пришла пора его немного охолонить. Варяг совершенно оттеснил от своего бизнеса людей, связанных с кремлевскими «подельниками», и не желал делиться ни с кем, даже перестал отстегивать положенное в воровской общак. Более того, совсем недавно выяснилось совершенно неожиданное и неприемлемое обстоятельство: Варяг тайно финансировал избирательную кампанию депутата Госдумы Шелехова. И даже, как донесли ему верные люди, намеревался сделать его кандидатом в президенты.

Сапрыкина и его сотоварищей это сильно напрягло. Тем более что, зная финансовые возможности и организационные ресурсы Варяга, он не исключал вероятности того, что Шелехова в 2000 году таки изберут президентом. И это был абсолютно неприемлемый вариант, потому что Сапрыкин и его «подельники» уже давно присматривались к одному малозаметному государственному чиновнику со, как они выражались, «скрытым президентским потенциалом». Словом, Сапрыкин вынужден был принять непростое, но единственно верное в этих условиях решение: убрать Варяга с общака и поставить смотрящим России другого, более сговорчивого вора со славным прошлым, пользующегося большим авторитетом среди криминальных «хозяев» России.

Основная цель Сапрыкина и его «подельников» заключалась в том, чтобы, взяв под свой контроль российский общак, использовать этот тайный криминальный банк для финансирования важнейшей политической игры — выборов нового, точнее сказать, нужного президента России. Громкие финансовые скандалы вокруг прошлых президентских выборов показали, что секретное использование государственных средств в политических играх рано или поздно вскроется и какой-нибудь слишком рьяный депутатишка или генеральный прокуроришка начнет копать... Если же используешь деньги из «теневых» источников — а российский общак в этом смысле был идеальным источником, никто подкопаться не сможет...

Сапрыкин встал из-за стола, подошел к книжному стеллажу и, пожалуй, впервые за все время своего сидения в этом кабинете взял с полки книгу в темном переплете. С некоторым трепетом он раскрыл увесистый том и прочитал на титульном листе: «Пьер Пуанкаре. Тайная история государственных заговоров». «Актуально», — усмехнулся про себя Сапрыкин. И он мысленно вернулся к встрече, которая состоялась у него на даче в подмосковном поселке Жуковка-5 примерно два месяца назад и с которой, собственно говоря, завязалась нынешняя интрига...

Сапрыкин поставил толстый том на место и вернулся за стол. Теперь ему предстоял нелегкий разговор с человеком, способным обеспечить успех той многоходовой операции, которую он, Александр Иванович, задумал. Кодовое название операции он уже придумал: «Большой сходняк». Юмор ситуации заключался в том, что он-то сам имел в виду вовсе не воровской сход, а тайный совет крупнейших воротил теневой политики России — собрание еще более законспирированное, чем собрание криминальных авторитетов. Да и сам этот политический «большой сходняк» был сообществом куда более влиятельным, чем пресловутая «семибанкирщина» финансовых олигархов.

Сапрыкин снял трубку и набрал номер. В трубке послышалось низкое вибрирующее гудение — это работал «скремблер», противопрослушивающее устройство-«глушилка», позволявшее абонентам АТС-1 и АТС-2 правительственной связи вести секретные разговоры. Но Сапрыкин знал, что параллельно со «скремблером» кремлевские особисты подключают к линиям и «антискремблеры» — новейшие японские феньки, с помощью которых можно нейтрализовать любую «глушилку». Поэтому сейчас он должен был сообщить своему собеседнику всю информацию на кодовом языке, к которому их «большой сходняк» давно уже привык.

— Владимир Иванович? Это Алик, — Сапрыкин понизил голос. — У вас какие планы на ближайшие выходные? Предлагаю съездить порыбачить... В то же место, что и прошлый раз. И в то же время. Только на час раньше. И днем позже. — Он помолчал, выслушивая ответ. — Договорились! Закусочку я обеспечу, как всегда. А вы — горючее. И передайте остальным. Ну до встречи!

Он положил трубку и посмотрел в окно. Куранты на Спасской башне пробили семь раз.

Глава 4

Грунт посмотрел на часы: без десяти восемь. Так, значит, самолет должен прибыть в двадцать пятнадцать, если, конечно, не опоздает, но это можно сейчас выяснить... Дальше — пока он будет выходить, пока пройдет через депутатский зал, пока из здания аэровокзала выйдет, пока выедет с территории аэропорта — на это еще надо накинуть минут тридцать-сорок. Значит, около девяти появится.

Кирюха Грунт имел три ходки, и во время последней — когда пять лет назад отсиживал в Пермской колонии строгого режима за вооруженное ограбление инкассаторского броневика — его короновали. Не за бабки, как многих новоявленных «законников», а за заслуги перед миром. Грунт в свои тридцать два был парень отчаянный, бедовый — ни хрена не боялся, мог с голыми руками попереть на ментов с «пээмками», как он, собственно, и поступил во время столь неудачно для него закончившегося налета на банковский бронированный «форд». Он тогда все подготовил как надо, по уму — между прочим, как и сейчас, — и два его помощника, два пацана-школьника, которые помогли ему остановить броневик в глухом переулке, ни сном ни духом не подозревали, в какое дело он их втравил... Вот только облом произошел оттого, что как на грех, когда он уже шофера и одного охранника завалил из своего «тэтэшника» с глушителем, из-за угла вылетел ментовский уазик, и все пошло наперекосяк. Из уазика на него выпрыгнули два сержанта со стволами наперевес. Первым делом заклинило его «тэтэшник» — старый пистолет, доставшийся ему от одного другана во Владимирской пересылке. Но Грунт не растерялся, отбросил бесполезный пистолет и полез на ментов с диким воплем — думал, психическая атака возымеет действие. Менты и впрямь смутились, но только на миг: один, сука, прострелил ему ногу пониже колена, и они его повязали, истекающего кровью, без труда. Он только руками махал, орал благим матом и все норовил то одного, то другого укусить побольнее. Но они его вмиг утихомирили — рукоятками своих «пээмок» разбили ему лоб и затылок. А потом во время следствия, когда он пытался обвинить их в применении силы при задержании, те менты показали, что это он сам бился башкой о мостовую — психа, мол, изображал. В общем, впаяли ему десятку, из которой он пять отсидел и под очередную амнистию вышел за хорошее поведение — условно-досрочно. «Кум» написал на него рапорт (за этот рапорт пришлось отстегнуть тому «куму» десять «тонн» баксов, которые у Грунта были припасены на черный день), и через месяцок он вышел.

По трехкилометровому узкому перегону от Шереметьево к Ленинградскому шоссе неслись редкие машины и автобусы. Уже стемнело. Но Грунта это не волновало. За пазухой, оттопыривая куртку на груди, лежал инфракрасный прицел ночного видения. Он навернет металлическую трубку с линзами на ствол и будет ждать своего клиента. Клиент был удобный — обычно ездил без охраны, и, как Грунт догадывался, сегодня-то уж он тоже будет без бритых ребят в черных очках и с проводами радиосвязи в ушах, хотя Шелехов вез из Греции бабки. Большие бабки, которые он, пользуясь синим диппаспортом, свободно провозил через любые таможни. При мысли о деньгах в шелеховском саквояже Грунт даже облизнулся.

На Шелехова его навели совершенно случайно. Как-то сидел он у Гоши, своего старинного кореша, на фазенде — трехэтажной кирпичной даче в Новых Химках — водочку жрали, а там был бывший Гошин одноклассник Леша Базилевич (с ним Грунт тоже был знаком, хотя и шапочно), который вдруг завел бодягу о том, что Леонид Шелехов, председатель партии «Союз», сидит на довольствии у директоров крупных предприятий оборонной промышленности. Вроде как его даже «генералы российской оборонки» и двигают в Кремль, чтобы — чем черт не шутит! — в случае его победы на выборах обеспечить себе широкие финансовые коридоры и пробить окно на Запад и, главное, на Восток — в Юго-Восточную Азию. А знал об этом Леша Базилевич потому, что крутил он баранку служебной тачки одного из функционеров «Союза», и пока возил шефа по Москве и ближнему Подмосковью, всю трепотню с заднего сиденья мотал себе на ус. Но Грунта подробности оружейного экспорта-импорта мало заботили. Главное, что он усек из всего базара Леши Базилевича, так это то, что Шелехов был то ли последний мудак, то ли самонадеянный нахал — словом, ходил слушок, что он возил с собой нехилую наличность и в поездках его сопровождает только один телохранитель, он же его пресс-секретарь, бывший сотрудник «девятки» — Девятого управления охраны КГБ СССР. Грунт сначала не очень поверил и решил поглядеть на Шелехова своими собственными глазами. Он даже, как-то пару месяцев назад узнав по газетам, что председатель «Союза» собирается выступать на каком-то сборище в московском Дворце молодежи, не поленился отправиться туда потусоваться и, так сказать, поближе познакомиться со своим возможным клиентом.

Опытному налетчику минуты хватило, чтобы метров с двадцати как следует рассмотреть Шелехова: невысокий, плотный, хорошо одетый, с пухлым кожаным саквояжем, который он не выпускал из рук. За ним тенью двигался двухметровый амбал с непроницаемо серьезным лицом. Наверное, это и был «пресс-секретарь». «Интересно, что же лежит в этом саквояжике?» — подумал тогда Грунт, и ему в башку сразу запала мыслишка: точно, в такой сумчонке можно немалые бабки перевозить.

Мыслишка оформилась в определенное намерение после того звонка два месяца назад. Тот звонок Грунт хорошо запомнил, хотя разговор оказался коротким.

***

Он ехал в казино «Золотой терем» развлечься — сыграть на рулетке да снять грудастую девку на ночь. Причем ночь можно было провести как раз в самом «Тереме» — у них там на втором этаже были номера для своих. Грунт там у них давно уже освоился. Словом, ехал он в тачке по Садовому — как вдруг запиликал сотовый. Он врубил громкую связь, благо в тачке ехал один и скрывать разговор ему было не от кого, и услыхал знакомый голос. Это был Коля, с которым Грунт познакомился два года назад при очень неприятных обстоятельствах — в Бутырской тюрьме. Коля был моложавый мужик, держался приветливо, но властно: сразу было понятно, что Коля этот носит тяжелые погоны, хотя во время их беседы он приперся в штатском. Коля не стал ходить вокруг да около и сразу взял быка за рога, предложив Грунту «посотрудничать» и вместе «порешать дела». Не дав Грунту опомниться, он тотчас перечислил ему будущие выгоды от этого сотрудничества — во-первых, безусловное освобождение из СИЗО, во-вторых, полную защиту в будущем при возможных конфликтах с правоохранителями (при условии, понятно, что Грунт сам будет вести себя по-умному и не наделает какой-нибудь херовины), а в-третьих, некоторое денежное довольствие после выполнения определенных деликатных заданий. Дав

Грунту два дня на размышление, Коля ушел, а ровно через два дня Грунта вызвали к начальнику СИЗО и, ни слова не говоря, отдали изъятые при поступлении вещи и выпустили на свежий воздух.

Грунт сигнал понял. И не ошибся. Через пару дней ему на «Нокию» позвонил Коля (Грунт не стал терять времени на расспросы, откуда тот знает номер его «сотейника») и предложил встретиться в кафе «Парус» в парке у метро «Речной вокзал»... Ну и «дружба» завертелась.

И вот через два месяца Коля вдруг позвонил — причем после примерно полугодового молчания, так что Грунт даже уже решил, что сотрудничество закончилось, — и очень серьезным тоном предложил немедленно встретиться — и адресок дал старый: кафешка «Парус» на Речном вокзале. Грунт сразу туда и рванул. Место было знакомое — он там с Колей уже не раз и не два встречался. За десять минут домчался до «Паруса». Коля уже ждал его и, отведя в самый темный угол, сообщил... нет, даже можно сказать, проинструктировал Грунта, что, мол, есть такой нехороший человек в политике Леонид Шелехов, который недавно перебежал кое-кому дорогу, и надо бы его окоротить... Есть сведения, что Шелехов тайно перевозит из-за границы валюту. Прямо в ручной клади. «Ты меня, я надеюсь, правильно понял, — вкрадчиво повторил Коля, — его надо окоротить!»

Грунт чуть не подпрыгнул на стуле. Вот это везуха! Мало того что он сам себе наметил Шелехова как мишень для наезда, так еще всесильный Коля, его таинственный благодетель из «органов», дает ему зеленый свет! Ну это ж надо — такое бывает только раз в жизни!

«Понял, Коля, чего ж тут не понять! Все будет сделано в лучшем виде!» — пролаял Грунт. Он выбежал на улицу к своему «форду» как на крыльях. Он так разволновался после этого разговора, что даже сразу передумал ехать в казино. С визгом развернул «форд», вырвался на Фестивальную, вырулил на Ленинградку и понесся прочь от Москвы в Новые Химки. Ему надо было срочно повидать Гошу.

После того разговора в кафе «Парус» Грунт, что называется, плотно взял след Шелехова. Он начал каждый вечер смотреть новости по всем телевизионным каналам. Его интересовало только одно — личность Леонида Васильевича Шелехова. Параллельно он задействовал все свои знакомства и связи в криминальном мире Москвы. Грунт по крупицам собирал информацию о Шелехове и недели через три составил его примерный психологический портрет. Главное, что он усвоил: Шелехов часто бывал за бугром и, возможно, возил оттуда «зеленый нал» в крупных размерах. Десятками, сотнями «тонн», а может, и «лимонами». То есть, конечно, точно этого Грунт наверняка знать не мог — он же не рылся у Шелехова в его знаменитом саквояже, с которым тот не расставался нигде! Грунту пару раз удалось проследить за Шелеховым в Шереметьево — сначала, когда тот улетал в Германию, а потом — когда оттуда возвращался. Так вот улетал и прилетал Шелехов с этим самым коричневым саквояжем — причем улетал с явно пустым, а возвращался с явно набитым. В международном аэропорту Шелехов обслуживался через VIP-зал, то есть, по-старому говоря, депутатский зал, где большие российские чиновники с синими паспортами пересекали границу без таможенного досмотра. Понятно, что через депутатский зал Шелехов и проносил привезенную из-за бугра «зелень». Вот тогда-то, когда Грунт увидал прилетевшего из Мюнхена Шелехова с туго набитым саквояжем, у которого боковые швы чуть не лопались от содержимого — и Грунт уже не сомневался в том, что там лежало, — вот тогда-то и родилась у него шальная мысль ломануть этого хорошо одетого лоха. Шелехов всегда выезжал из Шереметьева в черной «ауди» с мигалкой, причем без машины сопровождения. И окна у этой «ауди» не были затемнены.

Итак, черная тачка, в которой сидят трое: сам клиент с саквояжем «зеленых», шофер и телохранитель-амбал. И все. Когда «ауди» окажется на шоссе — скажем, за пять километров до Химок, а еще лучше — на длинном перегоне между аэропортом и Ленинградским шоссе, — можно его брать голыми руками. Желательно, конечно, чтобы трасса в этот момент была пустынна. И еще более желательно, чтобы время было позднее.

Подготовка у Грунта заняла почти месяц. Подручные средства искать долго не пришлось. Он решил воспользоваться давно приобретенным израильским автоматом «узи», на который требовалось навинтить оптический прицел — ведь стрелять придется примерно со ста метров. А учитывая, что налет лучше провести в сумерках, если не ночью, то надо приладить не просто оптический, а инфракрасный ночной прицел.

После этого Грунту осталось выбрать огневой рубеж. Он поехал в Шереметьево рейсовым автобусом, сошел у какого-то то ли совхоза, то ли комбината, не доезжая до аэропорта, и сразу понял: попал в точку. По обеим сторонам от узкой асфальтовой полосы, тянущейся от Ленинградского шоссе, простирался огромный луг. Справа луг упирался в лес, слева — убегал к летному полю вдалеке. Причем как раз рядом с автобусной остановкой был возведен каркас надземного перехода — строительство шло, по всему видно, неторопливо, и строители успели установить только бетонные опоры будущего перехода да лестницу-времянку. Строительная площадка была заставлена штабелями бетонных плит и обнесена хлипким деревянным заборчиком. В общем, идеальное место для надежной засады. Грунт походил вокруг бетонных плит, нашел укромное местечко за забором, присел и бросил взгляд на дорогу. Там как раз промчалась одинокая «Волга» в направлении аэропорта. Грунт мысленно прицелился в боковое окно «Волги». Пук-пук-пук! Выпущенная из автомата длинная очередь прошьет крупным швом стекла, и теплый плюшевый салон будет весь залеплен кровавыми харкотинами... Он хохотнул. Ну примерно так и будет...

Грунт снова посмотрел на часы. Прошло сорок минут. Он вынул из-за пазухи «сотейник» и нажал семь кнопок. Грунт звонил Митьке Логинову, которому поручил сидеть в зале прилета и следить за сообщениями о времени прибытия рейса «Аэрофлота» из Афин. Этим рейсом и прилетал сегодня вечером Шелехов. Грунт не знал, что в этот раз депутат должен был приволочь из Греции восемьсот тысяч баксов, которые полгода назад перевели из матушки-России за какие-то тайные поставки танков на Ближний Восток, а там, пройдя долгим кружным путем через банковские счета трех или четырех подставных фирм, деньги были обналичены и вот теперь в шелеховском кожаном саквояже возвращались домой, чтобы многими тысячами ручейков растечься по российским городам и осесть в карманах нужных людей, обеспечивавших политическую кампанию президентского кандидата. Но Грунт был почти уверен, что найдет что-то очень интересное в дипломате у своей жертвы, и его интересовало только одно: как прилепить это что-то к своей лапе.

В «Нокии» раздался срывающийся слабый голос Митьки. Вот блин, между ними расстояние было не больше километра, а слышимость — как у негра в жопе!

— Митек! — рявкнул Грунт. — Ты что, в сортире сидишь, что ли?

— Не-а, — отозвался Митька. — Я в зале прилета, у главного табло.

Грунт усмехнулся: трусит Митек, даже шуток не понимает.

— Ладно, — примирительно заметил он. — Как там ситуёвина? Что сообщают — когда расчетное время прибытия?

— По расписанию, — все таким же слабым голосом отрапортовал Митька. — Ожидается в двадцать пятнадцать.

— Как только объявят прибытие, сразу мне звони! — напомнил Грунт. — И потом можешь отваливать восвояси.

— Понял! — уже громче произнес Митька с облегчением в голосе.

«Все ясно, — подумал Грунт. — Только и думает, как бы поскорее смыться».

Митька ничего не знал о том, какую роль он выполнял в предстоящей операции. Да и о самой операции — ни сном ни духом. Грунт не стал посвящать его в свой план — специально. Если что пойдет не так, как нужно, не так, как он планирует, и Митьку вдруг повяжут — тот ничего не сможет рассказать ментам, потому что сам не в курсе. Ну, попросил его приятель по мобильнику сообщить о прилете какого-то самолета из Греции. Ну и все. А зачем — хрен его знает...

Не знал Митька и о том, что не он один был задействован сегодня в операции слежения. У Грунта был еще один связной — надежный человек, которого он никогда не видел в лицо. Потому что они общались исключительно по сотовой связи — номер телефона дал ему Коля как раз неделю назад, когда Грунт позвонил ему, как договаривались, и вкратце рассказал о своем плане перехвата Шелехова по дороге из Шереметьево. Коля похвалил его и вот тогда-то предложил ему для страховки в помощь своего человека, который работал то ли в обслуге, то ли в охране депутатского зала аэропорта Шереметьево. «Ну, блин, все у них схвачено! — подумал тогда Грунт. — Контора работает...»

Как звали связного — этого он не ведал. Связному было поручено позвонить Грунту в тот момент, когда Шелехов получит свой паспорт и выйдет из зала.

Шелехова досматривать сегодня не будут...

Грунт перевел взгляд на дорогу. Движение на этом отрезке трассы было спокойным. Днем тут проходила в среднем одна машина в две минуты. Автобусы — раз в десять-пятнадцать минут. А сейчас, к вечеру, транспорта стало совсем мало.

Глава 5

Внизу показались убегающие к горизонту два длинных ряда синих огней, ограничивающих взлетно-посадочную полосу. Голубоглазая стюардесса ходила по широкому ряду салона первого класса и собирала пустые пластиковые рюмки. Шелехов с улыбкой отдал ей пустую фляжку из-под виски «Лонг-Джон». Потом встал и, набросив пиджак, кивнул Игорю Пахоменко: мол, пора, вынимай. Тот, перехватив взгляд шефа, с готовностью полез под широкое кожаное кресло и осторожно вытащил туго набитый кожаный саквояж «Самсонайт».

— Пока подержи у себя, — негромко сказал Шелехов, — как выйдем из самолета, я у тебя заберу.

— Мы немного раньше времени прибываем, — заметил Игорь. — Петрович не опоздает?

Шелехов помотал головой.

— Вряд ли. Петрович наверняка уже там стоит. Хотя... Надо бы проверить! — С этими словами он снял трубку вмонтированного в кресло телефона и, нажав несколько кнопок, поднес его к уху. — Петрович! — громко произнес он. — Мы на подлете. А ты где? Та-ак... Ну молодец. Жди. Минут через пятнадцать будем...

Он убрал телефон в карман и пристально поглядел на саквояж.

— Ну вот что, Игорь. Я в зал его сам пронесу, а ты возьми мой чемодан. Надеюсь, на этот раз все обойдется.

Игорь Пахоменко, уже полгода как работавший у Шелехова личным охранником, до сих пор не привык к тому, как его шеф лихо провозит через российскую границу крупные суммы валюты. У Шелехова был дипломатический паспорт какой-то хитрой серии, позволявший его обладателю миновать таможенные службы всех международных аэропортов и вокзалов России. Впрочем, при нынешней частой смене таможенных начальников этот паспорт все равно не давал стопроцентной гарантии на свободный проход без досмотра: каждый новый руководитель Государственного таможенного комитета, желая проявить рвение и усердие, считал своим долгом засечь на границе какого-нибудь важного нарушителя — будь то министр или член Государственной думы. Игорь пользовался доверием Шелехова и, сопровождая его во всех зарубежных поездках, всегда знал, что лежит в кожаном «Самсонайте». Поэтому он и волновался: ну ладно, в прошлые разы как-то получалось, но вдруг именно сегодня все сорвется — и шефу устроят контрольный шмон... Тогда никакие диппаспорта, никакие госдумовские ксивы не помогут. Шутка ли — восемьсот тысяч баксов налом без документов...

Они пробыли в Греции всего ничего — три дня, только и успели что смотаться на пляж разок да проехаться по меховым фабрикам — Леониду Васильевичу надо было присмотреть шубу для своей московской секретарши Лелечки. Игорю это было странно: Лелечку он видел раза три — чего в ней нашел шеф, непонятно. Ну ноги от шеи, ну глазищи как два озера Байкал, ну сиськи тугими дыньками, но ведь дура непролазная — так, Маня из Бобруйска. Про таких говорят: ты рот держи в рабочем состоянии, но только молча! Потом, после меховых фабрик, они отправились в Афины, и там, в роскошном небоскребе из зеркального стекла, Леонид Васильевич встретился с какими-то хмырями — именно ради этой встречи, как понял Игорь, и была устроена их краткая поездка в Грецию. Хмыри отлично говорили по-русски и явно были не греки, хотя и чернявые — может быть, кавказцы. После разговора с ними Леонид Васильевич получил этот туго набитый саквояж. Игорь как всегда ничего не спрашивал — не положено. Но он же не дурак! Тут все ясно как божий день. Леонид Васильевич собирался в будущем году баллотироваться в президенты. И этот саквояж — как и те так же плотно набитые сумки и портфели, которые он привозил в Москву из Люксембурга, Испании и Туниса, — таил в себе «избирательный фонд» Шелехова. Единственное, чего не знал Игорь, чьи это деньги и как они попадают в руки Шелехова. Но и этого ему было не положено знать.

Леонид Васильевич развалился в кресле и уставился в иллюминатор. Внизу под ним стремительно улетало прочь море леса. В сгущающихся сумерках уже завиднелись жилые массивы, тонкие ленточки дорог и мчащиеся по ним редкие автомобили с зажженными фарами. Он машинально потрогал тугой кожаный бок саквояжа. Ашот сказал, что через две-три недели будет еще миллиона полтора. Но в целях безопасности за ними лучше будет приехать в Италию, а не в Грецию: могут засечь. Что ж, это удобно: как раз в конце будущего месяца Шелехов собирался вместе с думской делегацией отправиться в Рим по приглашению какой-то парламентской комиссии — вот тогда-то и можно будет вывезти эти деньги. Это тем более удачно, что думскую делегацию в Шереметьево вряд ли будут подвергать контрольному досмотру — это не принято, хотя любой таможенник знает: члены представительных государственных делегаций всегда провозят через границу недозволенные вещи. Взять хотя бы тот инцидент с замминистра финансов... Но сегодня могло произойти всякое. Он приготовился к любому развитию событий. У него даже была на всякий случай заготовлена одна бумага, подписанная очень большим человеком из

Кремля — слишком большим, чтобы шереметьевские таможенники, обнаружив у депутата Шелехова значительную сумму долларов, осмелились ослушаться строгой формулировки: «...в государственных интересах... провозит валютные денежные средства, предназначенные для специального финансирования... в виде исключения без официально оформленных... пропустить без досмотра...» Так когда-то в соответствии с секретными постановлениями Политбюро ЦК КПСС сотрудники первого главка КГБ вывозили из страны валюту для «специального финансирования» — а фактически на текущие нужды «братских партий». Времена сильно изменились, и давно уже нет ни первого главка КГБ, ни Политбюро ЦК КПСС, но система-то работает. Даже люди остались на своих местах — вон этот армянин Ашот: как работал в Греции при Андропове, так до сих пор и сидит — только «крыша» у него теперь другая, он теперь не спецкор «Правды», а греческий бизнесмен. Шелехов усмехнулся. Одно только неясно с этим Ашотом: откуда он берет все эти деньги, эти миллионы — ведь он вынимает их из тумбочки регулярно.

Самолет с мягким толчком приземлился и помчался по бетонной полосе. В иллюминаторе замаячил далекий темный прямоугольник аэровокзала.

Что Шелехов знал наверняка — так это то, что средства, которые поступают в его «черную кассу», изначально имеют «оружейное» происхождение. Как-то пару лет назад он познакомился с людьми из Росвооружения, они свели его с директорами крупнейших оборонных предприятий Сибири и Урала, а те в свою очередь представили его другим людям — уже опять в Москве, ну и веревочка потянулась. А полгода назад он встретился с Владиславом Игнатовым — руководителем нового и очень успешно развивающегося концерна «Госснабвооружение». Об Игнатове, правда, ходили какие-то темные слухи: что он чуть ли не закоренелый зек и коронованный вор в законе, да только Шелехову было на это наплевать. Он несколько раз встречался с Игнатовым и убедился, что этот молодой — ему и сорока еще не было — бизнесмен не только отлично разбирается в своем деле, но, пожалуй что, и неплохо представляет, как функционирует вся экономическая и финансовая система страны: у него было, как теперь модно говорить, макроэкономическое мышление. Игнатов познакомил депутата со своей программой реформирования системы экспорта российского вооружения, и Шелехов был настолько поражен его свежими и смелыми идеями, что даже пообещал поддержку. «Лоббировать будете меня в Думе?» — засмеялся тогда Игнатов. «Буду», — честно признался Шелехов. «Ну что ж, — сказал Игнатов, — тогда получится как в русской народной сказке — и я вам как-нибудь пригожусь». А еще через три месяца у них состоялся очередной разговор, когда Игнатов на полном серьезе предложил Шелехову финансовую помощь. Конечно, тогда еще и речи не было о новых президентских выборах — все, напротив, думали, что кремлевский «Дед» не мытьем так катаньем продлит себе полномочия и останется президентом еще лет этак на пять. Но выборы все равно были запланированы, и Игнатов прямо предложил Шелехову баллотироваться в президенты. Вот тогда и выяснилось, что у руководителя «Госснабвооружения» есть немалые ресурсы в регионах — и политические, и информационные. Игнатов поведал ему о финансовых средствах, которыми можно было воспользоваться в избирательной кампании, — это были деньги, выведенные из России на оффшорные счета и затем возвращаемые — но уже в виде наличности — обратно в Россию. «Значит, все врут наши журналисты, что капитал бежит из России?» — пошутил тогда Шелехов. На что Игнатов серьезно ответил: «Эти журналисты либо не в курсе, либо, наоборот, вполне в курсе — и в любом случае, конечно, врут! Из России выводятся очень большие деньги — миллиард долларов в неделю, но вовсе не для того, чтобы припрятать их где-то на Карибах. Это все чушь. Деньги должны работать. Умные люди выводят из России валюту, чтобы потом ее сюда же вернуть и использовать по назначению». «Например, для незаконного финансирования избирательных кампаний?» — съязвил Шелехов. «Например, для этого», — не моргнув глазом согласился Игнатов.

Шелехова тогда так и подмывало спросить — потому что их разговор с глазу на глаз в особняке «Госснабвооружения» получился очень доверительным — насчет всех этих сплетен о том, что Игнатов якобы крупный криминальный авторитет и вор в законе... Но не успел.

«Ничего, — подумал Леонид Васильевич, — завтра мы с ним встретимся, и я обязательно спрошу». Подхватив тяжелый саквояж и кивнув на прощанье голубоглазой стюардессе, он вышел из салона. Уже идя по пологому проходу-«кишке», соединявшей самолет и здание аэровокзала, он подумал: «А в конце концов, какая мне разница! Вор он в законе или не вор... Главное понять, зачем я ему нужен. Хотя что же тут непонятного. Владислав Геннадьевич действует в строгом соответствии с давно принятыми в России и никем не отмененными законами — и в этом смысле он действительно был «законным». Шелехов даже рассмеялся удачному каламбуру. В этом смысле все мы «законные». Услуга за услугу. Бескорыстных услуг не бывает. За услуги полагается аппетитная премия — в виде ли министерского портфеля или депутатской ксивы. Игнатову депутатство не нужно, и министром он быть не захочет. Он весьма прозрачно намекнул, что его интересует прежде всего бизнес и только бизнес. Значит, сделал вывод Шелехов, он ожидает режима наибольшего благоприятствования для своего бизнеса. Ну что ж, это вполне законная награда...

Осталась самая малость — победить на президентских выборах.

***

Начало смеркаться, и Грунту это было на руку. Он лежал в своей засаде и в двадцатый, может быть, раз мысленно прокручивал свои действия... Лишь бы не было машин... Лишь бы не было машин, молил он.

Вдруг спрятанный во внутреннем кармане куртки мобильный телефон пропиликал легкомысленную мелодию. Грунт от неожиданности даже вздрогнул и взглянул на часы. Четверть девятого. Что-то рановато. Он вытащил мобильник и прижал его к уху.

— Слушаю! — негромко буркнул он.

— Приземлился! — взволнованным громким голосом доложил Митька.

— Че так рано? — недовольно поинтересовался Грунт.

— Не знаю. Не сказали. Только объявили, что произвел посадку. — Голос у Митьки дрожал.

— Ладно, парень, вали! Поезжай на автобусе до Речного вокзала. Мне не звони — если понадобишься, я тебя сам найду.

И, не дожидаясь Митькиного отзыва, Грунт вырубил «Нокию». Теперь он ждал еще одного звонка. И минут через пятнадцать «сотейник» завякал. Это был связной из депутатского зала. Он только и сказал: «Клиент пошел. С ним один сопровождающий. Саквояж при нем», — и вырубился.

Грунт убрал телефон и нащупал в лежащей рядом с ним холщовой сумке холодный металл автомата. Длинный цилиндр глушителя уже был навернут на ствол, оставалось только приладить оптику. Грунт порылся в сумке и вытащил инфракрасный прицел. Привинтив над стволом массивную насадку, он прильнул глазом к окуляру. В сгустившихся сумерках Грунт отчетливо разглядел отдельно стоящую березу на лужайке впереди, метрах в двухстах от шоссе. Ну, разглядел березку — разглядит и людей в «ауди». Черная «ауди» с синей мигалкой, госномер 008. Он направил трубку прицела в сторону аэропорта. Вдалеке виднелась пересекающая шоссе эстакада. Где-то через полчаса оттуда, из-под эстакады, вырвется черная машина с важным пассажиром.

Машина показалась через двадцать восемь минут. Грунт нахмурился и крепко сжал холодный металл левой рукой, а правой впился в рукоятку, положив указательный палец на спусковой крючок. Машина приближалась очень быстро. Пожалуй, шла не меньше ста в час. И в самую последнюю минуту Грунт принял решение стрелять не по боковому, а по лобовому стеклу: он побоялся, что «ауди» стрелой промчится мимо его засады и пули только чиркнут по касательной. Он навел трубу прицела на лобовое стекло и, точно в волшебном фонаре, вдруг увидел в призрачном зеленоватом сиянии внутренность салона и три мужские головы. Две поближе — это были водитель и сопровождающий, и одна голова поглубже — человека, сидевшего на заднем сиденье. Голова господина Шелехова. В самый последний момент, когда он уже нажал на спусковой крючок автомата, Грунт подумал: «А вдруг телохранитель и Шелехов поменялись местами?» Но думать было уже поздно.

Автомат свирепо закашлял, нервно забился в руках, точно потревоженное животное. И в трубу прицела Грунт увидел, как лобовое стекло «ауди» враз покрылось плотной паутиной трещин и рытвинками пулевых отверстий. «Ауди» резко завалилась к обочине и на полной скорости врезалась в бетонное заграждение строительной площадки. Капот сплющился в гармошку. Грунт вскочил и бросился со всех ног к машине, осматриваясь на бегу.

Вокруг не было ни души. В плотной вечерней мгле только сияли далекие оранжевые фонари Ленинградки.

Этот участок дороги не освещался. Грунт подбежал к машине и рванул заднюю правую дверцу. Шелехов лежал на сиденье, откинув голову назад. Он был весь залит кровью. Правая рука судорожно сжимала ручку саквояжа. Двое мужчин на переднем сиденье были также мертвы. Водитель сидел уткнувшись лицом в руль, его сосед — здоровенный широкоплечий бугай — сполз набок и завалился водителю на плечо.

Грунт с силой вырвал ручку саквояжа из мертвых пальцев Шелехова и припустил со всех ног к припаркованному впереди серому «жигулю».

Дверца была не заперта. Грунт сел за руль и первым делом раскрыл саквояж. Сверху лежали какие-то иностранные газеты. Он разворошил газеты и сразу увидел туго перетянутые пленкой пачки долларов. Сотенных. С замирающим от восторга сердцем Грунт запустил руку поглубже. Пачки лежали плотными штабелями. Там их было штук сто, а может, и больше. Если сотенные баксы уложены в стандартные пачки по сто купюр, значит, в каждой пачке было десять тысяч баксов. А если таких пачек в этом саквояже сто, значит, тут по меньшей мере «лимон» баксов! Он включил зажигание и вырулил на дорогу.

Этот «жигуль» Грунт угнал сегодня утром в Южном Бутово. Ему бы только до Москвы на нем доехать, до Кронштадтского бульвара. Там, у автосервиса, он оставил свой «форд-сиерру». Он бросит уже не нужный ему «жигуль», пересядет в «сиерру» и рванет к себе в Балашиху.

До Кронштадтского бульвара он доехал без приключений. И всю дорогу обнимал правой рукой кожаный саквояж, лежащий рядом с ним на сиденье.

Глава 6

Владислав взял со стола изящный пластиковый пульт и включил кондиционер. Белая коробка под потолком тихо заурчала и погнала прохладные струи воздуха. В этот момент заверещал переговорник. Нажав кнопку и услышав мягкий голос Лены, он невольно улыбнулся:

— Да, Леночка!

— Владислав Геннадьевич! Я хочу напомнить, что у вас сегодня в двенадцать встреча в Таможенном комитете с Крутиковым.

— Спасибо, я помню! Есть еще какие новости?

— Нет, пока никаких, Владислав Геннадьевич!

Он отключился. Молодец какая — на службе называет его по имени-отчеству. Лена... Леночка... Молоденькая девушка, по сути, заменившая его малолетней дочке Лизе мать. А ему — кого? Жену? Нет. Прошло еще очень мало времени с того ужасного дня, когда жемчужно-серебристый «мерседес», в котором ехали его верная спутница жизни Светлана и сын Олежка, прямо на его глазах взметнулся вверх в клубах черного дыма и смертельных огненных плевках взрыва. Чего только не повидал на своем веку Владислав Геннадьевич, через какие только испытания не пришлось ему пройти, но такого горя и такой боли он не испытывал еще никогда. Владислав не понимал, как ему удалось пережить тот самый страшный миг в его жизни. Потом долгими мучительными бессонными ночами он все думал и думал, кляня себя за то, что не смог уберечь самых близких, самых дорогих ему людей, не сумел спасти их — ведь, как ни крути, та бомба предназначалась ему, Владиславу Игнатову, законному вору, смотрящему России, а не безвинным женщине и ребенку... Утрата семьи незаживающей раной преследовала его везде и повсюду. Не напрасно по неписаным воровским законам вору не положено иметь семью. А он в свое время пренебрег этим правилом. И вот теперь расплачивается горькими потерями, разрывающими его сердце. Скольких ему уже пришлось проводить в последний путь! И своих мудрых учителей, старого Медведя и академика Нестеренко. И верных друзей, с которыми пришлось пройти через тюрьмы и лагеря, а потом через тысячи испытаний в борьбе за влияние в России. Но никогда еще так не страдала душа, как сейчас, после смерти жены и сына. Чуть раньше, когда Владислав потерял любимую женщину Вику, дочку академика Нестеренко, которая, стараясь спасти его, была убита киллерами, преследовавшими его, Варяга, он находил утешение в том, что она оставила ему хотя бы дочь. Но после утраты Светы с Олежкой он ощутил страшное одиночество и пустоту. Его сердце, наверное, навсегда закаменело, если бы не дочь Лиза. И Лена, тихая, спокойная девушка, работавшая приходящей няней для Лизы. Лена так естественно вошла в его сердце, что он уже и не мыслил своей жизни без нее. Дни были заполнены работой. И лишь ночные воспоминания о страшной гибели близких доставляли ему острые душевные страдания. Порой они становились невыносимы. Но все же это было уже прошлое, которое не вернуть. Это прошлое все глубже проваливалось в пучину памяти. Тот жуткий день все плотнее окутывала пелена забвения. А жизнь брала свое. И все рельефнее вырисовывалась в его сознании Лена.

Она стала ему особенно близка в последние три недели, когда он посадил ее у себя в приемной. И не пожалел. Лена оказалась на редкость толковой и хваткой. Он даже иногда невольно сравнивал ее со Светланой — Света была совсем другая. Добрая, терпеливая, заботливая мать, хорошая хозяйка, верная жена, друг. Но совсем не «бизнесвумен», у нее напрочь отсутствовали деловая жилка, та острота интеллекта, тот смелый полет фантазии и, как говорится, чувство предвидения, без которого невозможно делать бизнес — ни малый, ни тем более большой. А вот у Лены эта бизнес-хватка явно присутствовала. Владислав вспомнил, как она совсем недавно, подготовив ему сводку о последних продажах «Госснабвооружения» на иорданском военно-техническом салоне, вдруг посоветовала... нет, не посоветовала, а как бы поразмыслила вслух, не решаясь впрямую посоветовать... немного переделать контракт с господином Ахмедом Сайхой, крупным саудовским оружейником. И он, подумав, сразу согласился, подивившись про себя, как это Лена, не имея никакого экономического образования и коммерческого опыта, сразу углядела то, что ускользнуло от внимательного взгляда его многоопытных экономистов-консультантов. Вот тогда-то Владиславу и пришла в голову мысль взять ее к себе в «контору», посадить секретаршей — чтобы через ее руки проходила вся документация. Разумеется, прежде чем принять такое решение, он поручил отставному полковнику, своему верному «оруженосцу» Николаю Валерьяновичу Чижевскому, начальнику службы безопасности, проверить ее подноготную. Так, на всякий случай. Береженого бог бережет. После гибели жены и сына он уже никому не мог доверять безоговорочно. Николай Валерьянович быстро навел справки и доложил, что ничего подозрительного за девушкой не числится. Москвичка, родители умерли естественной смертью, образование незаконченное высшее (бросила пединститут), сомнительных знакомств нет. Ну и самое главное — она была единственной племянницей Вали, многолетней домоправительницы Егора Сергеевича Нестеренко, что само по себе было ее лучшей характеристикой: Егор Сергеевич не подпускал к себе случайных людей.

Зазвонил телефон — его прямой, номер, о существовании которого знали только самые близкие люди. Что-то стрельнуло в мозгу — не к добру! Владислав снял трубку.

— Здорово, Варяг! — раздался глуховатый скрипучий голос Максима Шубина, известного в воровских кругах под кличкой Кайзер.

— Здравствуй, Максим! Чем обязан?

— Да вот решил справиться о твоем здоровье, — как-то фальшиво и с вызовом выдавил Шубин.

— Заботливый ты нынче стал, Кайзер, как я посмотрю, — в тон ему ответил Владислав.

— Работа такая, Варяг. Сам знаешь, о людях вовремя не позаботишься, глядишь — уже похоронили. Только убиваться приходится да каяться...

Варяга неприятно кольнули слова Шубина, и он резко оборвал его на полуслове:

— Знаешь что, Кайзер, я сейчас занят, давай перейдем к делу.

На другом конце провода послышалось раздраженное покашливание, и неприятный скрипучий голос Макса, цедя слова сквозь зубы, сообщил, что люди передают привет Варягу и желают видеть на большом сходе в будущую пятницу.

Кайзер замолчал, дожидаясь реакции. Варяг до боли сжал челюсти. Максим Кайзер не просто связник у воров — он сам крупный авторитет. И коли его уполномочили сообщить Варягу о необходимости срочно собрать большой сходняк, то, выходит, разговор предстоит очень серьезный. Но куда более серьезным показалось Варягу то, что Кайзер изложил свою мысль в ультимативном тоне, так, как будто бы не Варяг был смотрящим

России, а кто-то другой, вызывавший Варяга на толковище под видом большого схода. Очень это не понравилось Варягу, но, не подавая вида, держа себя в руках, Владислав переспросил:

— Правильно ли я понял тебя, Кайзер, люди хотят, чтобы я организовал большой сход?

Шубин слегка помедлил и, снова прокашлявшись, проскрипел в трубку:

— Ну можно и так сказать. Но народ на пятницу настаивает, Варяг. Учти...

— Я тебя понял, Кайзер. Передай: я буду.

— Пе-ре-дам! О-бя-за-тель-но пе-ре-дам! — отрывисто бросил, точно пролаял, Кайзер. — Только, Варяг, народ рассчитывает на то, что встреча состоится без лишних... Чтоб не как в тот раз — когда приводил своих людей. С пушками, — уточнил невесело Макс Шубин. — Это ж как-никак большой сходняк, а не заседание Госдумы, и скандалы нам ни к чему.

— Не бойся, Кайзер, — криво усмехнулся Варяг, — вот уж скандала я не допущу. Будь уверен. Я ведь не спикер Селезнев. — И, не став дальше слушать Шубина, бросил трубку.

Итак, его вызвали на большой сходняк.

...Варяг мысленно перенесся на несколько недель назад, в подмосковный ресторан с тяжелой входной дверью под медным кованым навесом. Плохо кончился тот неприятный разговор с ворами — очень плохо. А ситуация была явно спровоцирована. Владислав вспомнил, как его телохранители были вынуждены применить силу. Слава богу, что до стрельбы дело не дошло. И еще он вспомнил, как из-за уже захлопнувшейся за ним двери, из банкетного зала, до его слуха донесся хриплый вопль Толяна, старого вора, которого последние годы чаще называли Дядей Толей: «Это война, Варяг!»

Война... Только этого не хватало! Начато было столько дел. Машина бизнеса только-только начала раскручиваться. Неужели опять придется заниматься разборками? Варяг всю жизнь сходился в кровавых и смертельно опасных разборках со своими коварными недоброжелателями, которых жадность и непомерное честолюбие делали его заклятыми врагами. Варягу приходилось их беспощадно наказывать. Он терпеть не мог отморозков, на которых никакие слова не имели воздействия. С беспредельщиками Варяг расправлялся безжалостно, воровской закон был жесток — убивать приходилось и самому, но чаще руками верных людей. Но то были и в самом деле враги — люди, которым нельзя было доверять, которые готовы были предать и продать его за бесценок, которые норовили уничтожить его как опасного и сильного конкурента по влиянию на воровской мир, на бизнес, в котором крутились деньги воровского общака. То были напрочь чужие ему итальянские мафиози в задрипанной Америке, наши коррумпированные правительственные чинуши, крупные ментовские начальнички, всякая рвущаяся к власти политическая шушера. И еще, конечно, продажные ссучившиеся воры, среди которых попадались даже законные, которым грех был носить корону воровской чести. Он уничтожал их без колебаний, без всякого трепета душевного, зная, что этой падали, этой мрази вонючей нет места на земле. Но никогда еще ему не приходилось вступать в схватку с теми, кого он считал людьми вполне приличными, кого сам в свое время вводил в большой воровской мир, а потом рекомендовал большому сходу. Никогда еще воры, которых он знал не первый год и которые его совсем еще недавно искренне уважали и беспрекословно подчинялись его авторитету, завоеванному делами, а не купленному за бабки, — никогда еще воры не предъявляли ему сколь-нибудь серьезных претензий. «Еще немного, — подумал невесело Варяг, — и они меня поставят на счетчик, как какого-нибудь толстопузого лоха-коммерсанта из «Петровского пассажа».

И все-таки, что же произошло? Почему все так внезапно повернулись против? Варяг не верил, не хотел, не мог поверить, что все это вышло как бы само собой. Чтобы авторитетные воры и впрямь так уж сильно недовольствовали тем, как у него идут дела в нефтяном, алюминиевом и, главное, в оружейном бизнесе. Чтобы они уж так противились тому, что он проталкивает своего человека на самый верх политической пирамиды России. Не может быть, чтобы причиной была неудача с «Балторгфлотом». Тем более что дело там еще далеко не закончилось, и теперь, когда в северной столице правильно прошли выборы и смотрящим поставлен Филат, толковый, преданный человек, все еще можно переиграть в их пользу...

Нет, что-то тут недоговорено, думал Варяг, машинально перебирая бумаги на своем рабочем столе. Тут чувствуется чья-то посторонняя рука, чье-то закулисное давление, чей-то иезуитский замысел — вот только что это за люди и в чем состоит их лукавый план, этого Варяг пока понять не мог. Впрочем, одно он понимал очень хорошо. Не случайно, ох не случайно Закир Большой на том сходняке упомянул про общак. Да какое там упомянул — почти впрямую потребовал отчета. Потом намекнул на то, что не пора ли уважаемым людям поблагодарить Варяга за проделанную работу и передать контроль над общаком в другие, не менее надежные руки. При этом Закир Большой явно выражал не только свое личное мнение, но, как он сказал, мнение большинства воров. Что же все-таки произошло? И в тишине зала его слова звучали, не находя возражений у собравшихся. Когда и где Варяг потерял бдительность, упустил что-то очень важное, значительное?

Варяг знал Закира давно, лет уже пять, и за все эти годы между ними не то что «кошка не пробегала» —

тень не ложилась. Закир был вор уважаемый, гордый, умный и, главное, хладнокровный. К Варягу он относился ровно, и, хоть всегда держался независимо, в разговорах со смотрящим был подчеркнуто почтителен. И уж если то, что он тогда высказал Варягу, вышло у него из сердца, то, значит, с Закиром произошли странные и необъяснимые метаморфозы. Жесткие слова явно были результатом каких-то серьезных событий, произошедших в последние две-три недели и изменивших взгляды умного и опытного Закира. Варяг понимал, что эти события вряд ли были стечением обстоятельств. Скорее всего здесь имел место чей-то злой умысел, искусно навязанный дагестанскому вору. И это в корне меняло дело.

Варяг вспомнил, как на том сборище воров Сашка Турок прилюдно уличил Закира Большого в тайной торговле черной икрой — Закир тогда в лице переменился. Скрывать от правильных людей свои барыши дагестанец не привык. Тем более что икра — так, мелочевка. Закир всегда исправно и не скупясь отстегивал от своего подпольного бизнеса в общак — это Варяг знал точно. Но все же Закиру стало тогда не по себе. И он как-то вяло отреагировал на слова Турка. Значит, ему есть что скрывать от воров, не только эти махинации с икрой. Но что еще? Может быть, нечто такое, в чем благородному вору и впрямь западло признаться братве? Что-то позорное... Но что?

И тут Владислав стал вспоминать о событиях трехмесячной давности. Он вспомнил, как все тот же Сашка Турок шепнул ему, что видел однажды Закира выходящим из дверей здания Речного вокзала. Ну и что, удивился тогда Варяг, мало ли какие дела у дагестанского авторитета в московском речном пароходстве! Да в том-то и дело, не унимался Турок, что пароходство находится в другом здании, неподалеку от вокзала, а в самом вокзале никаких кабинетов речных начальников нет.

Только мелкие турфирмы и ресторан. Ну понятное дело, такой кит, как Закир, сам не попрется сшибать дань с турфирм, да и в ресторан если он и заходил, то явно не лакомиться жареным сомом. Там у него была деловая встреча — сделал вывод хитроумный Сашка.

Варяг этот разговор запомнил. Сашке Турку он ничего не сказал, поручив своим людям последить за Закиром и рестораном. Чижевский отправил в ресторан «Волга» своих людей. Дело было как раз накануне готовящейся операции по поимке гнусного кровавого отморозка Коляна Радченко, и лучшие силы Чижевского, тройка самых профессиональных бойцов — Абрамов, Лебедев и Усманов, были заняты. В дозор пришлось послать молоденького парнишку, имевшего за свой ершистый характер прозвище Зверек. Зверек топтался возле Речного вокзала три недели, но Закира там не видел. Зато он рассмотрел много чего другого — например, странного хмыря в черной кожаной косухе и в зеркальных очках, который частенько — раз в неделю уж точно — приезжал сюда, к ресторану «Волга», на разбитом «жигульке», а за ним через пять-десять минут неизменно подкатывал какой-нибудь крутейший джип или «мерседес», из которого вываливалась пара-тройка здоровенных «быков» с могучими плечищами, кулаками-ядрами — по виду ни дать ни взять мастера греко-римской борьбы. Богатыри исчезали за тяжелой дубовой дверью ресторана и потом появлялись уже порознь через час-другой.

Эта информация заинтересовала Варяга — он и сам не мог понять почему. И, как старый опытный волчара, он не оставил эту информацию без внимания. «Надо бы поподробнее разузнать, что тут к чему», — подумал он тогда...

И вот теперь он снова вспомнил эту историю с рестораном у Речного и задумался. Что за черт!

На столе противно затрещал телефон. Он машинально потянулся к прямому аппарату, только уже сняв трубку, понял, что это из приемной звонит Лена. Не по переговорнику его вызывает, а звонит...

— Да, Леночка!

— Владик! — Ее голос чуть дрожал. Он сразу напрягся: в офисе Лена никогда не обращалась к нему так запросто: значит, стряслось что-то экстраординарное.

— Ну, говори же! — нетерпеливо поторопил он ее.

— Только что позвонили от Шелехова...

— Ну и?

— Вы... ты понимаешь, его вчера вечером в Шереметьево... убили!

— Как «убили»? — глухо отозвался Варяг и похолодел. — Шелехова убили? Когда? Где? — И сразу понял, какую чушь он несет: Лена же ясно сказала: «Вчера, в Шереметьево...»

— Его личный шофер встретил в аэропорту и повез в Москву, — заторопилась Лена. — И на перегоне от аэропорта к Ленинградскому шоссе машину расстреляли в упор. Водитель, телохранитель и сам Леонид Васильевич убиты. И портфель пропал.

Варяг медленно положил трубку на рычаг. Портфель пропал! Шелехов летал в Грецию, чтобы получить там от друзей деньги — очередной «транш» на избирательную кампанию. Варяг и раньше был недоволен этим слишком сложным, на его взгляд, способом финансирования шелеховской партии, но его партнеры, через которых осуществлялась обналичка, уверяли его, что лучше способа нет. Кто еще, кроме Шелехова, имеющего свободный проход через VIP-зал, без таможенного досмотра сумел бы регулярно провозить из-за границы миллионные суммы! Любого другого курьера давно бы уже взяли за одно место!

Варяг вскочил и стал мерить шагами кабинет. Шелехова убили... Он уже давно не смотрел телевизор, тем более — не слушал радио: лживые продажные «журналюги» раздражали его неимоверно. Наверняка во вчерашних вечерних новостях уже было сообщение.

Убийство Шелехова — тяжелый удар. И прежде всего удар по нему, по Варягу. По его далеко идущим планам. Шелехов был ему очень нужен. Влиятельный политик, лидер набирающей рейтинг партии, руководитель думской фракции. Самое главное — человек надежный, умевший держать слово, это был очень выгодный стратегический партнер. Варяг связывал с ним большие надежды. И теперь, после этого странного убийства, все рушилось — все, с таким трудом и терпением подготовленное им для выборов, пошло прахом.

Варяг с остервенением рубанул воздух рукой и до боли сжал кулаки. Одно за другим, целая вереница несчастий и бед. И тут он снова вспомнил последние слова, сказанные Леной: «пропал портфель». Пропал портфель с деньгами. Там должно быть около миллиона баксов. Из-за них убили Шелехова? Или — из-за него, Варяга? Из-за политики? Вот вопрос, который требует скорейшего ответа.

Надо срочно что-то предпринимать. Надо вызвать Чижевского — дать ему команду: пусть Николай Валерьяныч по своим каналам начнет копать, не дожидаясь официального расследования — все равно правду не скажут. Пусть выясняет, что на самом деле случилось с Шелеховым и чьи здесь следы. И тут еще это требование «братвы» собрать большой сход — очень некстати. Действительно: черная полоса. Он нажал кнопку переговорника:

— Лена! Зайди!

Дверь отворилась — вошла взволнованная побледневшая Лена. Она очень хорошо знала Шелехова, неоднократно связывала Владислава с ним по телефону, по ходу дела выслушивая от депутата утонченные комплименты. И даже в этот момент Варяг отметил, как хороша была его новая помощница в своем строгом костюме: приталенный пиджак и юбка — достаточно короткая, чтобы были видны стройные ноги, но и достаточно длинная, чтобы не выглядеть легкомысленной.

— Лена! — очень серьезно обратился к ней Владислав Геннадьевич. — Срочно разыщи Чижевского. Если он не в курсе... а раз он мне до сих пор не позвонил, значит, не в курсе, — сообщи ему про Шелехова. Пусть он отдаст команду своим бойцам — он знает, что им сказать. И пусть сам срочно приезжает сюда. Второе — свяжись с канцелярией Думы, узнай, когда похороны...

Когда за Леной закрылась дверь, он подошел к окну и надолго задумался. Дела принимали очень серьезный оборот. Кому-то понадобилось убрать Шелехова! Вариант первый. Допустим, Шелехова убили из-за денег. Тогда связь тут такая: греки — московские отморозки. Потому что такое дерзкое убийство могли задумать и осуществить только отморозки, гастролеры. Москва — тихий город, спасибо мэру. Питер давно уже стал нашим российским Чикаго. Там каждый день стреляют. А в Москве все чинно. Этот покой ценят и уважают. А если кого и надумают убрать, вывозят в Одинцово, Люберцы или Балашиху — там и кончают. Но чтобы сегодня в Шереметьево грохнуть известного человека — это надо быть или полным мудаком, или очень отчаянным малым. Итак, если есть связка «греки — Москва», то должно быть и соединительное звено — в VIP-зале. Потому что только работники депутатского зала могли засветить частые поездки Шелехова в Грецию и на Кипр, откуда он возил валюту, и могли наметанным глазом заметить, с каким багажом он пересекает границу, и смекнуть, что в этом багаже. Значит, люди из депутатского зала могли вступить в контакт с отморозками и навести их на Шелехова.

Еще вариант — наводчики были среди греков, что маловероятно. Греки — и Белоянис, и Маркос — надежные ребята, тем более не первый год люди Варяга проворачивают с ними операции по «переводу денег». Они не могли пойти на такую подлянку. Да и выгоды нет: зачем им убивать свой надежный отлаженный бизнес. Так что надо прежде всего копать в VIP-зале Шереметьево.

Второй вариант: Шелехова убили по политическим мотивам за его работу в Думе. Если это так, то почему именно его? В Думе столько других «кандидатов», которые как кость в горле стоят на пути любых дел и начинаний. Но их-то даже никто и не трогает. А уж Шелехов-то вел себя пока, до выборов, очень чинно, не придерешься, не подкопаешься.

Остается третий вариант: Шелехова убили из-за него, из-за Варяга. А значит, за стремление к власти. И тут связка посложнее: он, Варяг, — воры — Шелехов. О его неформальных отношениях с Шелеховым знают очень много людей — и в воровских, и в политических, и в деловых кругах, и в прессе. Они иногда появлялись вместе на дипломатических приемах. В «Московском комсомольце» как-то появилась их фотография с крикливой подписью: «Сладкая парочка — бизнесмен Игнатов с кандидатом в президенты России!» Причем здесь есть два варианта. Если убийство чисто политическое, то есть не связанное с ним лично, тогда ноги растут, может быть, даже из околокремлевской тусовки — тамошним мудрецам вполне могло прийти в голову убрать неудобного кандидата. Но если истинной мишенью убийц был он, Варяг, тогда искать надо в воровской среде. Потому что именно воры и могли «заказать» Шелехова, чтобы лишить его, Варяга, важной политической подпорки. Значит, заказчики либо в политическом окружении Шелехова, либо среди воровской верхушки. Чижевскому предстоит гигантская работа. Но задачу можно сильно облегчить, начав копать в воровской среде. Во всяком случае, уже на предстоящем большом сходе можно будет многое прояснить...

Глава 7

Евгений Николаевич неторопливо снял китель и, любовно погладив погоны с тремя вышитыми звездами, повесил его на плечики. Потом он неторопливо расшнуровал и сбросил в угол ботинки, снял брюки, форменную рубашку и остался в одних трусах в разноцветную полоску и в форменных носках цвета хаки. Генерал Урусов стоял в небольшом, сверкающем новеньким кафелем санузле, примыкающем к его кабинету. Душевая кабинка приветливо манила его хромированным блеском шведского смесителя, но он решил не тратить сейчас время на ненужный ритуал омовения. Он взглянул на часы: половина седьмого. Надо поторопиться. Евгений Николаевич снял с вешалки джинсы и джинсовую, в голубую и красную клетку, рубашку.

В кабинете на рабочем столе зазвонил телефон. Евгений Николаевич машинально бросил одежду на небольшой диванчик и метнулся было к открытой двери, ведущей в кабинет, но сразу вспомнил, что трубку снимет секретарша Даша — быстроглазая, полненькая, очень аппетитная лейтенантша, которую он планировал завалить в койку недели через две — после более обстоятельного знакомства. И в самом деле, на втором звонке трубку сняли. Он предупредил Дашу, чтобы она его ни с кем не соединяла, поэтому можно было продолжать переодевание.

Генерал Урусов въехал в свой новый кабинет на пятом этаже белой коробки офисного здания Министерства внутренних дел на Мытной два месяца назад. Заново покрытый лаком паркетный пол еще блестел, как тщательно отполированный сервант, и в помещении стоял характерный едкий аромат недавнего ремонта. Свою очередную звезду на погоны Урусов, замначальника Главного управления МВД по борьбе с организованной преступностью, получил совсем недавно — за две недели до переезда в новый кабинет.

До назначения в министерство Евгений Николаевич был заместителем начальника Северокавказского округа внутренних войск МВД. Но после чеченской войны 1994—1996 годов, когда в результате проведения операций по ликвидации бандформирований и зачисток мятежных сел он заработал себе среди единородцев-чеченцев плохую репутацию, руководство сочло за благо перевести доблестного полковника в Москву — подальше от чеченских стволов и кинжалов. К тому же в министерстве давно оставалось вакантным место заместителя начальника Главного управления по борьбе с организованной преступностью по южной России и Северному Кавказу. До недавней поры это направление работы в министерстве возглавлял старый генерал Калистратов, который год назад при странных, так до конца и не выясненных обстоятельствах погиб в Санкт-Петербурге. Убийство Калистратова было самым позорным «висяком» питерских сыскарей, и московские менты не могли простить им полной беспомощности в этом деле. По материалам следствия, так и не пришедшего ни к каким выводам, генерала убил неизвестный отморозок-одиночка, тайком проникший в ветхое здание на Васильевском острове, где генерал встречался со своими петербургскими «внештатными» оперативными работниками — попросту говоря, стукачами. Следователи склонялись к выводу, что Калистратова как раз и убил один из его сексотов, но никаких улик найдено не было, на том расследование и «подвесили»...

После перевода в Москву Урусову поручили курировать деятельность кавказских преступных группировок в Москве и европейской части России. И он достойно справлялся с этой задачей. Перво-наперво, пользуясь своими многочисленными связями как на Кавказе, так и в чеченских диаспорах в крупных российских городах, он сколотил группу тайных осведомителей, которые регулярно докладывали ему о состоянии бизнеса, о криминальных разборках и даже о личной жизни крупных воровских авторитетов с Кавказа. Вскоре под колпак к Урусову попали все самые видные деятели так называемой «кавказской мафии», которые контролировали деятельность казино и ресторанов, бензоколонок, нефтеперегонных заводов, строительных организаций, торговых комплексов, рынков, импортно-экспортных фирм и прочее. За три года службы в Москве Урусов получил колоссальный объем информации. Однако он не торопился пускать ее в дело и аккуратно, с дотошностью естествоиспытателя, изучающего повадки какой-нибудь диковинной четырехкрылой мухи, собирал в особую картотеку коллекцию фактов и фактиков, доносов, слухов, сплетен о, допустим, некоем Ашоте Егиазаряне, хозяине кафе «Наири» на Покровке, чтобы потом использовать данные оперативной разработки в нужный момент для нужного дела.

Сегодня Евгений Николаевич был в прескверном настроении. Позавчера вечером под Москвой возле Шереметьево был убит депутат Госдумы Шелехов. И это внезапное убийство сразу нарушило хрупкий баланс сил, который он, генерал-полковник Урусов, тонко выстраивал вот уже больше полугода, тайно взаимодействуя с крупнейшими авторитетами воровского сообщества России. Он действовал, разумеется, не по собственной инициативе — собственная инициатива в том ведомстве, в котором он уже верой и правдой служил без малого двадцать лет, никогда не приветствовалась. Действовать дозволялось в рамках той четкой линии, которая разрабатывалась наверху и затем доводилась до начальников главков, а те уж давали соответствующие указания своим подчиненным. Вот и Евгений Николаевич получил инструкции от генерал-полковника Шандыбина — своего непосредственного шефа, как-то душным июльским вечером за дружескими посиделками на даче в Скворцово под Москвой.

...Петр Петрович Шандыбин приехал к нему на дачу под вечер в мрачном расположении духа. Едва войдя в дом, он сквозь зубы бросил Урусову: «Жена с тобой?» — и, узнав, что супруга Евгения Николаевича, а также и его сын-семиклассник сегодня уехали в Москву, облегченно вздохнул: «Ну и ладно — не хера им наши разговоры слушать».

Они прошли на просторную кухню, сели за деревянный сосновый стол — этот шведский кухонный гарнитур Евгений Николаевич по случаю приобрел в Нальчике, куда он вылетал два года назад в инспекционную командировку. Шандыбин без предисловий выложил ему последние новости. Из «инстанции» (то бишь из кремлевской администрации) по «фельдъегерской спецсвязи» (то есть в личной беседе с глазу на глаз) пришло пожелание подготовить площадку для предстоящих в будущем году президентских выборов. По их, милицейской, части требовалось одно — наладить негласный двусторонний контакт с авторитетными людьми по всей России, чтобы те внимательно следили за развитием ситуации в регионах. Они должны были создать самую благоприятную социальную обстановку и в крупных городах, и на зонах: взять под плотный колпак уголовную мелкоту, отморозков-одиночек, уличную шпану, не контролируемую региональными авторитетами, потому что от этой шпаны и исходит всегда главная опасность. Накануне выборов в стране должен быть образцовый порядок — как в воинской части накануне приезда туда министерской инспекции. «И траву покрасить изумрудной зеленью?» — усмехнулся тогда Урусов, выслушав рассказ Шандыбина. «И траву позеленить, и небо поголубить, и всем выдать по метле, чтобы тротуары вычистили!» — без тени улыбки отрезал тот.

Он не стал вдаваться в политические подробности этого довольно странного приказа, но, будучи сметливым, понял, что в Кремле или около Кремля готовится какое-то важное решение и для его реализации необходимо создать соответствующий общественный контекст. Что ж, задачи поставлены, цели ясны, за работу, товарищи!

И Урусов с обычным рвением принялся выполнять поручение. Такая работа ему нравилась — нравилась настолько, что он даже не всегда перепоручал налаживание «негласных контактов» своим подчиненным, а частенько предпочитал делать работу самостоятельно — от начала до конца. Тем более что он уже третий год успешно налаживал деятельность по внедрению своих людей в московский криминальный мир.

Евгений Николаевич давно наметил себе удобное местечко для тайных встреч со знакомыми «авторитетами» — ресторан «Волга» в здании Речного вокзала на Ленинградском шоссе. Место было тихое, незаметное, нешумное. Когда-то, говорят, лет тридцать назад, тут было многолюдно — чуть ли не единственный был в Москве кабак, где подавали свежую, только что выловленную рыбу — сома, щуку... Приезжая с Северного Кавказа в Москву в краткие служебные командировки, майор Урусов любил водить в этот ресторанчик случайных знакомых — голодных ментовских жен, скучающих в расположенной поблизости эмвэдэшной общаге. Некоторые из них были совсем даже не прочь провести вечерок с темпераментным и обходительным гостем столицы. Репертуар таких выходов был однообразен: Урусов потчевал спутницу жареным судаком в сметане, поил полусладким шампанским, а потом любезно приглашал в комнату отдыха на втором этаже ресторана, заранее подготовленную для него прикормленным официантом Ленчиком. Перебравшись пять лет назад в Москву, Урусов быстро нарыл на этого официанта вагон и маленькую тележку «оперативки» и пару раз изумил своего старинного ресторанного приятеля информацией о его тайных запрещенных экономических махинациях на кухне. Пухлая папка с красной ленточкой наискосок завоевала полную раболепную преданность Ленчика, вернее, Леонида Абрамовича Столбуна, который за эти годы успел вырасти до заведующего производством. Ленчик всегда держал специально для Урусова уютный столик на четверых в дальнем углу ресторанного зала — там за перегородочкой Евгений Николаевич и проводил свои самые важные беседы...

Сегодня в «Волге» должна была состояться очередная встреча генерала Урусова с серьезными авторитетными людьми — теми, с кем он давно нашел взаимопонимание и договорился о взаимовыгодном сотрудничестве. Евгению Николаевичу предстоял непростой разговор по душам. Он приехал на Речной вокзал, как всегда в таких случаях, не на служебной «ауди» с синей мигалкой, а в неприметной казенной «Ладе» с подмосковными номерами. Как обычно поставив «Ладу» на стоянке, Урусов неторопливо направился ко входу в ресторан. Выглядел он очень даже понтово: черная кожаная куртка-косуха на крупной стальной молнии, черные джинсы «Райфл» в обтяжку, сверкающие черные ботинки на каблуках, на носу черные зеркальные очки. Невысокий, коренастый, с пышной шевелюрой черных с проседью волос, Урусов специально выбрал себе такой, говоря по-молодежному, прикид: в подобных злачных местах немолодой фраер в кожаной куртке хоть и сразу бросался в глаза окружающим, но никто бы ни за что не признал в нем генерала внутренних дел, который хладнокровным акульим взглядом выискивает в тухлой ресторанной тусовке свою очередную жертву, чтобы, подкараулив ее и дождавшись, пока жертва расслабится, вонзить в нее острые клыки профессионала.

Урусов заранее предупредил Столбуна о своем сегодняшнем вечернем визите и попросил, как всегда, накрыть стол в кабинете. Встреча предстояла очень серьезная. Едва он подошел к стеклянной двери ресторана, как дверь сама собой распахнулась, точно под действием невидимой пружины. Евгений Николаевич знал отлично, что это дело рук поджидавшего швейцара, угодливо глядящего в щелочку между портьерами и сразу фиксирующего приближение особого гостя.

Едва он вошел в зал, как со стороны кухни к нему метнулась знакомая долговязая фигура в смокинге. На лице у Столбуна играла его вечная любезная улыбочка. Урусов, не снимая темных очков, едва заметно мотнул головой: мол, пошел прочь, сейчас не время! — и уверенно двинулся через весь зал к кабинету за перегородкой, зашторенному тяжелой двойной портьерой, из-за которой можно было наблюдать за всем, что происходит в зале.

Стол был накрыт на троих. Скромно, но со вкусом. Салат из огурчиков-помидорчиков, копченый угорь в нарезку, черная икра в хрустальной вазочке на блюде с ледовыми кубиками, бананы, виноград, очищенные от волосатой кожицы киви. Посреди стола возвышалась заиндевевшая бутыль шведской водки «Абсолют». Он снял очки и не спеша обвел довольным взглядом яства. Молодец Ленчик: ни ветчины, ни буженины. Накрепко запомнил мерзавец, что генерал Урусов — вегетарианец!

Евгений Николаевич сел и налил себе стопку «Абсолюта», но не выпил. Он просто не любил слишком переохлажденную водку.

Через пять минут — ровно в назначенное время — в зале за портьерой послышались уверенные шаги, потом шуршание и сопение Ленчика. Столбун нарочито громко, чтобы услышал важный гость, произнес: «Вас уже дожидаются, Закир Юсупович!»

Урусов развернулся вполоборота. У стола стоял Закир Большой.

Несмотря на то что они были земляками, у них изначально сложились непростые отношения. Во-первых, Закир был представителем древнего дагестанского рода, а Урусов, хоть и родился в Ингушетии, а потом долгое время жил в Махачкале, был наполовину чеченцем, к тому же со временем обрусевшим. Но стена неприятия выросла между обоими горцами вовсе не поэтому — дело в том, что Закир был правильный законный вор, а Урусов — московский милицейский начальник, генерал МВД. Они стали знакомы не так давно, совсем немного — года два. Урусов нарыл на Закира серьезный компромат, причем дело касалось, конечно, не криминальных дел законного вора, а его темных делишек, проворачиваемых дагестанцем за спинами российских воровских авторитетов. Закир, к примеру, контролировал в Дагестане практически всю нелегальную торговлю черной икрой и осетровыми, без его указа не функционировал целый ряд нефтепроводов, о существовании которых знали даже далеко не все чиновники российского Министерства топлива и энергетики. Но самое главное — Закир Большой умудрился подмять под себя наркодельцов, действовавших на дагестанских наркомаршрутах. Эти пути, ведущие из Афганистана, последнее время активизировались, особенно после строительства на берегу Каспийского моря, вблизи калмыцкой границы, нескольких мини-заводиков по переработке афганского опия в героин. Эти заводики постепенно стали личной собственностью Большого Закира, о чем не знал почти никто. Даже самые уважаемые воровские авторитеты, к коим принадлежал Закир, ничего не знали об этом. А генерал Урусов знал. Ему стало об этом известно совершенно случайно, во время очередной облавы на таджиков, снабжавших героином Москву. Установив, что героин не афганского производства, генерал Урусов сильно заинтересовался и стал рыть дальше. Постепенно его ребята вышли на дагестанских «химиков», а там уж ниточка потянулась дальше и привела прямехонько к Закиру Большому.

Урусов не стал об этом факте писать в официальном рапорте, но нашел способ через верных посредников сообщить Закиру о своем удивительном открытии. Вот так дагестанец и попал на его крючок. Ведь самым страшным ударом для законного вора — это Урусов понял четко — стало не то, что милицейский генерал вычислил истинного хозяина подпольных героиновых заводиков, а то, что этот хозяин держал свои левые предприятия втайне даже от своих корешей, забывая отстегивать в общак положенные суммы. Это было по воровским меркам тяжкое преступление, и виновного могли ожидать очень серьезные последствия, но что особенно было страшным для вора — то, что он мог навсегда потерять свой авторитет: клеймо бесчестья уже не отмоешь ничем, даже кровью. И вот этого бесчестья более всего боялся дагестанский законник.

Понимая это, генерал Урусов крепко, точно клешнями, впился в Закира Большого и теперь держал его на коротком поводке: разлучить их могла только смерть.

— Садись, Закир Юсупович, — с многозначительной усмешечкой бросил Евгений Николаевич. — Угощайся, чувствуй себя как дома.

Он всегда разговаривал с Закиром с глазу на глаз в таком полуулыбчивом тоне. Знал, что Закира, привыкшего к весьма почтительному обращению, подобная интонация страшно бесит, и что гордый сын Дагестана, будь другая ситуация, готов порвать его на куски или вонзить острый кубачинский кинжал в горло ненавистному ментовскому чинуше. Но ситуация была совсем не в пользу Закира. Причем от осознания собственного бессилия тот ярился еще больше. Вот именно это и доставляло генералу Урусову невероятное душевное удовольствие — «эмоциональный оргазм», как он любил шутить.

Закир скрипя зубами сел и молча уставился на Урусова. Глаза в глаза.

— Зачем позвал, генерал? — тихо, в растяжечку спросил он. — Без меня не можешь справиться с какими проблемами? Может, опять тебя подвела твоя ментовская хватка?

Усмешечка сползла с лица Урусова. Хоть он давно уже считал себя москвичом, горячая кровь горских предков нет-нет да и давала о себе знать: настроение у Евгения Николаевича менялось за секунду. Вот и теперь он внезапно рассвирепел и, подавшись вперед, злобно прошипел:

— Ты газеты читаешь, джигит? Телевизор смотришь или, кроме денег, водки и баб, тебя больше ничего не интересует? Ты слыхал, что вчера вечером в Шереметьево прихлопнули депутата Шелехова?

Закир неопределенно кивнул.

— Что-то слыхал. Но при чем тут бабы и водка? А главное — при чем тут я?

— Как это «при чем»! Мы разве не договаривались — еще летом? В Москве до июля двухтысячного года все должно быть тихо-мирно. Никаких наездов, никакой стрельбы, никаких разборок. Москва не Питер — это в Питере пускай они все друг дружку перестреляют, мне на это насрать! Там пусть губернатор ответ несет перед Кремлем. У них свои счеты. А здесь, в столице, совсем другая обстановка. Тут все живут как в большой семье — и если какие-то конфликты случаются, то все решается полюбовно в своем кругу. Знаешь русскую поговорку про сор, который нельзя из избы выносить?

— Вашу русскую поговорку знаю! — не удержался от иронической ухмылки Закир Большой, намекая на происхождение генерала. — Да только я к вашим московским семейным делам имею мало отношения... Для меня что «сор», что «мусор» — почти одно и то же.

В черных глазах Урусова вспыхнули желтые тигриные искры. Этот законный смеет над ним насмехаться! Намекает, сволочь, что, мол, он — дагестанец правильный, а генерал Урусов бросил Кавказ, перебрался в Москву и прислуживает «мусоркам»? «Ну ладно, — подумал Евгений Николаевич, — это я тебе припомню, махачкалинский шакал!» И, подавив гнев, спокойно продолжал:

— ...Ты хоть и кавказский вор, но я тебя не про Кавказ спрашиваю — если надо будет, спрошу у Шоты-грузина. Он-то поди побольше твоего в авторитетах ходит! Но здесь, в Москве, ты не последний человек. И знаешь, что в столице решаются самые важные вопросы. Всем нам не поздоровится, если что-то не так пойдет. Убили не какого-то сибирского братана с бабками, а депутата Госдумы. И не просто депутата — ладно бы он из хлева либеральных демократов был, ладно бы за ним шлейф из «уголовки» тянулся, — так нет же, убит известный государственный деятель. Убит будущий кандидат в президенты. А кандидатов в президенты, Закирыч, так, за здорово живешь на шоссе не убивают. Ясно же, что за этим кто-то стоит... А ты вот молчишь, делаешь вид, что не знаешь! Какой же ты после этого московский авторитет? Посуди сам!

И генерал ввинтил жесткий взгляд прямо в глаза Закира Большого. Он понимал, что Закир скорее всего никакого отношения к этому убийству не имеет и иметь не может, но именно Закир, с его мощными связями в российском криминальном мире, способен что-то разузнать и выйти на след убийц. Урусов знал: дело даже не в поимке группы стрелков — а судя по тому, что на месте преступления нашли два ствола и стреляные гильзы от трех стволов, покушение было организовано широко, с размахом, и в нем участвовало как минимум трое... Такие серьезные убийства не делаются без ведома очень больших людей. Главное сейчас в том, чтобы понять, кто и с какой именно целью «заказал» Шелехова.

— Я очень хотел бы надеяться, Закирчик, — продолжал Урусов, не дожидаясь ответа, — что наш давний уговор — то, о чем мы договорились летом, — остается в силе. Ты мне поможешь, а я, если судьбе будет угодно, помогу тебе ...

Урусов имел в виду состоявшийся у них в июле разговор, в котором он потребовал, чтобы Закир через крупных воровских авторитетов собирал всю информацию о всяческих назревающих конфликтах или возможно готовящихся разборках в Москве. Особенно его волновал период до лета 2000 года, то есть до выборов нового президента. Закиру Большому не нужно было объяснять, что от итогов этих выборов зависит будущая расстановка сил как в эмвэдэшном, так и в криминальном мире России. Генерал лишь дополнительно намекнул, что эта деликатная просьба исходит из самых высоких кабинетов... Но, конечно, генерал Урусов тогда слукавил: никто из вышестоящего начальства не давал именно ему каких-то особых поручений на «спецразработку» криминальных авторитетов. Там, наверху, скорее всего, было не до Урусова. И генерал вынужден был пуститься в это рискованное предприятие по своему разумению, в надежде убить сразу двух зайцев: действительно добиться надежного затишья в Москве на предвыборный период, а заодно самому поглубже запустить руку в дела «законных». Это ведь как рыбная ловля в осетровый нерест: сунешь руку в бурливый поток, пошевелишь там пальцами наобум — да и прихватишь толстую севрюжину с распухшим от икры брюхом. Он когда-то, еще будучи махачкалинским школьником, на каникулах летом так и ловил осетров, а потом толкал икорку скупщикам... Москва — далеко не Махачкала, тут и «осетры» водятся пожирнее, и «улов» можно надыбать побогаче. Надо только знать места для рыбалки... И время зря не терять... Под лежачий камень вода не течет.

Тогда, во время летней встречи, дагестанский вор проникся настоятельными просьбами генерала и пообещал содействие. Да и как же иначе он мог поступить, если Евгений Николаевич в разгар застолья приоткрыл «заветную» папочку с собранным на Закира материальцем и показал ему всего лишь три оперативных рапорта, но и этих трех было достаточно, чтобы Закира Большого бросило сначала в жар, а потом в холодный пот. Подпольные героиновые заводики на Каспийском бережку могли бы выйти Закиру Большому боком. «А что, Закирчик, если эта информация станет достоянием большого воровского общества?» — ехидно спросил тогда генерал Урусов, заедая огурчиком очередную рюмочку водки... С тех пор Закир и стал таким сговорчивым.

Вчерашнее убийство Шелехова напугало Урусова не на шутку. Конечно, формально он не нес никакой ответственности за это происшествие, и его главк не будет принимать участия в расследовании. Однако, если бы вдруг оказалось, что в убийстве замешаны кавказские мафиозные кланы, с него бы спрос был по полной программе. С другой стороны, его и самого разъедало любопытство: он сам хотел понять, что же произошло. Вот и решил провести самостоятельное расследование — с помощью московских криминальных кругов. Если, паче чаяния, ему удастся раскрыть это убийство раньше официального следствия — о, это будет сильным ударом по руководству Следственного комитета и, возможно, откроет Евгению Николаевичу путь на самый верх министерской иерархии... И сама мысль об этом доставляла Урусову тот самый, как он любил выражаться, «эмоциональный оргазм»!

— Ну, в общем, ты меня понял, Закирчик. Я должен знать. кто «заказал» Шелехова. Позвони мне... по тому телефону, ты знаешь... — небрежно мотнул рукой Урусов.

Закир к еде не притронулся. Он молча поднялся и, едва кивнув на прощанье, ушел. Гордый, шакал! Горным орлом себя мнит. Ну ничего, мы тебе крылья-то подрежем, погоди, придет время! Не таким обрезали: те тоже сначала ерепенились, а потом кровью харкали и на коленях ползали. Урусов почувствовал, как внутри закипает ненависть. Все-таки зов предков ничем не заглушишь. Кавказский темперамент — тут уж ничего не поделаешь...

Евгений Николаевич ощутил, как застучало в висках, как вспыхнули щеки, дыхание участилось. Рассердил его дагестанский уголовник. Крепко рассердил. Генерала всегда бесило то, как неприступно-гордо держится с ним этот ублюдок. Подумаешь, законный вор. В гробу мы таких видали. Видите ли, он не признает власти над собой — не хочет признать! Ну ничего, обломаем — не таких обламывал Евгений Урусов.

Он схватил вилку со стола и с силой сжал ее в пальцах — мельхиоровая вилка послушно согнулась, как оловянная. Урусов отбросил ее в сторону. Ну вот, завелся. Опять. После чеченской войны с ним это стало часто случаться. Надо держать себя в руках. И все же не прав этот махачкалинский шакал, если думает, что Урусову чужд норов его горских предков! Он выглянул из-за портьеры в зал и сразу заметил тех, кого искал взглядом.

Евгений Николаевич всегда приходил на встречи со своими «связниками» под прикрытием двух ребят из службы внутренней безопасности главка — Никиты

Левкина и Артема Свиблова, двухметровых качков, которые одним своим видом могли насмерть перепугать прохожих на оживленной улице в ясный день. Иногда к ним присоединялся Виктор Кузяков, в прошлом мастер спорта по греко-римской борьбе. Ребята никогда не толклись около своего начальника. Вот и сегодня они вдвоем подвалили к Речному вокзалу в сверкающем джипе с прибамбасами и вошли в ресторан следом за генералом, делая вид, будто ни сном ни духом не ведают, что это за великовозрастный лох в черной косухе. Они расположились на почтительном расстоянии от шефа, готовые в любой критический момент совершить бросок и заключить в свои стальные объятия всякого, кто осмелится покуситься на безопасность их шефа... Сейчас оба сидели в центре зала напротив друг друга и внимательно изучали посетителей, ленивым взглядом облизывая их жующие лица.

Но не они сейчас интересовали Евгения Николаевича. Он жадно скользнул взглядом по лицам посетителей. Прямо перед его укромным убежищем стоял роскошно накрытый стол на шестерых, за которым сидели две девицы и четыре парня. За столом то и дело раздавался заливистый хохот. Пацаны смешили телок. Урусов зафиксировал одну из них. Смазливая моська. Черная пышная копна коротко стриженных волос, тоненькая майчушка. Джинсики, крепко обтягивающие тугую попку. На майке Урусов разглядел надпись: «Fuck off Guys» и усмехнулся. Что такое по-английски FUCK, он знал — и очень любил это дело. Буквы C и G торчали вызывающими холмами. Урусов облизал мгновенно пересохшие губы. Эх, эту чернявую козочку раскорячить бы раком прямо здесь, на этом мраморном полу, и впендюрить ей по самое не могу... Он ощутил мелкую нервную дрожь во всем теле — в бедрах, в коленях. Так бывало с ним всегда... Всегда, когда его внезапно охватывала волна похоти, когда его властно затягивал водоворот неуемного, непреодолимого желания доставить себе мучительное наслаждение: схватить сильными руками податливое женское тело, измучить, искусать его... Вот и сейчас совсем рядом с ним — только руку протяни! — сидела смазливая молоденькая поблядушка в тонкой майке на голое тело и бесстыдной возбуждающей надписью на груди... Ох, как же ему не терпелось... Но сейчас не время.

И чтобы загасить внезапно возникшее вожделение, Урусов взял в чуть дрожащие пальцы стопку водки и одним махом заглотил обжигающую жидкость. Хороша! Не закусывая, он налил и выпил вторую стопку, почувствовав, как кровь побежала по жилам и как он стал успокаиваться. Теперь он с удовольствием поддел вилкой лоснящийся жирком ломтик угря и отправил в рот.

— Вот так, бляха-муха! — выругался генерал и в ожидании второй встречи стал вспоминать о своем позавчерашнем упоительном приключении в молодежном клубе «Барабан» на Тверской. Та телка тоже была такая же тоненькая и сиськастая, с такой же черной копной волос...

За портьерой раздался шум, и нарочито громкий голос Столбуна опять известил сидящего за перегородкой генерала о новом госте: «Проходите, Владимир Сергеевич! Вас уже давно ждут!» Урусов усмехнулся: молодец Столбун. «Вас уже давно ждут» — этим директор ресторана прозрачно намекнул очередному прибывшему, что тот непозволительно опаздывает...

Глава 8

В бильярдной, расположенной в подвальном этаже огромной трехэтажной дачи за высоким живым забором буйных лип, как всегда, витал пьянящий аромат дорогих голландских сигар. Хозяин дачи Алик Сапрыкин был большим ценителем этих длинных темно-коричневых «палочек здоровья», как он в шутку их называл. К сигарам его приучил отец, Иван Пахомович Сапрыкин. Приучил Алика он ко многому, в том числе и к «маленьким телесным радостям» (его выражение!). Сегодня, вопреки обыкновению, Александр Иванович распорядился, чтобы шестидесятилетняя кухарка Аня задержалась и приготовила к вечеру «что-нибудь легкое». Аня лет сорок проработала в блоке питания соседнего дачного поселка, где еще с эпохи развитого социализма стояли совминовские дачи. По совместительству она стряпала старому Сапрыкину, а после его смерти три раза в неделю приходила готовить его сыну. Алик старался не допускать ее к своим гостям — не потому, что стеснялся этой простоватой, хотя и доброй шестидесятилетней тетки, но просто потому, что знал: Аня, равно как и вся обслуга этого подмосковного дачного архипелага, — кадровый работник спецслужб, потомственные «уши и глаза» всемогущего «комитета», которые после распада Советского Союза и самого КГБ перешли под крыло бывших гэбэшников, возглавлявших теперь частные «охранные фирмы». Эти «охранные фирмы» в основном специализировались на «ловле широким бреднем» компромата на всех и вся — на всякий случай. Потому что в новой России ничто не доставалось так дешево и не ценилось так дорого, как любая приватная информация — будь то телефонный разговор кремлевского аппаратчика с тещей или видеосъемка президента крупного банка, ковыряющего у себя в заднице перед зеркалом.

Словом, ушлый Алик Сапрыкин никогда не позволял кухарке Ане присутствовать в доме во время таких важных встреч, какая должна была состояться сегодня вечером.

На большой разговор к себе в подмосковную Жуковку он пригласил, помимо своих самых близких и верных соратников Петюни и Витюши — то бишь Петра Петровича Буркова и Виктора Ивановича Самохина, — трех отставных генералов ФСБ, которые, хотя давно были на пенсии, вовсе не отошли от дел и, не занимая никаких громких должностей на гражданке, поддерживали связи с бывшими коллегами по службе и вообще были в курсе всех событий, о которых, как правило, не сообщала свободная российская пресса. Они доподлинно знали, кто, с кем, почем и зачем торгует металлом и нефтью, боевыми вертолетами и черной икрой, пшеницей и наркотиками. Эти хитрющие отставные генералы знали по именам-отчествам едва ли не всех министров и замминистров за последние десять-пятнадцать лет и, будучи со многими влиятельными людьми в доверительных отношениях, выуживали по крупицам ценнейшую информацию, которую аккуратно складировали не только в необъятной картотеке своей памяти, но и в своих библиотеках, чтобы когда-нибудь в нужный момент легко выудить ту или иную «фишку» с интересующими сведениями. Иногда могло показаться, что им в этой жизни уже ничего не нужно, что за долгие годы беззаветной службы советской власти они получили все мыслимые и даже немыслимые привилегии, льготы и авансы. Но это было далеко не так. Действительно, в отличие от «новых русских», их не прельщали ни испанские виллы, ни личные самолеты, ни миллионные счета в оффшорных банках. Но им в последние годы недоставало сознания своей значимости. Они затаили жестокую и горькую обиду на новую власть, которая просто выбросила их из государственной машины как ненужный хлам. О них забыли, их советы оказались почти никому не нужны, их богатый опыт — не востребован. Поэтому они злорадствовали всякий раз, когда с позором снимали с должности очередного министра внутренних дел, или публично уличали во взятках министра юстиции, или отправляли в СИЗО генерального прокурора.

Александр Иванович Сапрыкин, один из немногих представителей молодого поколения бойцов невидимого политического фронта, это очень хорошо понимал. Поэтому он и выработал такую уважительно-почтительную линию поведения в отношении этих пожилых генералов: стариками называть их как-то язык не поворачивался. Его бы воля — он готов был восстановить памятник Дзержинскому на Лубянской площади, вернуть гранитного Иосифа Виссарионыча на Эльбрус. Ему не жалко — лишь бы завоевать беззаветное доверие этих могучих людей в поношенных генеральских кителях, в которых они неизменно приезжали к нему в Жуковку-5 на вечерние посиделки.

В хитроумной стратегии затеянной им серьезнейшей политической игры старикам-гэбэшникам отводилась важная роль его политических советников. И если все пойдет именно по начертанному им плану и результат окажется именно таким, как он его рассчитал, они займут в будущей конфигурации власти почетные должности — каких-нибудь специальных представителей будущего нового президента... А вот кто будет президентом?.. Вот это пока что был самый интересный, покрытый сплошным туманом вопрос.

Алик в последний раз перед приходом гостей придирчиво осмотрел накрытый стол. Икра в круглых хрустальных вазочках, севрюжка в нарезку, свиной окорок кусочком, крутобокие помидорчики, крабовый салат. Запотевшая бутылка «Московской» водки, стайка темных бутылок «Боржоми», простые водочные рюмки и высокие фужеры для минералки... Сервировка напоминала картинку из старой книжки «О вкусной и здоровой пище». «Пусть, — подумал Алик, — поностальгируют, авось размягчение души приведет к некоторому размягчению мозгов. А там...»

Сегодня ему надо было провентилировать важный вопрос, который интересовал не только его, но, наверное, десятки, если не сотни и тысячи людей, незримыми нитями связанных с Кремлем, чье жизненное благополучие — или крах — прямо зависело от выборов нового российского президента, назначенных, как известно, на июль будущего года.

...После третьей рюмки атмосфера за столом явно разрядилась. Так бывало всегда. В первые сорок минут генерал-полковник КГБ в отставке Михаил Фаддеевич Юдин — в застолье просто Фаддеич — держался нарочито натянуто и строго. По его примеру его бывшие подчиненные генералы Андрей Парамонович Толстунов и Анатолий Игнатьевич Черемин тоже напускали на себя загадочную непроницаемость. Но от угощения не отказывались. Все трое были кадровыми гэбэшниками и в годы активной службы занимали гражданские должности: Фаддеич возглавлял выездной отдел ЦК КПСС, и через его руки проходили все граждане, легально выезжавшие за кордон. Другими словами, он имел полную информацию как официального, так и, главное, неофициального свойства практически о всех крупных, средних и мало-мальски значимых «выездных» советских — а ныне российских — гражданах. Толстунов лет пятнадцать возглавлял «первый отдел» в МВД и, разумеется, обладал столь же полной информацией обо всех кадровых милицейских работниках. Черемин курировал отдел кадров Министерства иностранных дел — под его «колпаком» оказались все дипломатические работники, включая послов и замминистров, не говоря уж о пяти министрах, которых он пережил.

— Ну, Михал Фаддеич, прикажите еще по одной! — весело предложил Алик, подмигнув сидящим за столом. — А потом можно будет и шары покатать!

Еще когда был жив отец, он рассказал Алику, что Юдин большой поклонник русской пирамиды, поэтому он и накрывал стол не в столовой, а тут, в темноватой бильярдной: после обильной и вкусной трапезы Фаддеич обожал сыграть партийку-другую. Потом он впадал в такое благодушное настроение, что из него можно было веревки вить...

Холодная струйка «Московской» наполнила рюмку Фаддеича. Тот, держа ее в воздухе, вдруг брякнул:

— Ну, что у вас в Кремле-то еще не шушукаются насчет грядущих событий?

Алик поставил бутылку на стол и удивленно воззрился на Фаддеича:

— Вы что имеете в виду, товарищ генерал-полковник?

Он с удовлетворением отметил, как просияло морщинистое лицо старика: тот обожал, когда к нему так обращались.

— А то имею в виду, уважаемый Александр Иваныч, что плох стал наш президент. Совсем ни к черту...

— Но он ведь последние три-четыре года уже совсем ни к черту — и ничего, сидит на троне, — возразил Алик, предчувствуя, что разговор выходит на нужную ему траекторию.

Старый генерал поднял палец вверх.

— Он-то сидит и просидел бы еще лет десять, если бы печень позволила. Но вот околокремлевским людям он совсем невмоготу стал. И они вынашивают планы, как его удалить...

— Вы хотите сказать, что «Дед» уйдет? — всплеснул руками Бурков. — Этого не может быть, потому что не может быть никогда!

Фаддеич снисходительно усмехнулся:

— Молодо-зелено! Когда Никита Сергеевич уезжал в Пицунду, его тоже предупреждали, а он только отмахнулся. И когда Горбачев в Форос уезжал — думаешь, умные люди ему не шепнули на ухо? Как раз у нас в России все возможно. Не уйдет добром, так уедет ногами вперед. Историю отечества не нужно забывать, братец. Как ушел император Павел Первый, помятуешь, может? Или как Иосиф Виссарионыч, царствие ему небесное! — Фаддеич скроил такую горестную мину, что Алику показалось: ну, сейчас слезу пустит, старый лис!

И, желая продолжить эту интересную тему, Алик лукаво подзадорил старого гэбэшника:

— Уж не помогут ли ему уйти на покой, а, Михал Фаддеич?

— Об этом и толкую, голова садовая! — Фаддеич опрокинул рюмку в глотку, подождал, пока обжигающе-холодная жидкость прольется по назначенному маршруту, закусил ломтиком свежего огурчика и исподлобья глянул на Сапрыкина: — Так вот я и спрашиваю, юноша, не шушукаются там еще по вашим коридорам?

Алик покачал головой и ответил вполне искренне:

— Нет. Все идет своим чередом. Работают. Хотя и начинают подумывать о подготовке к выборам. Я имею в виду спецподготовку... Ну там, подбор подходящего кандидата, источники финансирования избирательной кампании...

— Это ты о своих подопечных говоришь? — оборвал его Фаддеич, бросив многозначительный взгляд на Витюшу и Петю. Отставной генерал был прекрасно осведомлен о том, что Александр Иванович Сапрыкин уже несколько лет ведет наблюдение за крупнейшими криминальными авторитетами России и, играя на внутренних противоречиях между различными группировками, пытается использовать некоторых влиятельных воров в законе для своих политических гешефтов. И кажется, у него это неплохо получается. Генерал вздохнул и, философски глядя на Алика, изрек: — Ребята, смотрите не заиграйтесь с ними! Нынешние ведь не те, какие были раньше старые волки в законе, — это так, шантрапа. Эти едва почуяли запах денег — и одурели. Жизнь по понятиям для них пустой звук. Нынешние законные — это не чета Медведю, или Ангелу, или Мулле — да вы этих имен, наверное, уже и не помните! Это были серьезные люди! А нынешние законные за десять сребреников продадут друг друга с потрохами. Тебя, Алик, кстати, не удивляет, что одному президентскому кандидату позавчера дали «без права переписки»?

Алика просто передернуло от этих слов. Он давно общался с Фаддеичем, но все никак не мог привыкнуть к его гэбэшному черному юмору — таким вот замогильным шуточкам: «без права переписки» на старинном, еще энкавэдэшном жаргоне означало «пустить в расход», или по-простому — «расстрелять».

Фаддеич, разумеется, имел в виду убийство Шелехова, и это весьма интересовало Сапрыкина.

— То, что Шелехова убрали, — осторожно начал он, — нам как раз только на руку. С уходом Шелехова поле расчистилось. Теперь мы можем вывести на него своего игрока, Михаил Фаддеевич. И очень рассчитываем на вашу помощь, — торопливо добавил он.

Генерал перевел взгляд на своих товарищей, все это время молча слушавших застольную беседу.

— Ребята не дадут соврать, Алик, ситуация не так проста, как вам кажется. Шелехова убили воры. Но навели их на Шелехова наши. А Шелехов — человек непростой. За ним стоял смотрящий России. Шелехов — человек Варяга. Варяг его финансировал из общаковских денег. И вот представь себе картину: теперь некого финансировать. Ну, хоть ясно, куда ветер дует и чем все это пахнет?

Алик молча кивнул. Старик продолжал:

— Варяг явно собирался поставить на Шелехова на будущих президентских выборах. Воры убрали Шелехова. Не думаю, что это их собственная затея. Кто-то их надоумил пойти наперекор Варягу. Зачем? Кому это нужно?

Он выжидательно поглядел на Алика, потом на его кремлевских корешей.

— На Варяга в последнее время, я знаю, воры наточили большой зуб, — не очень уверенно пробормотал Алик, размышляя над словами Фаддеича. — Вы, конечно, помните, Михаил Фаддеевич, у прежнего премьер-министра с Игнатовым наладились чуть ли не дружеские отношения. Старик к нему вдруг стал благоволить. И многим ворам это не понравилось. К тому же у них финансовые проблемы возникли...

Внимательно слушая Сапрыкина, Фаддеич не забывал о закуске. Кивнув головой, он поддел вилкой кусок осетрины и отправил его в рот.

— Нет, это все чушь. Сдается мне, Варяга решили нейтрализовать по всем направлениям. Он многим стал неудобен. И ворам, и властям, и политикам. Особенно сейчас, когда готовится «финт ушами»... — Он крякнул, видя, как снова вытянулись лица у его молодых собеседников. — Да, братцы, все пойдет не так, как многим кажется. Все будет со-ов-сем не так. Чует мое сердце, готовятся большие перемены в стране. Будет полная смена власти. Причем очень радикальная. Я не случайно спросил тебя, Алик, про кремлевские слухи. Но если ваш телеграф молчит — а может, ты мне просто говорить не хочешь... — Он поднял руку, пресекая решительные возражения Алика, который пытался сказать: мол, Михал Фаддеич, да разве я от вас что-то могу скрывать! — Словом, это кремлевское молчание выглядит весьма странно. Значит, никто не может поверить, не хочет даже представить себе, что будет.

Фаддеич сделал паузу и, как бы не обращая внимания на мучительное ожидание собеседников, не спеша налил себе рюмочку «Московской», выпил, крякнув от удовольствия, и как ни в чем не бывало сообщил:

— А дело идет к тому, что... «Дед» не уйдет, говоришь? Уйдет, никуда не денется! И уйдет очень быстро, скоропостижно — к этому все и идет. Скинут «Деда»!

— Кто? Как? — взволнованно воскликнули Алик и его кореша. Они отказывались верить в то, что говорил сейчас отставной генерал. — Как его можно заставить, когда он держится за власть, словно бульдог, вцепившийся мертвой хваткой в горло сдыхающего медведя! Никогда он не уйдет!

Михаил Фаддеевич усмехнулся.

— Верно говоришь: сам не уйдет. — И, напирая на слова, повторил: — Сам не уйдет никогда. Но «Дед», как известно, мужик жалостливый, сентиментальный. Он ведь и черта лысого не боится, но за близких своих, за так называемую семью сильно переживает. Вот его и пугнут семьей-то! И очень скоро пугнут. Я думаю, уже до Нового года все и произойдет. Так что, ребятки, никаких президентских выборов в июле не будет. Все произойдет куда как стремительнее!

Алик встал из-за стола и решительно зашагал к бильярдному столу. Взял со стойки кий, сдвинул треугольник с шарами к середине и жестом пригласил Фаддеича сыграть. Тот с готовностью согласился.

Александру Ивановичу нужна была пауза для того, чтобы переварить и осмыслить услышанное. Такого поворота событий опытный «игрок» Сапрыкин не ожидал. Круто! Очень круто кто-то замахнулся! Но, взяв себя в руки, Алик улыбнулся и, сделав гостеприимный жест, предложил:

— Разбивайте, Михал Фаддеич!

Старый генерал, кряхтя, прилег животом на борт и хлестко впечатал кончик кия в розоватый шар. Пирамида со звонким цокотом рассыпалась, но ни один шар не закатился в лузу. Генерал раздосадованно покачал головой, посмотрев на кончик кия, как будто именно там сосредоточена была причина его неудачного удара.

— Но чтобы заставить «Деда» уйти, надо же иметь наготове колоссальный... материал, — осторожно продолжил Алик разговор. — Надо иметь кого-то, кто был бы способен пугнуть его!

К бильярдному столу подтянулись остальные участники «сходки». Витюша, держа в руках рюмку водки, присел в кресло, Петя остался стоять у борта, а оба отставных генерала послушными тенями встали за спиной у Фаддеича.

— А материал есть. Вагон и маленькая, а может, и большая тележка.

— А кого же поставить? — сделав свой удар, как бы между прочим, спросил Алик. — Здесь ведь нужен подготовленный и весьма способный человек.

— И подготовленный и способный сменщик уже есть! — твердо сказал Михаил Фаддеевич. — И вы его все знаете. Хотя он еще не примелькался на телеэкранах.

— И кто же это? — не вытерпел Витюша, нервно поглаживая себя по коленке.

Отставной генерал-полковник КГБ прицелился и исключительно точным ударом отправил свояка в правую дальнюю лузу. А потом, не глядя на Алика, ответил:

— Вы в школе проходили комедию «Горе от ума»? Помните, там был один персонаж, он все время говорил: умеренность и аккуратность, умеренность и аккуратность. На этом и строил свою успешную карьеру и личную жизнь. Сумел даже главного героя — претендента на руку и сердце девушки нейтрализовать.

— Молчалин? — подсказал Алик.

— Ну да, — улыбнулся ветеран политического сыска. — Молчалин его фамилия. «Деда» пугнет наш «Молчалин». Тем более что у него имеется доступ... А там глядишь да и закатим этого своячка в кремлевскую лузу!

И с этими словами он загнал очередной шар точно в цель.

Больше в этот вечер о делах не говорили. Покатали шары, выпили еще по паре рюмок, закусили икоркой. Поздно вечером, когда все ушли и дача опустела, Алик потушил в бильярдной верхний свет, включил торшер и сел в кресло.

То, что сегодня в застолье сказал старый гэбэшный генерал, как-то сразу прояснило для него всю ситуацию. Итак, Шелехов — основной кандидат на предстоящих президентских выборах — убит, как намекнул Фаддеич, не без ведома людей в погонах. А может быть, даже по их прямому или косвенному указанию. Это сделано для того, чтобы, во-первых, убрать слишком сильного политического соперника, а во-вторых, чтобы насолить Варяге. Одним выстрелом убили двух зайцев. Ну что ж, так-то оно к лучшему. Потому что если все это дело выгодно повернуть, то Варяга можно замарать и перед остальными ворами, и перед его покровителями в правительстве.

Алик повеселел. Да, надо отдать им Варяга на съедение! А общак тогда останется бесхозный — и вот тогда им можно будет завладеть и попользоваться в собственное удовольствие. И на некоторые нужные дела пустить.

Убийство Шелехова — хороший ход. Беспроигрышный ход. Ну что ж, приступим! Нельзя стоять на месте. Успех надо развить!

И, сняв трубку со стоящего на столике под торшером телефонного аппарата, он набрал номер...

Глава 9

Владимир Бабурин, законный вор по кличке Трезвый, попал в сети к хитрому генералу Урусову пять лет назад, когда Евгений Николаевич только-только перевелся в Москву из Махачкалы. Трезвый попался по-глупому. Хотя, если разобраться, то почти все жертвы Урусова попадались на дурачка. Бабурина накрыли во время очередной операции «Вихрь-Антитеррор», когда у него на даче в Малаховке обнаружился целый склад оружия и взрывчатки. Но поскольку тот налет совершал лично Урусов со своими доверенными офицерами, переодетыми в спецназовский камуфляж, известие об обнаружении в Малаховке убойного арсенала не попало ни в один отчет. А Вовану было однозначно сделано предложение, от которого тот никак не смог отказаться — иначе пошел бы по трем статьям, а с учетом его прошлых подвигов дали бы ему «чирик» строгого режима — и хрен бы он досрочно вырвался. Словом, Владимир Бабурин согласился стать тайным осведомителем Урусова, регулярно поставляя генералу интересные сведения о делах и заботах крупных воровских авторитетов.

Но сегодня Евгений Николаевич вызвал его не для того, чтобы выслушать очередную порцию «компры» на московских законных, а на инструктаж.

Трезвый сел за стол и без приглашения принялся за еду. Он любил похавать на халяву. Налил себе водки, щедро положил рыбки, навалил икорки с полтарелки.

— Ну, Николаич, будем! За успех! — Он поднял стопку.

Урусов поморщился.

— За успех не пьют, Вова. А то успеха не будет! Выпьем лучше за здоровье. Было бы здоровье, а успех не задержится.

— Ну лады! Давай за него! — послушно согласился Тверезый. Они не чокаясь выпили. Генерал Урусов считал ниже своего достоинства чокаться с уголовниками.

— Ты слыхал про убийство в Шереметьево? — без предисловий начал Евгений Николаевич.

Тверезый кивнул:

— Шелехова завалили. Депутата.

— Точно. Надо срочно выяснить, кто и почему завалил. Я очень надеюсь, что это не московские. Хочу надеяться, — с нажимом произнес Урусов. — Если гастролеры, попробуй выяснить, кто и откуда. И найди их. Если кто другой, тем более нужно узнать кто и найти.

Владимир отодрал от тяжелой виноградной ветки, лежащей в вазе, небольшую изумрудную гроздь и с аппетитом стал откусывать по ягоде.

— Евгений Николаевич, — заметил он, — я слыхал, Витя Тульский базарил, что, мол, Шелехов — человечек Варяга... Владислава Игнатова, — на всякий случай уточнил Тверезый.

— Игнатова? — встрепенулся Урусов.

— Да, Игнатова. Он сейчас рулит в крупной конторе по экспорту оружия.

И тут в голове Урусова начала складываться, как из элементов детской мозаики, общая картина. Если Тверезый не брешет, значит, убийство Шелехова, возможно, было вовсе не делом рук отморозков или залетных придурков, гоняющихся за бабками. Здесь попахивало тщательно спланированной акцией. И тогда главной мишенью этой акции мог быть вовсе не бедняга Шелехов, а руководитель «Госснабвооружения» Владислав Геннадьевич Игнатов, более известный в определенных кругах как вор в законе Варяг, смотрящий России, хранитель воровского общака... Урусов даже вспотел от напряженных размышлений. Он со скрежетом расстегнул косую стальную молнию на куртке и откинулся на спинку кресла. В его голове зароились мысли о том, что ему теперь просто необходимо опередить эмвэдэшных следаков и первым выйти на убийц, кто бы они ни были. Тогда... он пока еще до конца не представлял себе, что будет тогда, но было ясно, что в руки ему плывут неслыханные возможности и барыши.

— Ладно, — произнес генерал, задумчиво вертя в руке вилку. — Ты, Вован, вот что сделай. Поспрашивай людей, может, кто что слышал об этом деле. По предварительным данным, в нападении на «ауди» Шелехова участвовало трое — во всяком случае, на месте нашли два ствола и гильзы от третьего. Из всех трех стреляли.

— А какого хрена ты, начальник, этим занимаешься? Это ж вроде не твоя епархия? — небрежно спросил Тверезый.

Урусов пропустил мимо ушей то, что Вован совал нос не в свое дело. Он прощал ему такие вольности. Генерал вел с Тверезым игру совершенно иного толка, нежели с Закиром Большим, позволяя молодому самодовольному уголовному авторитету держать с ним минимальную дистанцию, что порой даже граничило с панибратством. Хитроумный Урусов был уверен: с этим простоватым, русским в доску братком так и надо себя держать генералу милиции. Тверезому льстили такие почти дружеские отношения с крупным эмвэдэшным начальником, и это обманчивое чувство заставляло его служить Урусову верой и правдой и, главное, ретиво.

— Да ты понимаешь, Володя, — как бы нехотя стал отвечать Евгений Николаевич, потом, картинно помявшись, он многозначительно наклонился к самому лицу тверезого и полушепотом сообщил: — Я тебе сейчас скажу то, о чем не пишут газеты. Ведь Леонид Шелехов был нашим человеком. Больше того — моим человеком. И теперь это для меня дело чести — найти его убийц. Ты же знаешь наше правило: кто нас обидит — тому три дня не жить!

В белесых глазах Бабурина мелькнула тень восхищения. Ему очень даже льстил такой подход к делу. Он по-бычьи мотнул головой и молча вонзил зубы в бутерброд с черной икрой.

— Понял, Николаич! — только и заметил он, прожевав. — Как держим связь? Как обычно?

— Да, — кивнул Урусов. — Сам мне не звони. Я тебя найду. А если вдруг надо будет мне что-то сообщить срочно — звони туда в приемную... Но лучше попроси кого-нибудь из хороших знакомых, женщину какую-нибудь немолодую. В приемную лучше пусть женщина звонит.

Евгений Николаевич держал связь со своими секретными агентами через приемную генерального директора крупного московского издательства «Щит и меч», специализирующегося на выпуске криминальных боевиков. Генерал-полковник Урусов числился в этом издательстве литературным консультантом.

— Все понял, Вован?

Тверезый тыльной стороной ладони вытер губы.

— А че тут не понять. — Он встал: — Ну я пойду, что ли...

— Иди, Вова. Действуй. Считай, что это моя личная просьба. Надо этих гадов найти! — Урусов нахмурился и махнул рукой.

Портьера тяжело заколыхалась вслед удалившемуся братку.

А Урусов вдруг ощутил мелкую дрожь во всем теле и нервно забарабанил пальцами по столу. Та-ак, значит, Шелехов человек Варяга. А если Шелехов человек Варяга, то не исключено, что тут затевается серьезное дело, которое может потянуть на очень большие бабки. Грязные бабки. И это пахнет вовсе даже не простым политическим убийством. За годы службы, находясь в высшем эшелоне милицейской иерархии, он уже давно уяснил, что в России не бывает политических убийств. Все «заказы» на политических деятелей имеют под собой одну подоплеку: деньги. Очень большие деньги. Потому что в России любая политическая деятельность сопряжена с доступом к большим деньгам. Взять хотя бы все эти убийства в Петербурге. Все эти депутаты, члены городской думы, крупные чиновники — все они ворочали сумасшедшими бабками... И все эти убийства по существу были лишь способом отстранения их от политической кассы и обеспечения доступа к этому «политическому общаку» другим людям...

Урусов зябко поежился. Он весь сотрясался от крупной дрожи. Его охватило сильнейшее нервное возбуждение, что было сродни сексуальной похоти. Урусов уже хорошо знал себя. Это возбуждение требовало немедленного выхода. И тут он вспомнил про смазливую соску в белой майке...

Евгений Николаевич выглянул в зал, нашел взглядом глаза Никиты Левкина и мигнул: подойди, мол. Тот сразу вскочил из-за стола и, как тяжелый крейсер, двинулся через зал, провожаемый опасливыми взглядами посетителей. Он прямо-таки «заплыл» в нишу, где сидел генерал, и вопросительно уставился на шефа.

— Видишь вон ту девку в белой майке? — осведомился Урусов, осклабившись, как хищник перед броском. — Покажи этим лохам ксиву и попроси предъявить документы. Всех попроси, а ее особенно. Если у нее паспорт есть, забери и веди наверх. А если нет паспорта — тем более веди. Я минут через пять поднимусь. Все — свободен.

Левкин развернулся и решительно направился к столику, где сидела смазливая черноволосая девчонка в майке с надписью «Fuck off Guys». Урусов увидел, как из-за стола поднялся напарник Левкина Артем Свиблов и двинулся за Никитой.

За столом возникло некоторое оживление, и Урусов даже услышал, как юная брюнетка сердито воскликнула: «Да вы что себе позволяете, мужчина? Я милицию позову!» Но сразу затихла, когда здоровенный парень начал увещевать ее своим ровным хрипатым голосом. Это он умел — увещевать наглых ресторанных потаскушек, напяливающих на себя тонкие, почти прозрачные маечки так, что просвечивающиеся сквозь них голые сиськи вводили в искушение любого мало-мальски здорового мужчину. И действительно, Левкин с ней живо разобрался. Интуиция не подвела Евгения Николаевича, он попал в точку с этой девкой. Маленькая ресторанная «давалка» попалась очень даже кстати. Никита обработал ее в два счета. И это как раз то, что сейчас очень было нужно разнервничавшемуся генералу.

Урусов почувствовал, как глубоко под джинсами зашевелился его «боевой товарищ», нетерпеливо подымая «флаг«. Генерал встал, шумно выдвинув стул. Ну-с, приступим... Никита и Артем уже повели черноволосую к служебному выходу. Сейчас они выведут ее в темный коридор и по лестнице проводят в комнату отдыха, закамуфлированную под служебный кабинет некоего ответственного лица.

Урусов сунул зеркальные очки во внутренний карман кожаной куртки. Он ощутил приятное возбуждение во всем теле — так было всегда, когда он предвкушал очередное приключение. Он не взбежал — взлетел по лестнице...

***

Девица сидела в кресле перед столом, вжав голову в плечи. Она не обернулась, когда скрипнула дверь. Но зато когда он, закрывая за собой дверь, щелкнул ключом в замке — вся передернулась. Урусов подошел к ней сзади, ни слова не говоря, обхватил за плечи и развернул к себе. Девушка была очень даже ничего: рот крупный, губы пухловатые, зовущие, кожа тонкая, оливковая, без единого изъяна. Он медленно облизал ее взглядом от подбородка до торчащих под майкой упругих зовущих грудей. Потом взглянул внимательно в глаза и с удовольствием отметил затаенный в них страх.

— Тебе лет сколько? — хрипловато спросил Урусов, весь дрожа от нетерпеливого возбуждения.

— Сем... Восемнадцать... — сбивчиво буркнула девчонка.

— Так все-таки сем... или восем... надцать? — неопределенно переспросил Урусов.

— Семнадцать. Восемнадцать будет через полгода. А вы кто? — спросила девчонка, исподлобья разглядывая плотного немолодого мужчину в странном — не по возрасту — одеянии. Больше всего ее поразила кожаная куртка на молнии.

— Я генерал милиции, а ты? — И, не дожидаясь ее реакции, сам себе ответил: — А ты нештатная проститутка ресторана «Волга». — И видя, что девица вся вспыхнула то ли от смущения, то ли от негодования, продолжал: — Я знаю, что нештатная, потому что у здешних штатных рабочий день, вернее, рабочая ночь начинается с двадцати двух часов. Ну, так что делать будем? Э-э... Тебя как зовут?

— Ира, — выдавила из себя девушка, еще больше съежившись, будто стараясь прикрыть дерзко выпирающие из-под майки высокие юные груди.

— А дальше? — Взгляд Урусова словно невольно впечатался в холмы под майкой.

— Мура... това, — запинаясь, пролепетала Ира.

— Ну вот что, Ира Муратова... — привычно укоризненным тоном произнес генерал. — Влипла ты в нехорошую историю. Я ведь и в самом деле генерал милиции. Вот, могу показать свое удостоверение. — И с этими словами он достал красную книжечку и, раскрыв ее, поднес Ире к самым глазам.

Она скосила глаза и прочитала: «генерал-майор... Подкопаев Виктор Николаевич... Начальник оперативного отдела управления внутренних дел...» С фотографии на нее сурово смотрел этот самый мужик с явно кавказскими чертами лица. Ира вздохнула.

— Мое удостоверение ты видела. А вот у тебя документов при себе нет, — продолжал укоризненно «генерал-майор Подкопаев». — А что это значит? Это значит, что для установления твоей личности я имею право тебя задержать и начать розыск по Москве. А потом сообщить твоим родителям и по месту учебы или работы... Ты учишься, работаешь?

— Учусь, — еле слышно пробормотала Ира. — В коммерческом институте... Здесь недалеко, на Беломорской.

— Да-а, вот, значит, какую коммерцию ты осваиваешь, — плотоядно усмехнулся Урусов. — Сейчас у тебя практика, что ли? — Его рука потянулась к стоящему на столе телефонному аппарату. — Ладно, сейчас позвоню в коммерческий институт ректору и узнаю, учится ли у них Ирина Муратова.

— Не надо! — взмолилась девчонка.

— Это еще почему? Ты соврала? — Урусов изобразил негодование.

— Не надо... звонить.

— Ну если мы договоримся, — осклабился Евгений Николаевич и многозначительно распахнул куртку, продемонстрировав плотное выпирающее брюшко.

Он подошел к девчонке вплотную и, уже не в силах сдержать клокочущую неистовую похоть, положил ладони ей на груди и крепко сжал. Груди и впрямь были упругие, как маленькие дыни-колхозницы. Девчонка охнула.

— Дашь — разойдемся тихо! — многозначительно произнес Урусов, тяжело дыша. — Вой поднимешь — в обезьянник посажу, к уркашкам. Там бабы знаешь какие боевые — в момент разорвут! Будешь им круглые сутки лизать! Так что выбирай — либо в СИЗО, либо со мной тут покувыркаешься — и на волю. Тебе ж не привыкать! — И он стал срывать с девушки тонкую майчонку. — Давай, Ириша, скидывай джинсики. Сама давай!

Ира, всхлипывая, повиновалась. Видно, ей и впрямь все это было не впервой. Урусов даже немного успокоился. Жалко, конечно, было бы портить целку, но раз она такая опытная оказалась, то и хрен с ней. Девчонка стянула джинсы.

Урусов, наблюдая за ней, сам сбросил кожаную куртку на пол и стал лихорадочно расстегивать молнию на джинсах, приговаривая хриплым шепотом: «Щас, щас, щас...» Потом он с силой развернул девушку к себе задом, резким движением разодрал на ее тугой круглой попке тонюсенькие трусики, пальцем нащупал теплый влажный вход и, слегка погладив его, мощно всадил туда внутрь свой жаркий похотливый ствол. Ирка застонала, а он стал мерно двигать бедрами взад-вперед, стараясь проникнуть в тело юной нимфы все глубже и глубже. Ирка стояла перед ним, наклонившись низко к полу, упираясь руками в стул. Периодически она всхлипывала и постанывала. Урусов, пытаясь растянуть сладкое удовольствие, сжимал ягодицы. Его приводили в неописуемый восторг шелковистые девичьи бока и вздрагивающие девичьи груди, обхватывая которые он ощущал напряженные соски.

— Тебе самой-то нравится, красавица? — рычал он ей в ухо. — Уверен, что да! Как же такое не понравится. Я же не молокосос из ресторана, который кончает в штаны уже при виде твоих голых сисек. Я тебе доставлю настоящую сатисфекшн, Ирунчик! Потерпи маленько! Щас! Щас!..

Наконец он почувствовал приближение усталости. И больше не стал сдерживать себя, а, наоборот, участил свои пульсирующие движения, вгоняя член в разгоряченное девичье лоно. Пот градом бежал по лицу, по спине, по животу. И тут он почувствовал, как мощный взрыв наслаждения пронзил все его плотное сильное тело, и он изверг последний болезненно-сладкий залп.

Через минуту Урусов в изнеможении отпрянул от девки и медленно опустился в кресло. Он чувствовал, как его ноги сотрясает мелкая умиротворяющая дрожь, а по всему телу разливается приятная истома.

Когда через десять минут Ирка была снова в своих тугих джинсах и майке с надписью «Fuck off Guys», Урусов миролюбиво подмигнул ей:

— Ну иди, голубушка. Ты когда тут бываешь? По выходным? Значит, еще увидимся. — С этими словами он подошел к двери и, вставив ключ в замочную скважину, повернул два раза. — Свободна!

Ирка пулей вылетела за дверь. Он услышал, как она со сдавленными рыданиями побежала по коридору.

Ему стало необыкновенно легко. Он снова почувствовал себя молодым, словно было ему не сорок восемь, а всего лишь двадцать-двадцать пять. Как в Махачкале, где после окончания заочного юрфака он получил должность замначальника отдела в городском УВД. Евгений Николаевич замурлыкал под нос мелодию песенки «Бухгалтер, милый мой бухгалтер», которая была модной в ту пору, когда он только получил новое назначение в Москву.

Через полчаса он уже забыл о приключившемся инциденте с Иркой Муратовой. Так с ним бывало всегда, когда он разряжал заряд накопившегося за тяжелую рабочую неделю сексуального и нервного возбуждения с какой-нибудь очередной красоткой, подцепленной в московском кабаке или стриптиз-баре. После таких оргий Евгений Николаевич сразу успокаивался и обретал невозмутимость и трезвость мысли. Последнее сейчас ему было крайне необходимо. Потому что надо было как следует обдумать оч-чень интересную информацию, неожиданно полученную от ВовкиТверезого. Информация была ценна тем, что в случае, если ею правильно воспользоваться, можно было подцепить на крючок самого Варяга, а может, и кого еще из крутых. И это была многообещающая перспектива.

Глава 10

Пелена густого влажного пара висела под потолком. Все зеркала запотели. Грунт сидел в огромной, метра под три в диаметре, розовой ванне-джакузи — по грудь в пузырящейся горячей воде. Он блаженно жмурился, раскинув здоровые ручищи на бортик ванны, и кожей ощущал приятную щекотку пузырящихся тонких потоков, бьющих из эмалированных стенок. Он терпеть не мог сауну. Однажды году в восемьдесят девятом он с пацанами впервые в жизни попал в финскую баню в питерской — тогда еще ленинградской — интуристовской гостинице «Астория». Пацаны духарились вовсю — девок привели, водяры натащили. А у Грунта на второй минуте от сухой духоты вдруг башка закружилась, в груди сперло — чуть не бухнулся с полки. Стал пацанов просить дверь отпереть, выпустить чуток жар, а те в хохот. Думали, он дурачится. Словом, выволокли его на холодный воздух, когда он уж чуть не сблевал на всех. С тех пор Грунт в сауну был не ходок. А с джакузи все получилось по-другому. На отдыхе был, в Испании — там и попробовал. Клево! С тех пор — а уж прошло лет пять — он все мечтал поставить у себя в Одинцово «джакузю» — благо у него там дом свой, от тетки Клавы остался. Грунт сделал ремонт в доме, да и установил за пять кусков баксов на первом этаже водно-пузырько-вый бассейн. Его телкам ужасно нравится эта «джакузя». Томка та просто балдеет: говорит, такое впечатление, будто ныряешь в горячее шампанское.

Он опустил руку под воду и, нащупав мягкий кусок Томкиной ляжки, сжал. Потом глаза приоткрыл, скосил взгляд в сторону. Томка сидела по плечи в бурливой воде и ловила пузырьки ладонью, хихикая. Грунт просунул руку между ее ляжек, настойчиво отыскивая горячую волосистую ложбину. Нашел. Томка ойкнула. Он пролез внутрь, раздвинув мягкие губы, и запустил указательный палец в жерло...

В голове у него крутилась одна мыслишка. Давно уже крутилась — с самого утра, как только Томка к нему подвалила в гости.

— Слыхала, Томка, депутата на днях замочили на шоссе недалеко от Шереметьево? — осторожно поинтересовался Грунт, вворачивая палец поглубже.

Томка томно заохала и кивнула рассеянно, потом поднесла к толстым губам бокал шампанского и допила до дна.

— Так я в тот вечер там оказался по чистой случайности, — продолжал Грунт. Ему страшно не терпелось поделиться со своей подругой потрясной новостью. — Еду на своей тачанке от аэропорта в Новые Химки, смотрю: развороченная «ауди» стоит, вокруг ни души. Подъехал, поглядел: в салоне трое, а может, двое, я не помню, лежат все в крови. А на земле под тачкой саквояж. Наверное, из двери открытой вывалился. Я этот саквояж пощупал, раскрыл, а в нем...

— А как ты там оказался, сладкий? — лениво вякнула Томка, подплыв к нему вплотную и начав тереться сиськами о его плечо. Сиськи у Томки были знатные: белые, высокие, разлетистые — как у Памелы Андерсон. Томка вообще была баба классная — ее Грунт даже, можно сказать, любил, хотя одновременно с Томкой он трахался еще с Наташкой — официанткой из Химок и с Терезой — массажисткой из фитнес-салона «Эксельсиор» в Крылатском. Блин, ну это ж надо так назвать девку — Тереза! В «Эксельсиоре», он сам слыхал, клиенты называли ее «мать Тереза», но Грунту было невдомек, отчего они во всю харю лыбились при этом. Он не понимал этого юмора. Он когда думал про странное имя Терезы, вспоминал старый анекдот про двух хохлов в отделе кадров. Один разбирает документы сотрудников и говорит другому: «Бачь, Пизденко, яка тут смешна фамилия — Заяц!» Анекдот смешной, а что смешного в кликухе «мать Тереза», он так и не допер.

Да, так вот прошла уже неделя после того офигительно удачного наезда на Шелехова, а он так пока что никому не рассказал про саквояж — а страсть как хотелось поделиться радостью. Он после того вечера только с Колей из «Паруса» перекинулся словом в телефонном разговоре. Коля заметил, что, по его сведениям, Шелехов провозил в тот день с собой крупную сумму в валюте и что деньги куда-то пропали. Грунт заикнулся было вякнуть, что он этот саквояж сам заныкал, но Коля оборвал его и туманно намекнул, что, мол, что с воза упало, то пропало и что теперь они с ним, с Грунтом, в полном расчете. То есть Коля дал ему понять, что баксы спрашивать с него не будет, так что эти баксы, считай, и есть его гонорар за выполненный заказ...

Томка поставила пустой бокал на широкий край ванны и с хохотом окунулась с головой. Под водой она быстро нашла губами его уже изрядно выросшего друга, всосала в горячий рот и стала мастерски наяривать — как умела. А Томка умела, этого у ней не отнимешь. Через минуту она выпустила его изо рта и шумно вынырнула отдышаться. Грунт уже голову потерял от желания. Он вылез на край гигантской ванны, оседлал ее верхом, выставив наперевес свое оружие массового поражения.

— Продолжим, Томочка, то, что имело такое многообещающее начало! — хохотнул он.

Томка кивнула и вдруг отплыла в дальний угол ванны.

— Ты не ответил! — капризно мотнула головой шалава и зазывно взяла себя за обе груди. — Признавайся, к кому ездил в Новые Химки!

Грунт досадливо поморщился.

— Да к кому я мог ездить — у меня в Новых Химках кореш старинный проживает! Лешка Базилевич — ты же знаешь. В Шереметьево был — вот те крест, приятеля на Кипр ездил провожать. — И он поманил ее пальцем, многозначительно кивнув на свой нацеленный ствол. Но Томке вдруг попала вожжа под хвост.

— Ну и что дальше было? — все тем же капризным тоном поинтересовалась она.

— Да что было, то и было, что в саквояже баксы лежали внавалку. И лежало там... — Тут только Грунт догадался прикусить язык. — Я, конечно, тот саквояж бросил себе под сиденье, да и дал деру... Еще бы ментура понаехала — меня бы за жопу взяли на месте, так сказать, преступления. Ну уж а как домой сюда причапал — раскрыл саквояжик и...

С этими словами Грунт вылез из ванны и, громко чпокая мокрыми ступнями по кафельным плитам, с ревом бросился на Томку. Та вскочила и с визгом пустилась от него вокруг ванны. Он быстро настиг ее, схватил за пухлый локоть и, дернув, сбросил в бурлящее паркое озерцо. Томка, плюхнувшись внушительным задом в воду, подняла веер брызг. Грунт, уже полностью оказавшись во власти похотливого нетерпения, прыгнул за ней, поймал за плечи, развернул к себе спиной и стал мощно подталкивать к краю ванны. Томка выпростала руки наружу, влезла на край, обнажив довольно тонкую талию над двойным барабаном тугого зада, и игриво промурлыкала:

— А ну-ка отними!

Грунт вошел в нее и, навалившись всем телом, стал энергично двигать бедрами взад-вперед. Он обернулся на гигантское, во всю стену, зеркало перед ванной, но слой испарины мешал разглядеть изображение.

...Испустив утробный стон удовольствия, Грунт отлепился от нее и устало рухнул в бурлящую воду. Он нырнул с головой, вынырнул и, как тюлень, отфыркнулся.

— Хорошо было? — деловито поинтересовалась Томка.

— Клево, — удовлетворенно промычал Грунт. — Давай сюда. Про саквояж расскажу.

Томка с готовностью повиновалась. Прильнув к его плечу головой, она подхватила полупустую бутылку шампанского «Старые традиции» и налила в свой бокал.

— Хочешь?

Грунт помотал головой.

— А было в том саквояжике без малого «лимон» баксов, Томка. Я до сих пор понять не могу одного — если баксы остались там лежать, за что же мужика грохнули — не за деньги, выходит.

Но продолжить свою байку Грунт не смог. Зазвонила трубка радиотелефона. Он мокрой рукой взял трубку, нажал кнопку и поднес трубку к уху.

То, что Грунт услышал, поразило его как прямой удар молнии. У него сразу пересохло во рту, мелко задрожали руки. Он раскрыл рот и тихо проговорил — почти прошипел:

— И что теперь делать?

Он долго молчал, слушая ответ собеседника. Потом откашлялся и переспросил:

— Как, вы говорите, его кликан? Сержант? Не-а, первый раз слышу. Из Питера, говорите?.. Есть у меня друганы в Питере — я им сообщу, пусть справки наведут. Спасибо, что предупредили.

И он вырубил трубку.

— Что такое, сладкий мой? — сердобольно спросила Томка, увидев, что ее хахаль враз переменился в лице.

— Да ни хера! — отмахнулся Грунт, погруженный в свои невеселые мысли. — Все путем.

Он соврал Коле. Он знал, кто такой Сержант, — отлично знал. У Грунта и впрямь в Питере было немало корешей, и он был наслышан о подвигах славного стрелка Степана Юрьева по кличке Сержант, который долгие годы жил за границей, служил в иностранном легионе, участвовал во многих заварушках в разных горячих точках планеты и котировался международной мафией и Интерполом как один из лучших в мире снайперов. Знал Грунт и о том, что после долгой размолвки с Варягом Сержант обратно переметнулся на его сторону и помогал ему недавно в Питере охотиться за Сашкой Шрамом. А уж совсем недавно Сержант помогал Варягу замочить Коляна Радченко, с которым он, Грунт, только было закорешился, да не успел развить дружбу, потому что Варяг и Сержант загнали Радченко, как зайца, да и грохнули, можно сказать, в самом центре Москвы...

И Грунт теперь страшно разволновался, узнав, что Варяг звонил пару дней назад в Питер, нашел там Сержанта и попросил срочно выехать в столицу. Предупредивший его об этом Коля не уточнил, откуда ему все это известно и прибыл ли уже в Москву Сержант. Но Коля был явно связан со спецслужбами — то ли с эфэсбэ, то ли с эмвэдэ — и так просто молоть языком не стал бы. Раз сам позвонил, значит, и впрямь дело плохо.

Сержант едет в Москву! Сержанта вызвал Варяг! Похоже, всесильный смотрящий России решил начать охоту за убийцей Шелехова. И можно не сомневаться, что он начнет рыть землю — всю брусчатку Красной площади вывернет, парк Горького распашет, а найдет обидчика. Надо сматывать удочки, решил Грунт. Надо лечь на дно. На неделю, на месяц, может, и на год. Надо рвать когти из Одинцово. Кому еще, кроме Коли, известно, что он грохнул Шелехова?

Этого Грунт не знал. Его взгляд упал на белые пухлые телеса Томки. Та, ни о чем не догадываясь, безмятежно лакала шампанское. Грунту пришла в голову ужасная догадка: а вдруг Томка наведет Сержанта. Томка... Он стал лихорадочно вспоминать, как, при каких обстоятельствах он с ней познакомился. Томку он встретил в «Гранде», мебельном салоне при въезде в Химки. Встреча была случайной. Томка долго кочевряжилась, пока согласилась написать ему свой телефон. Потом он звонил ей раз сто, а она опять кочевряжилась, и ему с трудом удалось уломать ее сходить с ним в кабак... И дала Томка только на третий месяц их знакомства. Нет, Томка вряд ли... Так, кто еще... Еще Митька, который в тот вечер сидел в зале прилета. Но Митька позавчера улетел к себе в Сыктывкар до зимы. Еще эти две бляди, Терезка и Наташка. Но они вообще ни сном ни духом про него ничего не знают. Знает только Томка. И он ей только что, мудила грешный, все выболтал...

Грунта даже озноб прошиб, невзирая на парню в ванной. Е-мое, какого же хрена он все это ей выболтал! Теперь если что, если к Томке кто подкатится, пугнет или бабки посулит немалые, она же его с потрохами продаст и не пернет! Он мельком глянул на Томку. Она уже плескалась в воде как ни в чем не бывало — точно белая дельфиниха.

Так, так, так. Сержант, значит, едет в Москву по вызову Варяга. Или уже приехал. Как там Коля ему сказал: «Советую тебе сматывать удочки». Прямо так и сказал, сука! Намекнул, что ему, Грунту, теперь хана.

Он впервые в жизни, похоже, ощутил страх неминуемой смерти. Нет, не просто страх — острое, упрямое нежелание умирать. Мысли путались в голове. Похоже, надо валить отсюда: пол-Москвы знает, что он живет в этом частном доме в Одинцово. Надо сбежать куда-то в другое место — в Люберцы, там у него друганок живет. Или к Лешке в Новые Химки, снять квартиру в новостройке — благо там полно пустых квартир стоит в новых домах.

Но вот Томка... Томка — проблема. Томка продаст...

Грунт поймал взглядом пузатую темную бутылку шампанского. Он медленно подошел вдоль края ванны к бутылке, взял за горлышко. Тяжелая, толстого стекла бутылка была пуста.

Его бил колотун. Только бы Томка, сука, не заметила, как он мандражирует. Он незаметно опустил бутылку в воду — из горлышка вместе с выходящим воздухом вверх рванул столб пузырьков. Вода быстро наполнила бутылку, которая еще больше потяжелела. Он стал приближаться к Томке, держа бутылку под водой.

— Что, кобель, опять за свое? — засмеялась девка, обнажая ровный двойной ряд белых зубов.

— Ага, — глупо усмехнувшись, отозвался Грунт и стал заходить сзади.

— Понравилось? — не унималась Томка.

— Ага, понравилось, давай еще разок так же: ты спиной ко мне! — Ему в голову уже пришла мысль...

Когда Томка послушно повернулась к нему задом, он резко выдернул бутылку из воды и с размаху втемяшил ей по затылку. Томка, не издав ни звука, тяжело осела в воду. Выкрашенные в соломенный цвет волосы всплыли на пенистой поверхности воды. Он положил обе руки ей на плечи и сильно вжал вниз. Голова Томки ушла под воду. Девка даже не сопротивлялась — видно, удар по голове был довольно силен и она потеряла сознание.

Грунт стоял, не разжимая рук. Прошло, наверное, минуты три-четыре, когда он отпустил ее плечи. Тело тяжело завалилось набок и, подталкиваемое мощными горячими струйками, стало медленно передвигаться вдоль стенки ванны.

Ему стало жутко от этого зрелища. Теперь надо было подумать, как избавиться от трупа. Он стал вспоминать телевизионные детективы. Завернуть в мешок, в целлофан, в ковер... Потом заложить в багажник машины и — рвануть в какой-нибудь лесок или на болото.

Грунт вылез из ванны, выключил электромоторчик джакузи и насухо вытерся простыней. Он спешил. Часы на стене в коридоре показывали половину восьмого. Через час-полтора начнет темнеть, тогда можно и грузить ее в багажник. Но пока что надо ее запаковать.

В кладовке за кухней он нашел старый рулон садового целлофана — таким огородники накрывают всходы огурцов. Он раскатал рулон на кафельном полу в ванной, выволок бездыханное тело Томки из остывающей воды и аккуратно завернул в плотную пленку. «Тяжелая, собака», — бурчал он себе под нос, волоча сверток по коридору к гаражу. Он радовался, что убил Томку бескровно и что в гараж ведет боковая дверка прямо из коридора. Соседи ничего не увидят. Сейчас заложит тело в багажник, закроет на ключ и как стемнеет — рванет по шоссе подальше от Москвы, а там где-нибудь в лесу прикопает, а еще лучше — в болотце сбросит.

Захлопнув багажник, он инстинктивно прислушался. Все тихо. Вернулся в коридор и посмотрел на часы. Девять, начало десятого. Через час можно выезжать. Он уселся в кресло перед телевизором и только теперь смог спокойно вздохнуть.

И вдруг ему подумалось, что напрасно он замочил девку. Он даже усмехнулся при слове «замочил» — впервые в жизни это слово совершенно точно выражало характер им содеянного.

Грунту убивать было не впервой. Своего первого жмурика он оприходовал лет пять назад, на пустыре в районе новостроек Митино. Он вел его от самой улицы Горького, то есть Тверской по-нынешнему. Шел в тот осенний день Грунт по улице, насвистывал и вдруг приметил у уличного обменника лоха в шляпе — тот стоял и, пугливо озираясь, рассовывал по карманам пачки рублей. Видно, только что поменял большие баксы. Грунт заинтересовался им, да и от нечего делать потопал следом — сначала в метро доехал до Планерной, потом на автобусе трясся хрен знает сколько, потом пешочком пошел. Да на пустыре и пробил ему башку обломком кирпича. Мужик упал, обливаясь кровью. Грунт все карманы у него вывернул — насобирал, как потом выяснилось, целых шестьдесят миллионов. Тогда все на миллионы считали — шестьдесят тысяч по-нынешнему, хорошие бабки. Он себе на них первую иномарку купил.

После того случая Грунту приходилось еще пять раз кровь пускать всяким лохам — однажды по просьбе другана одного, которому надо было от соседа-алкаша избавиться, чтобы коммуналку на себя записать. Потом один крымский авторитет нанял его за хороший гонорар в Симферополе сделать дело. Потом еще было... Но вот бабу он замочил впервые.

Замочил... Он усмехнулся, и тут его одолел такой смех, что он не мог сдержаться — хохотал до нервных слез. Утерев слезы, Грунт ткнул пальцем в пульт дистанционного управления. По первому каналу шли новости. Опять долдонили про Шелехова. Корреспонденту давал интервью крупный милицейский чин. Ведется расследование, задержано пять подозреваемых... Грунт вырубил звук. Его опять охватила дрожь. А ну как докопаются до него? Не менты, так Варяг. А ну как Сержант выловит его из безбрежного московского моря людей?.. Это, конечно, маловероятно, но для Сержанта, говорят, нет ничего невозможного.

Грунт набросил легкую куртку и вышел в гараж. Сел за руль, поднял пультом радиоуправляемые ворота гаража и спокойно вырулил на аллею.

Только когда его «форд-сьерра» покатил по пустынному сумеречному шоссе, Грунт немного успокоился. Через полчаса он уже облюбовал местечко в пролеске в полутора километрах от шоссе. Летом, он знал, тут полно туристов — шашлыки жарят, детишки гомонят. А рядом болото. Настоящая трясина. Место хорошее. Глухое. Его всегда стороной обходят.

Он направил «форд» прямехонько к тому болоту. Уже сгустились сумерки, скоро будет совсем темно. Подъехав к болоту, Грунт заглушил мотор и, озираясь, вышел. Никого. Тихо. Он открыл багажник и выволок тяжеленный целлофановый сверток. Тут ему в голову пришла мысль, что лучше бы его не волочь по земле — на траве может остаться след.

Он, напрягшись, взвалил сверток на плечи — в ней было килограммов шестьдесят пять, если не больше... Вот корова! Сгибаясь под своей ношей, Грунт побрел к краю болота.

На его счастье, с одной стороны у болота был невысокий обрыв. Он взошел на бугор, подкатил сверток к краю и столкнул его в болото.

Сверток с хлюпаньем упал в вязкую жижу и, чмокнув, стал медленно уходить в трясину. Постояв еще пару минут и удостоверившись, что болото поглотило его жертву, Грунт рысцой побежал к машине.

Глава 11

Николай Валерьянович Чижевский, отставной полковник госбезопасности, за годы работы с Игнатовым усвоил, что начальник не любит долгих разговоров: если задача поставлена, его не интересует ход её выполнения, его интересует только конечный результат. В данном случае Владислава Геннадьевича заботило одно: в кратчайшие сроки установить, кто убил депутата Шелехова и кто является заказчиком этого убийства.

С момента убийства прошла уже неделя, но Чижевский пока не мог ничем похвастаться. Хотя в его распоряжении был довольно большой штат отличных оперативников высшей пробы, вроде славной троицы Абрамов — Лебедев — Усманов — это звучало почти как тройка нападения в хоккее. Ребята всю эту неделю трудились не смыкая глаз, но странное дело: каналы Следственного комитета МВД, к которым у них был постоянный негласный доступ, почему-то оказались напрочь заблокированными. Никакой информации. Это могло означать либо то, что следствие велось в чрезвычайной тайне, либо то, что оно вообще не ведется. Причем последнего Чижевский тоже не исключал — и в таком случае убийство Шелехова могло оказаться звеном в очень хитрой интриге, задуманной и реализуемой с большим размахом и дальним прицелом.

— Ну так что будем делать? — хмуро спросил Владислав, глядя на Николая Валерьяновича. — Неужели совсем никакой информации?

Чижевский подтверждающе пожал плечами:

— Пожалуй, что так. Конечно, кое-что есть. Но это крохи, и они не проясняют главного. Я по своим каналам получить каких-либо данных о ходе официального следствия, к сожалению, не смог, хотя усилий предпринято очень и очень много. Мне не хотелось бы утруждать вас, Владислав Геннадьевич, ненужными деталями. Однако без вашего участия и совета я не вижу, как двигаться дальше.

От собственного бессилия многоопытный полковник сильно волновался и переживал, а заметив, как помрачнел взгляд Владислава Геннадьевича во время его доклада, он и вовсе стушевался.

Варяг поднял руку, как бы призывая Чижевского послушать его. Он уже понимал, что отставному полковнику одному справиться с этим делом не удастся.

— Я вижу, Николай Валерьяныч, что вы и ваши люди предпринимаете колоссальные усилия по этому делу. Не нужно оправдываться. Мы же не первый год вместе работаем... Но тут, мне кажется, нужно найти какое-то свежее неординарное решение, попробовать зайти совершенно с другого конца. Нужно поискать там, где вы обычно даже не пытались действовать. Но в любом случае давайте повнимательнее изучим ситуацию в воровских кругах. Также уверен, что нужно подключать к делу нашу «тяжелую артиллерию». Сегодня утром по моей просьбе в Москву приехал Сержант. Со своим чемоданчиком, — уточнил Варяг и посмотрел на часы. — С минуты на минуту он должен появиться здесь.

И как раз в это мгновение, словно в подтверждение его слов, загудел переговорник на столе. Варяг нажал кнопку связи, и спокойный ровный голос Лены сообщил:

— Владислав Геннадьевич! К вам посетитель. У вас с ним назначена встреча.

Варяг бросил многозначительный взгляд на Чижевского.

— Вот и он!

Дверь распахнулась, и на пороге появился плотный блондин лет сорока пяти в полотняной светлой куртке и тщательно отглаженных брюках. Игнатов встал и быстро прошел к нему навстречу, раскрывая объятия.

— Здорово, Степан! Рад тебя видеть!

За всю историю их многолетнего знакомства и он, Владислав Игнатов, и Степан Юрьев по кличке Сержант пережили многое: взаимное уважение и соперничество, обиду, вражду и — в последнее время — дружбу. Эта дружба была скреплена кровью их врагов, которая, пролившись, стала залогом взаимного глубочайшего доверия. В последний раз Варяг вызывал Сержанта в самый трудный момент своей жизни — когда на него развернула охоту сибирская бригада отморозков, а он, потеряв жену и сына, гонимый горем и жаждой мщения, сам пустился на поиски своего заклятого врага Николая Радченко. И если бы не верный Сержант, неизвестно, смог бы Варяг одолеть этого беспощадного, страшного ублюдка, потерявшего человеческий облик, лишенного всяческих тормозов и принципов.

Вот и на этот раз он вызвал Сержанта. Но теперь-то, пожалуй, Варяга подстерегала опасность похлеще: борьба с невидимым и, судя по всему, очень сильным и жестоким врагом не предвещала ничего хорошего; опять же назревающий конфликт с ворами на большом сходе — тоже не игрушки. Владислав прекрасно осознавал, что конфликт с сильными мира сего (а убийство Шелехова и есть предупреждение именно об этом) исполнен риска стократ большего, нежели выяснение отношений с озверевшим бандитом. Коварный враг всегда страшнее стократ.

— Садись, Степа. С полковником тебя, надеюсь, знакомить не надо.

— Да уж! Да уж! — подтвердил Юрьев, а полковник, дружелюбно улыбаясь, протянул Сержанту руку для приветствия:

— Да, виделись не так давно... Как доехали, Степан?

Сержант шутливо погрозил ему пальцем:

— Почему Степан? Вы же билет на самолет из Пулково купили на паспорт гражданина эр-эф Нащокина Сергея Сергеевича, а не на какого-то там Степана!..

Чижевский рассмеялся:

— В своем репертуаре — конспиратор!

Сержант, он же Степан Юрьев, он же Сергей Сергеевич Нащокин, он же... (эту галерею имен можно было продолжать до бесконечности), присел в вертящееся кресло перед рабочим столом Варяга.

— Увы, приходится соблюдать правила... Еще скажите спасибо, что мне не пришлось парик напяливать и очки с пластиковым носом. Я же до сих пор как-никак в международном розыске нахожусь — и по линии Интерпола, и по линии пяти или семи иностранных разведок, ну и, понятное дело, во всесоюзном розыске.

— Во всесоюзном? — усмехнулся Варяг. — Да уже Союза-то скоро лет десять как нет.

— А мне, дорогой Владислав Геннадьевич, пока не докладывали, что тот розыск, в который меня объявили в восемьдесят седьмом, отменен! Вот какая закавыка. Хорошо, что хоть друзья хакеры с моей карточкой в компьютерах пошуровали. Вот только это и спасает.

И Юрьев многозначительно подмигнул Варягу...

Варяг кивнул в ответ и не стал дальше развивать эту тему. Он и так знал Сержанта как облупленного.

— Чемоданчик-то твой знаменитый где?

Сержант — Нащокин неопределенно покачал головой:

— В надежном месте, откуда его можно быстро взять и пустить в дело. А что, есть проблемы? — Он исподлобья вопросительно посмотрел на Варяга, потом, чуть скосив взгляд в сторону, вопросительно на Чижевского.

Владислав перехватил его взгляд.

— Да, да! Николай Валерьянович в курсе. Более того, он уже неделю как сам занимается вплотную этим делом. Суть проблемы: ты слышал об убийстве депутата Шелехова?

Сержант кивнул.

— Так вот, — продолжал Варяг, — Шелехов был моим человеком. Скажу больше, я делал на него серьезную ставку в большом «проекте»... политическом проекте... и теперь, когда его убрали... В общем, все мои планы на ближайшие годы могут рухнуть. У меня есть сильное подозрение, что, может, именно поэтому его и убили. Но все очень запутано и неочевидно. В деле фигурирует крупная сумма в валюте, которую Шелехов вез из-за границы и которая бесследно исчезла. Можно предположить, что убийство произошло из-за денег. Но ведь возможно и то, что заказчик убийства знал об этих деньгах и ими расплатился за заказ. Николай Валерьянович пытался работать по линии МВД, но там все глухо. Надо активизировать воровские круги, но так, чтобы люди не знали, что я этим интересуюсь, ты меня понял? Это очень важно. Как там в Северной Филат поживает? — без перехода спросил он.

— Поживает... — туманно отозвался Сержант. — Сейчас я мало общаюсь с законными... Да и в Питере подолгу не бываю. Я себе дом купил в Финляндии на озерах — так большей частью там сижу. Охочусь.

Варяг кивнул понимающе.

— Ладно, тогда я его сам озадачу. Словом, расклад такой. Ты Михалыча помнишь? — И, не дожидаясь ответа, продолжал: — Старик мне обещал содействие, но ему это будет трудно. Сильно сдал в последнее время... Сам я к ворам сейчас не могу обращаться — у меня с ними напряженка. Надеюсь, что временная. В общем, ясна задача?

Сержант полез в карман куртки, достал пачку сигарет «Кэмел» и спросил:

— У тебя тут курят?

— Валяй! — усмехнулся Владислав.

— Задача вроде ясна. — Сержант прикурил от тяжелой зажигалки в виде слона. — Но чемоданчик-то зачем ты просил подвезти?

Варяг нахмурился:

— Это самое главное. Не исключено, что ты мне понадобишься со своим чемоданчиком очень даже скоро. Но давайте все по порядку. А что и как, я скажу послезавтра.

— А завтра-то что? — нахмурился Сержант.

Варяг неопределенно пожал плечами:

— Завтра пятница. Завтра большой сходняк. Но там меня подстрахуют люди Николая Валерьяновича. — Он повернулся к Чижевскому. — Только на этот раз я прошу вас, чтобы не повторилась прошлая история. Не надо врываться в зал. Никаких резких движений. Они этого не любят. И не прощают. Да и мне, признаться, это не по нраву. Пусть ваши люди подъедут туда, на Дмитровку, часам к шести вечера. Только близко пусть не подходят — «пехота» их тут же засечет и, чего доброго, вырубит. Там напротив лучше расположиться, на противоположной стороне шоссе. Там стоит дом на капремонте. Очень удобное место для наблюдения и... в случае чего близко. Да что мне вас учить, товарищ полковник, — многозначительно, с улыбочкой констатировал Варяг. — Ну а сход начинается в семь. Я думаю, часа хватит, чтобы как следует осмотреться.

Чижевский, внимательно слушая Варяга, что-то черкал в своем блокноте. Сержант молча смотрел на Варяга, никак не выдавая своих эмоций.

Варяг встал и в глубокой задумчивости прошелся по кабинету.

— В каком-то смысле я сам виноват, что с правильными людьми у меня напряг выявился, — размышляя вслух, обратился он к Сержанту. — Я в прошлый раз привел с собой людей Николая Валерьяновича и, похоже, все испортил. Чуть стрельба не поднялась... Это не дело.

Он подошел к Сержанту и положил ему руку на плечо.

— Сказать по правде, Степан, завтрашняя встреча меня тревожит. Что-то здесь не так, что-то происходит, а что именно — понять пока не могу.

Может, прав старый вор Михалыч, что спецслужбы втихаря вербуют воровскую элиту, которая давно уже с гнильцой местами. Но если бы речь шла о таких козлах, как Кайзер или Тульский, — это было бы неудивительно, но что Закир Большой или Толян под чужую дуду плясать начали — вот что странно?..

Глава 12

Ночник в виде стеклянной нимфы, сжимающей в руке небольшой факел с красноватой матовой лампочкой внутри, стоял на низкой тумбочке у кровати. От него струилось мягкое ровное сияние, в котором купалась спальня. Владислав лежал лицом к Лене, подперев голову правой рукой. Его левая рука медленно скользила по ее обнаженному плечу.

— Ну что ты молчишь? — тихо спросила Лена, тревожно вглядываясь в его лицо серо-голубыми глазами. — Так ничего и не скажешь?

Он чуть улыбнулся.

— Пока нет. Давай оставим разговор до завтра. Все, что я мог тебе сказать, уже сказано. А больше тебе пока знать не следует. Из-за этого я потерял стольких близких людей, что уж и со счета сбился, — жену и сына, Вику, Егора Сергеевича... Теперь не хватало еще и вас с Лизой потерять. Это опасная игра, Леночка. Очень опасная. И ставки в ней очень высоки. Выше не бывает. — Владислав сел, отбросив одеяло в сторону. И она невольно залюбовалась его сильным, мускулистым телом с голубой наколкой на груди. — Завтра все должно решиться. Мне не надо тебе объяснять, ты ведь и сама многое понимаешь — что я, кто я, какими делами занимаюсь...

— Владислав, ты — преступник? — вдруг очень серьезно и неожиданно спросила Лена, устремив на него пристальный взгляд.

Он даже рассмеялся от этих слов.

— А что такое преступник, Леночка? Что такое преступление? Это фикция, условность, которую общество... вернее, одна часть общества придумала для того, чтобы оправдать... — Он нахмурился, подыскивая слова. — Оправдать свое господство над другими.

— Да? — вспыхнула она. — А как же убийство? Вот убили Шелехова — твоего знакомого. Это разве не преступление? А все эти заказные убийства бизнесменов, банкиров... А скандалы с отмывкой денег?

Владислав покачал головой. Ему сейчас совершенно не хотелось вступать с милой девушкой в философские дискуссии, но она говорила так искренно, так горячо, что невольно задела его самолюбие. Надо было что-то ответить.

— Дело в том, Лена, — медленно заговорил Варяг, — что в нашей стране — уж так сложилось, так уж издавна повелось — закон никогда не имел железной силы всеобщего правила. Законы всегда обслуживали какую-то одну группу людей. А другие люди нарушали эти законы и становились преступниками, так их называли. Большевики в семнадцатом пришли к власти и сразу нарушили все мыслимые законы государства — стали отбирать собственность и деньги — словом, грабили награбленное. Вот с них-то все и пошло вразнос, если хочешь. А потом внутри построенного ими — заметь, на изначальном грабеже и воровстве построенного — государства возникли группы людей, которые решили: а какого черта — этим можно было грабить и убивать, почему же нам нельзя? Больше того, они решили, что, грабя и убивая государственных грабителей и преступников, они совершают благое дело.

— И ты, значит, считаешь, что это правильно? — тихо заметила она, чуть отодвинувшись.

Владислав кивнул.

— Во всяком случае, все то, чем я занимаюсь сейчас, то, чем я занимался последние десять лет, я делал правильно. Меня жизнь сильно ломала, Лена, сильно ломала, но не сломала. Я на изломе оказался прочный. Помню, был у меня один знакомый — плохой человек, мерзкий. Он любил повторять: моя власть сильна, я тебя в бараний рог могу скрутить, а ты и не пикнешь. Так вот, представляешь, не скрутил — и я не пикнул. А кончилось дело тем, что я его как-то совершенно случайно встретил на улице и... прикончил... как последнего гада...

— Неужели у-убил? — упавшим голосом переспросила Лена.

— Да, Леночка, я его убил. Убил полковника Беспалого. Он был начальником лагеря, где я сидел. Где мне суждено было бы заживо сгнить. А я выжил. Сам не знаю как, но я выжил. Бежал. А потом встретил эту мразь на улице и... и понял, что он не имеет права на жизнь. Эту мразь надо было убить, вот я и убил. Если хочешь знать, в тот момент я ощущал свою полную правоту. По всем человеческим, именно человеческим, понятиям он был преступник. У него на руках кровь десятков невинных. И я его покарал. И знаешь, Лена, при этом я ни минуты не колебался.

Лена смотрела на Варяга широко раскрытыми глазами, и трудно было понять, что скрывается в ее взгляде — то ли испуг, то ли восторг.

— И многих ли ты убивал в своей жизни, Владик?

— Нет, — честно сказал он. — Немногих. Потому что проливать кровь так вот запросто, как убили Леонида Васильевича Шелехова, — нельзя. По понятиям не положено. Вот почему я хочу найти убийцу Шелехова. Найти и покарать.

Лена сглотнула слюну и провела узкой рукой по лбу, словно смахивая невидимую паутинку.

— Но ты мне не ответил на первый вопрос... Хотя, может быть, и не стоит отвечать. Раз ты сам убивал...

Владислав обнял ее за голые плечи и привлек к себе.

— Ты хочешь знать, преступник ли я. Что ж, по их законам, наверное, да, преступник. Но знаешь, по моим законам, они — кто втихомолку грабил страну многие годы, а особенно в последние десять лет, они преступники во сто крат большие. И сами, те, кто правили страной, и их нынешние внуки и правнуки, кто по блату и по наследству получили все эти банки, нефтяные компании, алюминиевые комбинаты... А я считаю себя ничуть не хуже, не глупее их. Может, у меня дело-то получше пойдет, чем у них, у бывших чиновников, которые сегодня в олигархах ходят: они все время при делах. Ты их в дверь, они в окно.

Он и не заметил, как разволновался, произнося перед этой молоденькой девушкой пламенную речь. Владислав поймал себя на мысли, что тихая Лена — первая женщина, которой он вот так откровенно изливает душу, рассказывает о сокровенных своих мыслях. Почему? Наверное, все же было что-то в ней неосязаемое, что влекло его и заставляло довериться ей. Странно, подумал Варяг, Свете он никогда этого не говорил, и уж тем более Вике. Только в приватных беседах с ее покойным отцом, академиком Егором Сергеевичем Нестеренко, он позволял себе раскрыться до конца, высказать наболевшее, что копилось на душе.

Часы в гостиной глухо пробили два раза. Два часа ночи! Опять заговорились.

— Может, спать будем? — ласково спросил он.

Лена грустно помотала головой.

— Нет. Сейчас я не засну. — И, помолчав, добавила: — Так что все-таки у тебя завтра?

Владислав тяжело вздохнул, мысленно вернувшись к делам.

— Уже не завтра, а сегодня. Сегодня вечером. Должен состояться серьезный разговор. От него многое будет зависеть в дальнейшем. — И тут его кольнула страшная мысль. Мучительная догадка. Он схватил Лену за руки и жестко спросил: — Послушай, ты не могла бы Лизу сегодня вечером забрать с Никитиной Горы и перевезти в Москву? К себе? На пару дней. А Валя пусть пока на даче одна поживет.

— Зачем? — не поняла Лена. — Зачем ее забирать? Ей там так хорошо. Место тихое, спокойное...

— Да, место тихое... — мрачно повторил Варяг. — Да только слишком уж известное.

— Известное? Кому? — недоуменно переспросила Лена. — Владислав, я что-то ничего понять не могу. Не говори загадками!

Он даже застонал от страшного предчувствия. И от собственного бессилия что-либо изменить. Он потянулся к телефону и привычно, не глядя нажал семь кнопок. На другом конце линии ответили не сразу. В трубке послышался заспанный голос Чижевского.

— На проводе!

— Николай Валерьянович! Это Игнатов! — глухо заговорил Варяг. — Извините, что беспокою так поздно. Но дело неотложное. Вы можете завтра... вернее, сегодня утром послать людей на Никитину Гору и оставить их на даче? Там Лиза с няней. Одни.

Чижевского удивила не сама просьба шефа. Его удивил звонок в столь поздний час. Но старый служака не подал виду и обещал все исполнить, как полагается.

Дав отбой, Варяг лег рядом с Леной и, задумчиво глядя прямо ей в глаза, сказал:

— У меня встреча с моими коллегами по бизнесу. У них, понимаешь ли, есть ко мне некоторые претензии. И мне придется объяснять им, что они ошибаются. А это будет непросто.

— Для тебя эта встреча очень важна? — каким-то жалобно-беззащитным тоном произнесла Лена. — Ее нельзя отменить, перенести?

Он усмехнулся.

— Нет, конечно. Да ты не переживай. Все обойдется. — Он щелкнул кнопкой ночника. Факел в руках стеклянной девушки погас. — Давай-ка спать, милая.

Лена отвернулась и затихла. Она лежала с раскрытыми глазами и думала. Думала о том, что без памяти влюбилась в этого восхитительного, но непонятного мужчину. И что, мечтая в далеком детстве о «прекрасном принце», даже и не предполагала, что он будет уголовником. И еще о том, что завтра, а точнее, сегодня вечером в жизни Владислава должно произойти нечто, что может круто изменить его, а значит, и ее судьбу.

И помешать этому уже никак нельзя.

Глава 13

С тяжелым сердцем ехал на сходняк Закир Большой. Он прекрасно понимал, чего от него ждут сегодня вечером, — и эта малоприятная миссия, затрагивающая впрямую интересы, положение и авторитет смотрящего России, не доставляла ему никакой радости. Варяг никогда не числился в друзьях у Закира. Он и раньше нельзя сказать чтобы шибко обожал Варяга, но уважать — уважал. И вот сейчас Закиру приходилось поступать против своих убеждений, и от этого на душе у него было погано. Полгода тому назад гордый сын гор даже мысли допустить не мог, чтобы кто-то навязывал ему свою волю, тем более помыкал им, как глупым бараном. И надо же было такому случиться, что он, опытный ушлый вор, так по-глупому попался на крючок. И вот теперь в нынешней ситуации вынужден послушно исполнять волю большого ментовского начальника — генерал-полковника Урусова. Это было для него невыносимо.

В воровском мире Закир Буттаев давно пользовался непререкаемым авторитетом. А в родном Дагестане его слово и вообще ценилось на вес золота. Вырос Закир в бедной семье в высокогорном ауле. Он помнил себя босоногим мальчонкой, с утра до вечера проводящим время в горах среди дикой природы. А ночью, когда вся семья спала, он, прильнув ухом к черной тарелке радиоточки, завороженно вслушивался в едва слышимые диковинно красивые мелодии из Москвы. Особенно ему нравилась одна напевная, завораживающая музыка, уносящая его детское воображение высоко-высоко к облакам и заставляющая мечтать о неизвестной сказочной жизни. Тогда маленький Закир не знал, что это музыка русского композитора Чайковского. Но она доставляла ему истинное наслаждение. Годы спустя, уже став признанным авторитетом, он дивился, как это в столь юном возрасте он умел понимать красоту мелодий, так не похожих на старинные горские песни, которые певали у них в ауле. Видно, было от природы дано Закиру тонкое музыкальное чутье. И вообще художественный талант. Закир с детства любил рисовать. На обрывках выцветшей бумаги кусочком угля он мог часами рисовать величественные северокавказские горы, одиноких осликов на пыльной дороге, устало бредущих к дому соседских стариков. Он мечтал стать художником. Но жизнь сложилась не так, как хотелось маленькому Закиру. Горячий нрав и молодость повернули так, что первый раз он использовал свои художественные дарования на зоне, где за дневную пайку делал зекам изумительной красоты наколки. В свою первую ходку он отправился пятнадцатилетним пацаном — за убийство. У родителей Закира не было денег на маломальски приличного адвоката, который смог бы отмазать мальца. Сначала он попал в детскую колонию, а как исполнилось ему восемнадцать, отправился тянуть срок далее — по знаменитым тюрьмам да лагерям. В воркутинском лагере юного дагестанца за его таланты сразу приметили местные паханы, да и кум относился к нему сердечно: к большим советским праздникам парень рисовал роскошные плакаты для красного уголка, а в основном занимался, как шутила братва, акупунктурой — накалывал на широкие воровские спины, груди и ягодицы православные храмы, кресты, русалок да витиеватые надписи. Эта иглотерапия спасла Закира от многих несчастий — более того, именно этому занятию сын солнечного Дагестана был обязан тем, что выжил в суровом северном краю. И тем не менее по ходу дела ему накинули восемь годков. Он вышел на волю лишь через тринадцать лет — двадцативосьмилетним, много пережившим мужчиной. Покидая зону, Закир зарекся переступать порог казенного дома.

Но и тут судьба распорядилась по-своему. Вернувшись из пермского лагеря в родной Дагестан, Закир осел в Кизляре и устроился работать на местный коньячный завод — художником. Рисовал этикетки для подарочных коньяков, которые выпускали на заводе в канун 60-летия Советской власти. Шел тогда 1977 год. Тут-то его и приметили местные авторитеты — уж больно здорово он изображал горные хребты и на их фоне шерстистых маралов с тяжелыми завитыми рогами. Привели Закира как-то к знаменитому кизлярскому вору Гамзату, тот внимательно посмотрел в глаза Закиру и предложил ему очень хорошие деньги — раз в пятьдесят больше, чем тот получал в этикеточном цехе. Закир сильно удивился, пока не узнал, что его художественный дар требовалось применить для изготовления металлических форм, используемых при печатании банкнот. Но не рублей с восковым профилем вождя мирового пролетариата, а диковинных зеленых бумажек с лицом какого-то важного щекастого господина в парике. И надписи были на бумажках не русские, а английские. Одно было только понятно — число 100. Закир оробел и поначалу стал отказываться, но Гамзат очень мягко, но безапелляционно попросил его прямо тут же приступить к работе и нарисовать на ватманском листе сотенную купюру. Закир вздохнул, взял карандаш и прямо на глазах у Гамзата за полтора часа изобразил купюру в масштабе один к одному — и даже меленькие буковки в углу бумажки срисовал.

Пораженный точностью копии, Гамзат тотчас вынул из кармана толстую пачку красных сторублевок и, отсчитав пять, вложил Закиру в руку. В ту дремучую пору на пятьсот рублей вся многочисленная семья Буттаевых могла сытно жить несколько месяцев. Это было великое искушение — и Закир не устоял. Только потом уже он понял, что в тот день в доме у Гамзата получил воровское крещение. А потом пошло-поехало...

Прошло полгода. По ночам в подвале богатого кизлярского особняка глухо стучал печатный станок, мягко выплевывая зеленые бумажки, которые стоящие у станка работники Гамзата ловко подгребали руками, бросали на пол и топтали босыми пыльными ногами. Самодельным долларам надо было придать «рабочий» вид — так их легче было сбывать валютным барыгам в Москве, Ленинграде, Тбилиси, Ереване, Риге, Таллине, Сочи, Ташкенте, Одессе... и в других концах необъятной тогда советской родины.

А потом подпольный монетный двор накрыли. Старика Гамзата от вышки спасло только одно — что он печатал не советские рубли, а американские грины. Его отправили отдыхать на Колыму, там он и умер года три спустя, завещав перед смертью своим землякам беречь Закира. Тогда-то он и получил гордую кликуху Большой — не только за внушительный рост и величавую стать, но и за несравненный большой талант. Пользуясь известностью и авторитетом своего покровителя Гамзата, Закир Большой быстро продвинулся в воровской иерархии, и в тридцать пять лет на большом сходняке в Сочи — первом в его жизни — его короновали и отдали под контроль подпольные игорные заведения курортных городов — от Кисловодска до Минеральных Вод. Потом он расширил свою власть на Северном Кавказе.

Его уважали за гордый нрав и чувство справедливости — всем было известно, что Закир Большой зря слова не скажет и всякий спор разрешит по понятиям. Он быстро стал незаменимым при решении не только мелких, но и крупных ссор среди воров Северного Кавказа, особенно если эти ссоры касались раздела сфер влияния. Когда в Советском Союзе разрешили кооперативы и оборотистые люди начали первый легальный бизнес, Закир постоянно выступал в роли примирителя и третейского судьи. В 90-е годы его власть на Северном Кавказе стала непререкаемой. Если на Черноморском побережье почти все дела вершил Шота Черноморский, то на российском Северном Кавказе многое оказалось под властной рукой Закира Большого. Знакомство с ним, не говоря уж о дружбе, многие почитали за честь. И многие этой чести удостаивались. Закир Большой был радушный и хлебосольный хозяин. В Махачкале у него был роскошный трехэтажный особняк — не хуже, чем в свое время у Гамзата в Кизляре. Двери этого дома были всегда широко распахнуты, и кто только не перебывал тут за многие годы — певцы, поэты, музыканты, дипломаты, финансисты и промышленники, даже руководители советских республик. И хотя Закир уже лет восемь как обосновался в Москве, все равно именно в своей дагестанской вотчине он чувствовал себя дома, там он был царь и бог, всеми любимый, всеми уважаемый, всеми почитаемый. Известнейший дагестанский поэт, лауреат всевозможных премий, написал даже в его честь стихотворение «Встреча в Махачкале», в котором уподоблял статного красавца Закира горному орлу, величаво парящему над снежными вершинами.

И вот теперь он, как послушный ничтожный баран, которого тянут на веревке на бойню, ехал на большой сход, чтобы выступить застрельщиком сомнительной операции...

Неделю назад ему опять позвонил генерал Урусов и предложил встретиться. Но не в ресторане Речного вокзала, а на Страстном бульваре — в скверике за кинотеатром «Россия». Закир уже люто ненавидел этого плешивого генералишку с лицом добродушного плута. Закир видел, какое удовольствие доставляла Урусову возможность поунижать знаменитого дагестанского вора, упиваясь своей властью над ним, над его волей. Во время последней встречи мент опять сполна покуражился и поиздевался над Закиром. Сначала он заставил ждать себя двадцать минут; пунктуальный Закир появился на условленном месте вблизи небольшого летнего кафе строго в назначенный час, в семь вечера. Скамейку, где должен был состояться разговор, уже застолбили два хорошо знакомых Закиру амбала, тенью ходившие за генералом Урусовым. При виде приближающегося Закира оба как по команде встали и пересели на соседнюю скамейку — телохранителям не полагалось присутствовать при переговорах шефа. С двадцатиминутным опозданием появился Урусов. На сей раз он оставил дома свой шутовской молодежный прикид и пришел в строгом темном костюме, светлой рубашке и при галстуке. Впрочем, узел галстука был распущен и верхняя пуговка расстегнута, что придавало Урусову сходство с одним скандально известным депутатом. Едва кивнув Закиру, он как ни в чем не бывало присел рядом и выдавил свою обычную кривую усмешечку.

— Ну что, уважаемый, чем порадуешь, разузнал что-нибудь про Шелехова?

Закир, понимая, что совсем не за этим позвал его Урусов на посиделки, отрицательно помотал головой:

— Нет. Разговоров много, а толку мало. Говорят, что, скорее всего, дело рук одного ангажированного гастролера с бригадой.

Урусов качнул головой. Евгений Николаевич блефовал. Ему уже три дня как было достоверно известно, кто, зачем и по чьему приказу замочил депутата Шелехова. Но было ему также известно, что операция проведена с высочайшей санкции, и посему его, генерал-полковника Урусова, это убийство не касалось — никто не станет предъявлять ему претензий. Никто не заставит заниматься расследованием. Более того, расследование уже было поручено людям, которые никогда не сумеют раскрыть это убийство. И сделано так было намеренно. Потому что убийцу-одиночку, скрывающегося до поры в своей подмосковной берлоге, ждал скорый беспощадный суд и неумолимый приговор, который приведут в исполнение умелые руки специально обученных этому печальному ремеслу профессионалов. Так что про Шелехова генерал Урусов спросил Закира просто так, для затравочки.

— Ладно. Пока оставим это. Теперь вот, Закир Юсупович, настал мой черед обратиться к тебе с просьбой.

— А разве я, генерал, что-то у тебя уже просил? — поймал его на слове Закир.

Урусов поморщился и махнул рукой:

— Ай, дорогой, не придирайся. Значит, еще попросишь. Я же хочу с тобой поговорить о Варяге. Есть мнение, что его пора подвинуть от... воровской кассы. Многие так считают, но не решаются начать разговор. Ты должен оказать мне содействие и замутить дельце на сей счет.

Закир удивленно поднял густые черные брови:

— Чье же это мнение? Неужто воров? Но тогда я бы знал об этом по своим каналам. Ума не приложу, начальник.

Дагестанский авторитет тоже решил блефануть. Он же сам на прошлом сходе бросил Варягу жесткое и обидное требование — отдать общак. Но тогда он, Закир, выражал свое личное мнение и мнение тех, кто думал точно так же. У них были свои соображения и планы на общак. Хотя насчет других воров теперь у Закира закралось сомнение, что, например, если Максим Кайзер, или Витек, или Тима нашептывали ему про общак, то действовали по чьему-то наущению.

Черные глаза Урусова зло сверкнули.

— Нет, Закир Юсупович, воры тут ни при чем. Хотя кое-кто из них очень даже при чем, но речь не о них. Не строй из себя невинного простачка — ты же прекрасно знаешь, что у нас все тесно переплетено. И у вас на Кавказе, и у... здесь, в Москве...

Закир не смог сдержать улыбку: проговорился-таки хитрый шакал. Хотел сказать: «у вас на Кавказе — у нас в Москве», да духу не хватило. От Кавказа Урусов давно отрекся, а в Москве еще не полностью прописался, вот и робеет назвать этот город своим.

Урусов же, не заметив улыбки Закира, продолжал тихим вкрадчивым голосом:

— Большие люди решают судьбу Варяга. Очень большие. По сравнению с ними даже такие крупные авторитеты, как ты, Закир, просто пигмеи. Я знаю, у вас через неделю на Дмитровском будет «отчетно-выборное» собрание. Там встанет вопрос об общаке. И, естественно, о Варяге. Ты, Закирушка, пользуешься бо-ольшим авторитетом у московских воров. Питерские и сибирские тебя тоже уважают, я уж не говорю о кавказских. А там, на сходе, как я понимаю, будут все основные. Так что давай скажи им свое веское слово. Варяга надо задвинуть! — Последнее слово Урусов произнес жестко, сузив глаза и капризно сжав губы. — Вот такая у меня к тебе небольшенькая просьбочка. И ты уж постарайся.

— Генерал, я никак не пойму, коли МВД все известно заранее — и про Варяга, и про сходняк, почему бы просто не подвалить на автобусах и не повязать весь сход, а в заварухе Варяга взять и шлепнуть при попытке вооруженного сопротивления? И все дела.

Урусов тоненько захихикал.

— Ты же вроде умный человек, Закирушка. А рассуждаешь — дурак дураком. Я ж тебе толкую: у воров на

Варяга вырос зуб. И воры должны с ним разобраться, — нажимая на слово, уточнил генерал. — Больше тебе скажу: в МВД отлично знают про сходняк, и вся территория вокруг ресторана будет обложена плотным кольцом бойцов спецназа, чтобы не дай бог чего не приключилось, чтобы не дай бог непрошеный гость туда не просочился. У эмвэдэшников одна забота — чтобы прошел сходняк чинчинарем. Но решить судьбу Варяга должны сами воры. Понимаешь, Закирушка, ты, именно ты и твои кореша должны решать его судьбу. Варяга надо задвинуть! — повторил Урусов. — И если вдруг сход закончится не так, как надо, обещаю тебе, что кое у кого будут большие неприятности, уже на следующий день кое-кто — в первую очередь Шота Черноморский — получит от меня бандерольку с ценнейшими документиками. В таких делах промахов не должно быть. Нам это тоже никто не простит там... — И Урусов многозначительно поднял вверх указательный палец и поднялся, чтобы уходить.

На том беседа и кончилась. Странный был разговор. В тот же вечер, занявшись для успокоения нервов любимым делом — собственноручным изготовлением печенья арал-хунк с ореховой начинкой, Закир раскатывал тонкое тесто и обдумывал слова Урусова. Зачем пройдоха генерал все это ему рассказал? Ведь наверняка у них среди воров есть свои надежные осведомители, которые и без Закира смогут настроить людей против Варяга, тем более что первая стычка уже произошла. Чуть дело до стрельбы не дошло тогда... А такое воры своим не прощают — не могут просто так простить и Варягу. И Дядя Толя, авторитетнейший вор, можно сказать, впрямую войну Варягу объявил. После такого сходняк может и без его усилий принять самое крутое решение...

И все же Урусов попросил — обратился к нему — вот ведь какое дело! — попросил оказать содействие. К чему бы это? Либо хочет подстраховаться понадежнее, либо не уверены его хозяева в нужном решении сходняка. Ясно одно: им смерть как надо Варяга отлучить от денег. А значит, сход должен будет выбирать кого-то другого. Кого же? И не в этом ли собака зарыта: своего человека им нужно поставить.

У большого рекламного щита с надписью «Мы любим Отечество» белый «линкольн» Закира плавно свернул с Дмитровского шоссе на маленькую дорожку и подкатил к ресторану «Золотая нива». Закир открыл дверцу и, бросив водителю Иссе: «Жди тут, никуда не отъезжай», пошел быстрым шагом ко входу в ресторан. Сейчас за этими стеклянными дверями малоприметного ресторанчика, каких в Москве воз и маленькая тележка, должна была решиться судьба российской воровской короны и всей воровской кассы. Но эти вопросы не решаются без того, чтобы не была задета судьба всего российского воровского сообщества. Потому что ставки были очень высоки. Ибо игру сегодня делали здесь не столько сидящие за столом, сколько главным образом незримые участники — те, чьи имена не назывались, а о некоторых из них не знали даже участники большого схода.

Закир всегда ходил без телохранителей. Это давно уже вошло у него в привычку. Он считал себя слишком правильным вором, чтобы кому-то пришло в голову наказать его. За свою жизнь он не беспокоился. Вот и сейчас, как обычно, он был один.

Войдя в просторный холл, он сразу заметил по углам охранников Максима Кайзера — тот сегодня отвечал за безопасность схода. Дюжие ребята в черных пиджаках с оттопыренными внутренними карманами, в которых явно просматривались стволы, неторопливо прохаживались вдоль застекленных стен. Заметив Закира Большого, один из них — быковатого вида — почтительно кивнув, подошел ближе и тихо пригласил пройти в зал:

— Все уже в сборе.
— Варяг приехал? — коротко осведомился Закир.
Бык помотал головой:
— Не-а. Но еще две минуты осталось.
Закир понимающе мотнул головой и, расправив плечи, решительно, с невозмутимым видом направился к приоткрытой двери.
А на душе у него было муторно и неуютно.

Глава 14

Оперативная группа «спецназа» Николая Чижевского подкатила к станции метро «Тимирязевская» ровно в восемнадцать ноль-ноль. За рулем малоприметной синей «бээмвэшки» 89-го года выпуска сидел отставной майор Абрамов в потертом пиджачишке и застиранных джинсах, сзади — Фарид Усманов и молодой боец Андрюша Пронин по прозвищу Зверек, оба облаченные в такие же лохмотья. Выйдя из машины, все трое неторопливо затопали вперед по Дмитровскому шоссе.

Руководивший операцией прикрытия Абрамов действовал по давно выработанной и ставшей уже почти инстинктом привычке: к месту операции группа подходила незаметно, не привлекая к себе ничьего пристального внимания. Со стороны могло показаться, что трое скромно одетых мужчин какие-нибудь члены приемной комиссии горстройуправления, направляющиеся по делам на местную стройплощадку. Это обманчивое впечатление подкреплялось тем, что у всех троих в руках болтались древние замусоленные портфели а-ля советский ИТР, явно набитые документацией, сметами, отчетами и проч.

Троица не спеша добрела до находящегося на реконструкции пятиэтажного здания с зияющими проемами выставленных окон и ощерившимися зубцами проломов в нескольких местах кирпичной кладки. Фасад дома был прикрыт снизу доверху плотной зеленоватой сеткой, спасавшей пешеходов от строительной пыли. Стройплощадка была обнесена невысоким дощатым забором, выкрашенным грязно-желтоватой краской. Метрах в десяти-пятнадцати от конца забора стояла одинокая «девятка», забрызганная застарелой грязью. В «девятке» сидели два мужика и о чем-то яростно спорили. Вроде все спокойно. Можно было начинать...

Абрамов поставил своим подчиненным четкую задачу. На стройке в этот час ремонтные работы уже сворачивались, и строители собирали нехитрый инвентарь. К шести часам стройплощадка должна была совсем опустеть. Разумеется, никаких сторожей с собаками тут не было. Трем дозорным надо было незаметно проникнуть за хилый заборчик вокруг ремонтируемого дома и, рассредоточившись по этажам, занять удобные позиции для наблюдения.

Абрамов сразу же заметил двухэтажную стеклянную коробку ресторана «Золотая нива» на противоположной стороне шоссе. Нарочито выразительным жестом указав на фасад ремонтируемого здания, он вполголоса обратился к Усманову:

— Только не верти головой, Фаридик. Прямо напротив нас через улицу — объект. У дверей уже столпотворение! Сейчас займем исходное и все рассмотрим повнимательнее.

И впрямь, хотя времени было еще четверть седьмого, около ресторана наблюдалось заметное оживление. Непосредственно перед стеклянной двустворчатой дверью выстроились в шеренгу четыре тяжелых джипа с затемненными стеклами. Вокруг джипов и перед рестораном толпились крепкие ребята — все как на подбор: с бритыми затылками, в черных костюмах, с переговорными устройствами в лапах. Не ускользнуло от наметанного взгляда Абрамова и то, что у тротуара неподалеку от «Золотой нивы» был припаркован белый гаишный «форд».

«Все предусмотрено», — усмехнулся Абрамов. Он понял, что «форд» стоит тут на тот случай, если какой-нибудь лох-автолюбитель поставит свою тачку в неприятной близости от места проведения схода.

Быстренько оценив обстановку, Абрамов кивнул своим ребятам: мол, за мной! — после чего трио деловито протопало через незапертую калитку на территорию стройки.

То, что случилось затем, бойцы Чижевского уже не могли видеть. А произошло вот что. Как только Зверек, шедший последним, исчез за калиткой, дверцы грязной «девятки» распахнулись и из машины вылезли два здоровенных амбала. Оба держали под мышками увесистые свертки. Первый, светловолосый, глянул на второго, брюнета, и молча кивнул в направлении калитки. Тот в ответ кивнул, толстым, словно сарделька, пальцем указав направление их движения — внутрь и направо, за тремя мужиками в потертых пиджачках.

Крепыш блондин нагнул по-бычьи голову, задвинул ее в салон «девятки» и стал что-то тихо говорить в укрепленный на приборной доске переговорник. Выслушав ответ, он вылез и юркнул в приоткрытую калитку. Брюнет последовал за ним.

Абрамов, повинуясь старому профессиональному инстинкту, не стал углубляться в здание, опасаясь какого-нибудь сюрприза, тем более что и передвигаться внутри каменной коробки было затруднительно: во многих местах лестничные пролеты были сняты, потолочные перекрытия отсутствовали. Усманов и Андрюша Зверек отправились в дальний подъезд, Абрамов остался в первом и стал подниматься по шатким строительным мосткам на третий этаж. Там, на его счастье, сохранились полы. Абрамов уже приготовился выдвинуться к фасаду, чтобы занять наблюдательный пункт у провала в стене, как вдруг до его слуха донесся странный шорох со стороны улицы. Его насторожило то, что это был именно шорох. Он не слышал ни голосов, ни шагов. Вместе с тем он был уверен, что это не животное — не собака и не кошка, потому что звук был характерно человеческим. В этот момент Абрамов и сам не смог бы объяснить, на чем основывалась его догадка. Он резко развернулся на сто восемьдесят градусов и замер, прислушиваясь. Ничего. Он подождал минуты две. Все тихо. Крадучись подошел к проему и выглянул наружу. Прямо перед ним через шоссе находилась коробка ресторана. Старенькие механические наручные часы «Сейко» показывали половину седьмого. Ждать оставалось недолго.

И тут раздался громкий злобный выкрик:
— Э! Вы че там потеряли, орлы?

Голос был незнакомый. Но, судя по тембру, принадлежал уверенному в себе мужчине. Тот, по всей видимости, обращался к Фариду Усманову и Зверьку.

Между тем снизу раздался скрип — это скрипели ветхие лестничные доски под тяжестью идущего... Человек поднимался наверх крадучись — прямо к нему. Абрамов медленно вытащил пистолет ПМ из внутреннего кармана своего пиджачишки и тихонько снял с предохранителя.

* * *

Они успели преодолеть только один пролет хлипкой, чудом сохранившейся лестницы, как их настиг снизу чей-то резкий окрик. Андрюшка Зверек обернулся и обомлел. Внизу на улице стоял черноволосый здоровяк, которого он уже видел — и не раз. Зверек сразу его узнал. Это был один из тех двоих амбалов из «Нивы», которую он несколько раз встречал у Речного вокзала, — эти мордовороты сопровождали странного мужика в черной косухе... Что он тут делает? Как он тут оказался? Лоб Зверька покрылся холодной испариной. Он мельком глянул на Усманова. Тот хладнокровно смотрел на черноволосого, и по его взгляду было понятно, что он еще не решил, как себя вести: то ли изобразить святую простоту, то ли действовать внезапно и резко на опережение.

— А в чем проблема? — спокойно отозвался Фарид, как бы невзначай сунув руку в карман, где у него лежал ПМ. — Вы кто такой?

Амбал не ответил и грозно двинулся на них, тяжело ступая по лестнице ботинками явно не меньше сорок шестого размера. Его свирепый вид не предвещал ничего хорошего.

Зверек понял, что надо предупредить Фарида. Он повернулся вполоборота к Усманову и торопливо шепнул краем рта, так, чтобы мордоворот его не слышал:

— Этого я видел на Речном... Помнишь, я Валерьянычу докладывал про мужика в черной косухе на «жигулях», и с ним двое были. Так это один из тех двоих.

Усманов хмыкнул понимающе и бесстрастно повторил свой вопрос, обращаясь к амбалу:

— Вы кто такой? И что здесь делаете?

— Сейчас я тебе покажу, кто я такой, — осклабился брюнет. Он убрал руку за спину — но только на одно мгновение: его рука тотчас вернулась обратно, и в ней уже поблескивал ствол.

— А ну-ка, артисты, спускайтесь — будем знакомиться!

Усманов, мгновенно оценив ситуацию, тихо произнес: «Зверек, кажись, нам на выход!» И, скомандовав: «Пошли, а то, чего доброго, палить начнет», — стал спускаться вниз.

Черноволосый профессиональным взглядом окинул обоих и процедил:

— Так, а этот камуфляж для чего? Вы чего вырядились, точно ряженые. — Потом он вгляделся в лицо

Зверька и добавил: — А тебя, пацан, я где-то уже видел. Ну-ка, гвардейцы, топайте за мной.

Усманов лихорадочно соображал. Пистолет в руке брюнета очень красноречиво свидетельствовал о его решительных намерениях. Ясно, что стоит им сделать хоть одно резкое движение — и можно схлопотать пулю. Пожалуй, придется повиноваться. Пока. А там будет видно.

В это время Абрамов, услышав шаги на лестнице, метнулся к стене и нацелил свой пистолет с глушителем в сторону лестничной клетки, откуда должен был показаться незваный гость. Но тот оказался не дурак. Шаги стихли. Человек остановился и выжидал. Снизу, с улицы, донесся резкий выкрик: «А ну-ка, артисты, спускайтесь, сейчас будем знакомиться!»

«Так, — подумал Абрамов, — нештатная ситуация. Что за черт. Неужели все сорвется?»

И тут он заметил, как над бетонной кромкой пола снизу взметнулось что-то белое. Скорее машинально, чем сознательно, Абрамов нажал на спусковой крючок. Раздался приглушенный хлопок выстрела, эхом раскатившийся по пустой комнате. Абрамов выругался. Ну что он наделал, дурак! Вот зараза!

— Бросай оружие! Я сотрудник милиции! — громыхнул снизу раздраженный бас.

Только теперь он рассмотрел белый предмет, сбивший его с панталыку. Платок. Обычный носовой платок. Подбросили вверх и взяли его дуриком, как самого последнего лоха.

— Брось пушку, кому сказал, мудила! Буду стрелять на поражение!

Абрамов понял, что ситуация зашла в тупик.

— Бросаю! — крикнул он, на всякий случай вытащив обойму и спрятав ее в карман. И швырнул пистолет на бетонный пол.

Снизу выглянуло крупное багровое блинообразное лицо с копной волос соломенного цвета. Оглядевшись, парень стал осторожно подниматься, и из-за порога показались широченные плечи, могучий торс, обтянутый синей рубашкой. Детина держал в лапе ПМ. Зафиксировав взгляд на валяющемся пистолете Абрамова, он удовлетворенно гыкнул.

— Иди сюда. И смотри, чтобы без глупостей. Скажи спасибо, что я сегодня добрый. — Он ловко подхватил пистолет и опустил в карман брюк. — Сейчас Никита твоих корешков приведет. И поедем.

— Куда? — на всякий случай поинтересовался Абрамов. Он все еще надеялся, что это балуют охранники авторитетных людей, съезжавшихся в «Золотую ниву».

Ответ его ошарашил:

— На Петровку, мудила!

Глава 15

В большом банкетном зале ресторана «Золотая нива» стояла необычная тишина. Сегодня на сходняк приехали все, и даже старик Михалыч, который последние годы по состоянию здоровья на сходняках появлялся редко. По старому заведенному обыкновению, сначала принялись за трапезу. За стол в этот раз отвечал Максим Кайзер. И он не ударил в грязь лицом: накрыто все было по высшему разряду. Разве что запеченных соловьиных язычков да тушеных бараньих яиц, как выразился в шутку один из участников схода, не поднесли с кухни.

На сходняк опаздывать было не принято, и к семи ровно все собрались. Важных гостей встречали перед входом в ресторан предупредительные охранники, выполнявшие сегодня одновременно роль обслуги, — одни отгоняли роскошные иномарки на парковку, а другие проводили гостей в зал и там рассаживали по местам.

В зале также все было строго. Во главе стола положено было восседать самому старому и уважаемому вору в законе — сегодня, как и последние несколько лет, за патриарха был Михалыч, который сидел сгорбившись между Варягом и Шотой, ничего не ел, а только потягивал из рюмки свой любимый французский коньяк. По правую руку от Варяга сидел Кайзер, за ним Дядя Толя и Закир Большой. Слева от Шоты — Паша Сибирский, Тима, Витек. И уж совсем в отдалении от патриарха и смотрящего расположились региональные авторитеты. Только Филата, питерского смотрящего, не было на этом сходняке, считалось, что он был еще зелен, без году неделю сидел в Питере и ему еще не подошел срок оказаться за этим почетным столом.

— Ну, — поднялся Кайзер, принимая на себя еще и роль тамады, — предлагаю, люди, выпить в память Медведя. Может, кто и не знает или не помнит, но сегодня двадцать пятое сентября — как раз ровно шесть лет с того дня, как Медведь отдал богу душу. Помянем не чокаясь!

Все выпили. И опять над столом повисла тягостная тишина, нарушаемая стуком вилок и ножей, звоном хрусталя, сопением и чавканьем.

— Мы всэ знаэм, зачэм собрались здэс, льуди, — без предупреждения начал вдруг Шота. — Нэ хорошо, что между нас остается нэпониманые. Это нэпониманые надо развэять. И поэтому я хачу папрасить тэбя, уважаэмый Варьяг, дать нам атвэт. Вапросов накапилось много. И самый паслэдний вот какой.

Шота встал. Старый грузинский вор в законе пользовался беспрекословным авторитетом как у старых, так и у молодых воров. После смерти Медведя на сходняке не было более заслуженных воров, чем он, Михалыч да Ангел. Но Ангел, правая рука Медведя, сгинул в пучине воровских или ментовских разборок от пули неведомого киллера. И из старой гвардии осталось лишь двое — Михалыч и Шота. Но Михалыч был дряхлый старик, да и не лез он никогда вперед, в сторонке держался. А Шота в свои шестьдесят с лишком лет выглядел молодцом — как достойный представитель древнего княжеского грузинского рода, с гордостью неся имя и храня честь своих предков. Слово Шоты было веским — к нему прислушивались даже те, кто не мог внутренне согласиться с ним, потому что все знали: в конечном счете Шота всегда оказывается прав.

— У людэй, Варьяг, к тэбе есть вапросы. И чем скарэе мы все расставим по мэстам, тэм будет лучше нам всэм. Вапрос первый — финансовый. Вапрос втарой — палитыческий. Но оба они взаимосвязаны. — Шота сделал, долгую паузу. Он поднес правую руку к усам и слегка потеребил седые, коротко подстриженные волосы над верхней губой. — Первый вапрос. Тут долго гаварить нэ стоит. Льюдям нэ нравится, что ты, Варьяг, давно уже, после гибели Егора Сэргеевича, практически бэсконтрольно распоряжаешься общаком. Мы нэ знаэм, сколько там дэнег, куда они уходьят, откуда приходьят... Но мы знаэм, что уходьят дэньги парой нэ по дэлу. Сначала Балтыйский флот — сколько мы потэряли там? Тэперь вааружение. Все началось с Медведя, царство ему нэбесное. Именно Медведь научил нас выгодно дэлать бизнес. Это было правильное решение. Но ты, Варьяг, пашел еще дальше. Ты хочешь, чтобы мы работали прямо в систэме гасударства! Это уж савсэм ни в какие варота нэ лезьет. Пасему, уважаемый, мы хатым тэбя сместить с общака. Пусть дэньгами займется кто-нибудь другой. Кто — мы и это решим. — Шота пѳмолчал. — И втарой вапрос — палитыческий. До нас дошли слухи, что ты, оказывается, втайне от нас всэх финансировал партыю Шелехова. Того Шелехова, которого нэдавно убили. Скажу тэбе прямо. Кагда ты вошел в ближний круг к старому премьеру, мы всэ на это сматрели благосклонно. Ты дэйствовал прямо, аткрыто — и мы панымали, что это все для нашего общего дэла. Но Шелехов... Тут ты сделал недастойное дэло. Я так панимаю, на Шелехова ты угрохал нэ один миллион баксов. И все напрасно. Был Шелехов — и нэт Шелехова. Так что я считаю — решение мы далжны принять одно: выбрать другого смотрящего России и общак ему пэредать. Словом, давайте рэшать, льюди.

Шота сел. Воры молчали. Слышно было, как с клекотом вырывается из груди Михалыча воздух на излете.

* * *

Их подвели к забрызганной грязью «девятке». Только теперь Абрамов догадался, что за ними следили как раз из этой тачки и они лохонулись самым банальным образом. Интересно, куда их повезут. Он все еще не верил, что на Петровку.

Блондин, который в этом дуэте явно был за старшего, распорядился:

— Вызывай подкрепление по рации, посадим одного в нашу колымагу, а другого, — он кивнул на Абрамова, — к Усачеву. Представляешь, стрелял в меня, сволочь! Жаль, браслетики я не захватил, я б те ручонки за спину заломил и...

Бывалый майор военной разведки понял, что единственный шанс на спасение у них есть, пока не подъехала вторая машина. По всему выходило, что это и впрямь ментура. Только вот с какой стати они тут пасутся — прямо под самым носом у воровского схода. Неужели охраняют? Но на долгие раздумья времени не было.

Абрамов, подмигнув Фариду, повернулся к блондину вполоборота и внезапно без замаха влепил ему прямой правой в скулу. Майор лет восемь занимался в секции бокса и в свое время был чемпионом округа в среднем весе. Поэтому его неожиданный сокрушительный удар сразу вывел блондина из строя, но для верности Абрамов нанес падающему блондину еще один страшный удар левой в солнечное сплетение и, не дожидаясь ответной реакции (хотя после такого апперкота какая там может быть реакция!), рванул прямо на брюнета. Тот явно не ожидал такой прыти от задержанного, но попытался стать в оборонительную стойку. В этот момент, воспользовавшись мгновенным замешательством брюнета, Фарид Усманов сделал резкое движение и, ловко захватив брюнета сзади за шею, сделал тому удушающий прием, да с такой силой, что брюнет в считанные секунды обмяк и беспомощно повис на мощных руках Фарида.

— Рвем когти! — рявкнул Абрамов, устремляясь обратно в калитку. За ним дернули Усманов и Зверек.

Они пулей пересекли всю строительную площадку, через прореху в заборчике выбрались во двор соседнего дома и помчались в глубь жилого массива.

Зрелище было занятное: два сорокалетних мужика и паренек лет двадцати делают спринтерский рывок по пересеченной местности без всякой видимой причины.

— Сейчас надо словить тачку и — кружным путем в центр! — на бегу командовал Абрамов.

— А что скажем Чижевскому? — выпалил, пыхтя, Усманов.

— Я потом сюда один вернусь! Задание превыше всего!

— А если тебя там эти громилы перехватят? — не унимался Фарид.

Абрамов на бегу махнул рукой.

Они выбежали на какую-то улицу. Навстречу им неспешно катил старенький «москвичок». Абрамов выбежал на проезжую часть и не терпящим возражения жестом приказал водителю остановиться. Дверца «москвича» приоткрылась, и показалось добродушное старческое лицо в толстых очках.

— На пожар?

— На похороны, отец. Довези до Тверской. Сотню даю! — выпалил Абрамов. А Фарид Усманов уже открывал заднюю дверь...

***

Обстановка на сходе накалилась до предела. Уже высказалось пятеро человек: после Шоты говорил Максим Кайзер, Паша Сибирский, Закир Большой, Дядя Толя. Встал Витя Тульский.

— Я на прошлом сходе говорил и сейчас могу повторить. У меня лично такое подозрение, что Варяг с кремлевскими заключил полюбовное соглашение. И что бабки из нашего общака перетекают к ним. Вот и весь сказ. Вот зачем Варяг Шелехова подкармливал. И еще неизвестно, люди, может, он не одного Шелехова кормил. Может, у него на коште еще десяток таких шелеховых сидит. И выходит, что Варяг всех нас продал с потрохами — и за всеми этими разговорами... — Он осекся, явно не зная, что еще сказать. В зале снова повисла тишина.

И вдруг старик Михалыч шевельнулся и, не вставая со своего стула, заговорил:

— Люди, я знаю, зачем вы собрались сегодня. Вы уже все решили. Ты, Максим, и ты, Закир, и ты, Витя, и ты, Толян. Вы свое решение вынесли еще до того, как сели за этот красивый стол. Вы говорите, что хотите Варяга отлучить от общаковых бабок. Но по сути вы ведь хотите утвердить новые порядки в нашем мире. Я стар, Шота, — заметил Михалыч, поворачивая голову в сторону грузинского авторитета, — но и ты не мальчик. И ты не хуже моего чуешь, куда ветер дует. И что даже не в Варяге тут дело, хотя, конечно, и в нем тоже, но во вторую очередь. Вы говорите: главное — в общаке и хотите общак взять из рук Варяга. Но все вы знаете — и я это знаю, и ты, Шота, это знаешь, что Варяг из нас, может быть, самый чистый и самый правильный вор, и уж если он контролирует нашу кассу, наш общий банк взаимного кредита... — на этих словах Михалыч лукаво улыбнулся, радуясь своей невольной шутке, — то с общаком все будет в порядке. А вот будет ли такой порядок при новом смотрящем — это еще вопрос. Впрочем, вопрос в другом: зачем вы, люди, завели этот разговор о смене смотрящего, о передаче общака? С какой целью...

Сидящие за столом недовольно заерзали. А Дядя Толя не выдержал и грубо оборвал Михалыча:

— Ты, Михалыч, понимаешь, что городишь? Ты что же, нас подозреваешь в чем?

— Я-то понимаю, — повысил голос Михалыч. — А вот понимаешь ли ты, Толян? Дошли до меня слухи, люди, что по крайней мере один из нас недавно встречался с крупным ментовским начальником. И этот начальник дал некий приказ, некие инструкции относительно сегодняшнего сходняка, относительно Варяга...

Закир Большой сидел молча, сузив глаза и положив руки перед собой на столе. Витя Тульский вскочил:

— Да ты, Михалыч, чо говоришь — спьяну, что ли?

— Я-то не спьяну, Витек! — злобно отрезал старик. — Но лучше быть пьяным, чем вот таким, как ты, тверезым, но ничего не чующим. Я таким быть не желаю!

Варяг молча, напряженно слушал все, что говорили о нем на сходе. Михалыч явно знал что-то такое, чего не знал даже он, Варяг, и о чем старик, видать, не успел его предупредить. Но что? Почему Михалыч так явственно выделил слово «тверезый». Тверезый... И тут Варяг вспомнил, что в Москве есть законник с погонялом Тверезый — Бабурин его фамилия. Уж не на него ли намекает старый вор?

— Сделаем перерыв, — предложил Закир глухим голосом. — Надо остудиться... А то что-то мы все горячимся. — И, не дожидаясь реакции остальных, встал из-за стола и вышел. За ним последовали еще человек пять.

Михалыч тоже собрался было удалиться, привстал, но замешкался. И тут вдруг Дядя Толя взмахнул рукой.

В зал вбежали пятеро здоровенных громил — гладиаторы Кайзера. Максим, как ответственный за сегодняшний большой сходняк, обеспечивал всю охрану этого мероприятия силами своей пехоты. Но эти быковатые пацаны были явно не просто пехота, а по меньшей мере спецназ ВДВ...

— В прошлый раз, Варяг, ты нас сильно оскорбил, когда твои люди чуть было перестрелку не затеяли, но сегодня мы умнее поступили, — угрожающе захрипел Дядя Толя. — Чтоб тебе неповадно было... — И, повернувшись к вбежавшим охранникам, отдал короткий приказ: — Берите его!

Варяг такого не ожидал. Это было страшное нарушение всех законов и правил большого сходняка. Подобные мерзкие сцены коварного предательства и полнейшего беспредела он видел только в старых американских боевиках про итальянскую мафию, когда приглашенных на мирные переговоры представителей враждующих кланов обманом завлекали в кровавую ловушку. Неужели свои воры решились на такое предательство по отношению к смотрящему России!

Варяг выскочил из-за стола с намерением добраться до боковой двери, ведущей из банкетного зала на кухню. Он попытался опередить ломанувшихся к нему бритых ребят, но тут страшный удар обрушился ему на затылок. В глазах потемнело, пол ушел из-под ног, все тело охватила внезапная слабость и ватная тяжесть...

Варяг провалился в пустоту и мрак.

* * *

Мимо ресторана «Золотая нива» со стороны МКАД медленно тащился древний «москвич». Старичок водитель оказался говорливым простачком, который за лишнюю сотню был готов не только отвезти одного из трех странных пассажиров обратно примерно в то же место, где он их подобрал, но даже прокатить по всей кольцевой автодороге хоть десять раз.

Миновав ресторан, примерно через двести метров, у арки большого жилого дома, «москвич» притормозил. Из машины выбрался мужчина в очень пыльном и мятом пиджаке. Нырнув в арку, он дворами поспешил к ресторану «Золотая нива». Выйдя к ресторану со стороны служебного входа, отставной майор Абрамов замер. Первое, что бросилось ему в глаза: с парковки быстро разъезжаются сверкающие иномарки в сопровождении мощных джипов. Парковка и площадка перед входом в ресторан была запружена одинаковыми, как близнецы, здоровяками в черных костюмах, у многих в ушах торчали витые проводки радиосвязи.

Он посмотрел на «Сейко» и заметил, что суматохе драки разбил стекло. Но часы шли. Было двадцать минут девятого. «Что-то рановато они линяют, — подумал Абрамов. — Едва больше часа просидели. Маловато. Никак что-то произошло...» Но сейчас идти туда и что-то выяснять было глупо, оставалось одно: ждать.

Майор притаился за углом и стал вести наблюдение. Вот из ресторана вышел — ковыляя — дряхлый старик, которого с обеих сторон поддерживали под руки два молодца в черном. Старика усадили в черную «ауди» с синими мигалками. Машина умчалась. За ней по одной разъехались остальные. И минут через десять все стихло. Исчезли люди в черном. Последним от ресторана отчалил белый гаишный «форд».

Обуреваемый самыми неприятными предчувствиями, Абрамов подошел к входной двери. За стеклом торчала глупая табличка: «Санитарный час». Он постучал в занавешенное белой занавеской стекло. Вопреки его ожиданиям, из-за занавески никто не показался. Он постучал еще раз — посильнее. Занавеска отлетела вбок, и он увидел старуху с недовольным лицом. Она стала сердито тыкать ручкой швабры в табличку и, покачав головой, задернула занавеску.

Майор Абрамов вышел на шоссе и посмотрел на противоположную сторону — туда, где стоял ремонтируемый дом. Он надеялся увидеть там ту самую «девятку», из которой выскочили два амбалистых мента. Но «девятки» тоже не было.

Он двинулся к «Тимирязевской», где полтора часа назад они оставили свою «бээмвэшку», уж она-то должна стоять на месте...

ЧАСТЬ II

Глава 15

Сержант прекрасно понимал, что найти убийцу Шелехова в людском море — это все равно как отыскать иголку в стоге сена. Но Варяг сказал ему: «Степан, ты сможешь. Должен смочь. Для меня это важно». И Сержант взялся за дело. Всю ночь он тщательно обдумывал все известные из прессы и телевидения обстоятельства убийства. А наутро отправился в Шереметьево-2.

Искать в Москве случайного человека дело практически невыполнимое. Но убийца депутата не мог случайно оказаться в нужный момент и в нужном месте. Убийство произошло возле аэропорта. Шелехов прилетел самолетом, прошел через VIP-зону, без каких-либо задержек сел в ожидавшую его у входа машину и в километре от аэропорта был в ней расстрелян ожидавшим его киллером, явно осведомленным о прибытии жертвы.

Чтобы не колупаться с тачкой на платной стоянке и не привлекать к себе внимания, он поехал автобусом-экспрессом. От Речного вокзала двадцать минут пути с ветерком. Оказавшись в шумном и суетливом аэровокзале, Сержант первым делом поднялся на лифте на пятый этаж — оттуда можно было проникнуть в депутатский зал. Свои поиски он решил начать именно оттуда, потому что депутат Госдумы Шелехов, разумеется, всегда пользовался этим спецзалом, и поэтому, если его в тот роковой день вели от самого аэропорта, надо было выяснить, кто бы это мог сделать. В том, что в подготовке убийства были задействованы несколько человек, Сержант не сомневался.

Он решил действовать дерзко и наверняка — тем более что некоторый опыт в подобных спектаклях у него уже имелся. Сегодня на Сержанте был темный строгий костюм, голубая рубашка и неброский галстук. Во внутреннем кармане пиджака лежало потертое красное удостоверение сотрудника ФСБ полковника Нечаева Константина Константиновича. Это удостоверение, как и паспорт на имя Нащокина Сергея Сергеевича, Сержанту сварганил его питерский старинный приятель Федот, большой мастер по фальшивым ксивам. Вернее сказать, ксивы были не совсем чтобы уж фальшивые — сами корочки и печати были, конечно, самопальные, но зато имена, и должности, и воинские звания — натуральные, так что он не боялся в случае чего, при неожиданных проверках, засыпаться. Станут проверять — пожалте, есть в Управлении экономической безопасности ФСБ полковник Нечаев! Другое дело, что он в настоящее время, должно быть, находился при исполнении где-нибудь в солнечном Красноярске, за тысячи верст от Москвы...

Сержант спустился по лестнице на третий этаж и пошел по длинному коридору. Он отлично помнил, где расположен VIP-зал, потому что не далее как два года назад вылетал из него в Грецию — по поддельному дипломатическому паспорту, который не вызвал ни тени сомнения даже у ушлых «VIP-заловских» пограничников. Но теперь у него вместо бордовой ксивы имелось только эфэсбэшное удостоверение, и риск был велик.

Он уже подходил к белой двери, как вдруг увидел то, о чем совершенно забыл. Перед дверью в VIP-зал стояла арка металлоискателя. Чуткие датчики, конечно, сразу засекут спрятанный во внутреннем кармане пиджака короткоствольный «пинчер», сделанный по его специальному заказу в Англии пятнадцать лет назад, — «пинчер» был в пластиковом корпусе. Но тогда, в середине 80-х, металлоискатели можно было обмануть. Сегодня этот номер уже не пройдет — ударный механизм все равно был выточен из стали, и в невидимых электронных лучах эти стальные рамки и пружины обязательно «засветятся».

Он осмотрелся. В конце коридора стояла одинокая пепельница в виде высокой черной бочки с боковым отверстием. Другого тайника не было. Он быстро подошел к пепельнице и плавным, почти незаметным движением переместил пистолет из кармана на дно пепельницы. На его счастье, там лежали скомканные пакеты, и он подсунул пистолет под них. Потом вернулся к двери и нажал на кнопку. Через минуту дверь бесшумно раскрылась, и Сержант спокойно шагнул к застекленной будке охраны, молча протянув развернутую красную книжечку. Пока охранник с деланной ленцой изучал надписи, Сержант огляделся. В зале было тихо. Прохаживались два рослых охранника с рациями. У стойки бара торчал высокий тощий бармен в черной жилетке. Глаза бармена никак не могли сосредоточиться ни на одном предмете — его взгляд тревожно блуждал по стаканам и бутылкам. Но самое главное — руки! Руки точно не могли найти себе места. Бармен вертел в пальцах штопор, хотя в данный момент открывать ему было явно нечего. У Сержанта екнуло сердце: неужели повезло?

— Командир, — тихо обратился он к охраннику, — вас тут не предупреждали? Должны были звонить от генерала Черемисова... Мне нужно опросить... — тут он бросил взгляд на барную стойку, — ...вашего бармена. В связи с убийством Шелехова.

Сержант твердо запомнил, что следствие по делу об убийстве Шелехова по линии ФСБ возглавляет генерал-лейтенант Черемисов. Он даже как-то видел по телевизору интервью с генералом.

Охранник неопределенно мотнул головой, что могло означать: «я в курсе», но также и «нет, никто не предупреждал». Сержант терпеливо ждал, пока парень тщательно изучал его удостоверение. Хотя было непонятно, что там изучать. Но многолетний опыт научил его: в таких стремных ситуациях ни в коем случае нельзя торопить своего визави, а тем более выпендриваться или качать права, пусть даже перед тобой «стрелочник», а у тебя для прикрытия в руках мощная ксива, которая должна сработать на охранника безоговорочно. Опыт говорил как раз наоборот, такую мелкоту, как этот охранник в будке, лучше всего охмурить подчеркнуто уважительным обхождением.

Это сработало. Охранник вернул Сержанту удостоверение и, полуобернувшись в сторону бармена, уже собрался было обратиться к нему, но «полковник Нечаев» вовремя среагировал.

— Не надо! — твердо пресек он инициативного охранника. — Я сам.

И с этими словами Сержант решительно направился по мягкому ворсистому ковру к стойке бара.

Бармен заметил его сразу. И по его поведению Сержант тотчас догадался, что попал в яблочко. В точку!

Он спокойно взгромоздился на высокий кожаный табурет напротив бармена и, состроив строгую мину — это он умел! — тихо спросил, мельком глянув на приколотый к черному жилету пластиковый значок с фамилией и инициалами.

— Гражданин Арефьев? Полковник Нечаев. Эф-эс-бэ. — Он махнул перед оторопевшим барменом красной книжкой, даже не удосужившись ее раскрыть. — У меня к вам несколько вопросов. По поводу событий недельной давности. Вы ведь работали в тот день, когда был убит депутат Госдумы Шелехов?

Разумеется, Сержант не мог знать наверняка, стоял ли Арефьев в тот роковой день за стойкой, но, заметив, как щеки бармена резко попунцовели, а на глаза набежала тень страха, с удовлетворением похвалил себя: ему сегодня явно везло. И, не дожидаясь ответа Арефьева, твердо продолжал:

— Мы можем зайти к вам в подсобку? — Сержант перевел взгляд за спину бармена и кивнул в сторону раскрытой двери в заднее помещение за баром.

Когда они вошли в тесную комнатушку, от пола до потолка заставленную картонными коробками из-под дорогого импортного спиртного, Сержант прикрыл дверь и без предупреждения начал:

— Нам стало известно, гражданин Арефьев, что вы были одним из последних, кто видел Шелехова живым. Но вы нас интересуете не так сильно, как те, кто последним видел его в живых. И я сразу хочу дать вам совет, Арефьев: чем быстрее у вас прочистится память, тем больше вероятность, что сегодня ночью вы будете спать в своей постели дома, а не на нарах в Лефортово.

Он замолчал, сверля Арефьева тяжелым взглядом. Костя Арефьев проклинал судьбу. Проклинал тот день год назад, когда на своей новенькой «девятке» по чистой дурости обогнал на Ленинградском шоссе медленно ползущий по левому ряду «форд-сиерру». В «форде» сидел отвязанный злобный парень, которого звали Грунт. То есть тогда он, конечно, еще не знал, что это Грунт. Оставшийся позади «форд» вдруг наддал, подрезал его и остановился как вкопанный посреди шоссе. Когда из «форда» вылез водитель, по его перекошенной харе Арефьев сразу смекнул, что допустил чудовищную оплошность. Но хозяин «форда» — с виду самый настоящий «братан» из сериала про «Ментов» — был на сей раз милостив к нему. Арефьев завел с ним миролюбивый разговор, и слово за слово назревавший было конфликт потух сам собой. А когда Кирюха — так представился хозяин «форда» — услышал, что его невольный обидчик работает в обслуге Шереметьево, он совсем размяк, протянул ему «петушка» и пообещал «охрану задарма» — ну не совсем задарма, конечно, а за какие-нибудь мелкие услуги. Через пару недель Кирюха ему позвонил и попросил о первой услуге — купить в «дьюти-фри» пару-тройку бутылок «вискаря». Не для себя, мол, сам он виски не признает, а для друга. Ну с тех пор и пошло-поехало. Костя Арефьев покупал ему дешевое спиртное регулярно. Но вот с пару месяцев назад Кирюха попросил его оказать очень странную услугу — «приглядеть» за депутатом Шелеховым: с кем летает, что в руках носит... Он даже дал бармену фотографию депутата, чтобы тот смог опознать его. Шелехов летал за границу довольно часто — иногда по два раза в неделю, но очень ненадолго. Арефьев сразу заподозрил что-то неладное, но Кирюха взял его в оборот по полной программе, и назад дороги уже не было. Когда Кирюха неделю назад попросил по мобильнику сообщить ему о прилете Шелехова из Греции, Арефьев, конечно, ни сном ни духом не мог предположить, за каким хреном ему это нужно. И только увидев вечером по телевизору репортаж с места убийства депутата, все понял...

— Больше мне нечего сказать, — тихо закончил он свой короткий рассказ.

— И вы с тех пор не вступали в контакт с этим Кирюхой? — строго поинтересовался Сержант, внутренне ликуя: он фактически без усилий нашел то, что искал, вернее, того, кого искал, — убийцу Шелехова. И все-то белыми нитками шито.

Бармен отрицательно помотал головой.

— А что, вас раньше не допрашивали в связи с убийством? — на всякий случай спросил Сержант.

— Нет, — как показалось Сержанту, с удивлением ответил бармен. — Крутились тут какие-то милиционеры на следующий день, но никого из наших не допрашивали...

«Умники! Тоже мне борцы с оргпреступностью хреновы, — злобно подумал Сержант. — Элементарных следственных действий не могли предпринять». И задал самый главный вопрос, который приберег напоследок:

— Так, и как же фамилия этого Кирюхи? Адрес? Телефон?

Щеки бармена пылали.

— Клянусь, не знаю. Кирюха Грунт. Грунт — это, конечно, кличка. Адреса мне он не давал. Телефон... конечно, я знаю — мобильный. Я ведь ему только на мобильный и звонил.

Сержант важно кивнул и записал номер телефона. Ну теперь птичка попала в сети.

— Ладно, гражданин Арефьев. Идите работайте. Если вы нам понадобитесь, мы с вами свяжемся. О нашем разговоре никому... Сами понимаете.

Подойдя к стеклянной будке с охранником, Сержант покачал головой:

— Нет, бесполезный разговор. Ни черта этот деятель не знает... — И, сухо улыбнувшись, вышел через автоматически раскрывшуюся белую дверь в коридор и направился к черной пенельнице.

Из такси он позвонил Владиславу в офис, но не застал. Задерживается, объяснила его новая секретарша Лена. Сержант, поглядев, как Варяг и Лена обмениваются взглядами, сразу скумекал, что между ними существуют не только деловые отношения.

Но это было не его дело. Сержанта куда больше заботило, каким образом, не задействуя могучих возможностей Варяга, ему разыскать Грунта, зная номер его мобильного... Тут, пожалуй, нужно использовать Филина с его опытом работы по сотовой связи и прочим делам.

И Сержант не теряя времени поехал к Филину — на другой конец Москвы, в Отрадное.

* * *

Руслан Грачев по кличке Филин был известный не только в Москве, но и по всей европейской части России специалист по электронным цацкам — компьютерам, мобильным телефонам, пейджерам, дальнобойным радиотелефонам и прочей модной дребедени. Филин был самородок — и Сержант все удивлялся, как это его до сих пор не взяли под свое крыло ФАПСИ или ГРУ в управление электронной разведки. Впрочем, странно было и то, что ему до сих пор не выдали бесплатную путевку в спецсанаторий где-нибудь в солнечной Ухте. Потому что научно-практические изыскания Руслика Филина явно подрывали информационную безопасность страны. Он, к примеру, мог через свой домашний компьютер влезть в любую московскую АТС и слушать телефонные переговоры какой-нибудь бабы Мани с какой-нибудь тетей Лерой или, что того хуже, какого-нибудь замминистра Тютькина со своей любовницей Аллочкой из секретариата замминистра Пупкина. Как это ему удавалось, Руслик не объяснял. А Сержант не спрашивал: не любил он совать нос в чужие дела, а тем более ноу-хау. Главное, что Филин классно петрил в своем деле и никогда не отказывал друзьям в помощи.

Сержант, по обыкновению, позвонил ему заранее по «прямой линии». Была у Филина такая — он подключился к какому-то «спящему» сотовому номеру московской мэрии и активизировал его, и на этот номер ему могли звонить только наиболее доверенные лица. Вроде Сержанта.

Через час Сержант был у Филина. Тот встретил его радушно. Они не виделись уже с полгода, но Сержант вообще вел такой скрытный образ жизни, что Руслик давно отвык спрашивать у него, куда это он так надолго пропал.

У Филина была большая трехкомнатная квартира в брежневском доме, причем две комнаты были превращены в электронные лаборатории, куда хозяин никогда не пускал своих гостей. Располагались обычно в гостиной — самой маленькой комнатушке с окнами во двор.

— Я тороплюсь, — сразу предупредил Сержант приятеля. — Дело срочное, но для тебя, думаю, плевое.

Они сели за низкий журнальный стол, и Филин плеснул в две пузатые хрустальные рюмки коньяку.

— Дагестанский. «Букет Кизляра», — невозмутимо заметил Филин, поднимая рюмку. — Нектар богов. Ну, за встречу.

Они чокнулись.

Руслану было под сорок. Из них двадцать он учился — сначала, как все советские дети, в школе, потом в институте, потом в аспирантуре. А потом начался самый важный этап его учебы — он увлекся компьютерами и, пользуясь своим неплохим знанием английского, окунулся в безбрежное море компьютерной периодики «из-за бугра». К началу 90-х Филин уже чувствовал себя в этом море как рыба в воде. И когда на Россию обрушилась волна новомодных электронных прибамбасов, он сполна реализовал свой потенциал.

Филин стал главным в Москве, а постепенно и за пределами столицы подпольным провайдером услуг электронной связи — компьютерной, сотовой, пейджинговой. Когда какой-нибудь «Глобал-интернет-лайн» предлагал подключение к «всемирной паутине» по полторы у. е. в час, Филин, преспокойно влезая в ту же самую «глобал-интернет-лайновую» сеть, продавал своим клиентам услуги по пол у. е. в час. И чувствовал себя превосходно. Потом он освоил «подслушку» и «подглядку», и тут к нему подъехали крупные люди. Филин не оробел и предложил им сотрудничать — в обмен на полную неприкосновенность. Которую он и получил. И теперь под «крышей» своих новых заказчиков Филин чувствовал себя в безопасности не только от всяких беспредельщиков, но и правоохранительных органов, которые по договоренности вот уже года три безуспешно охотились за «электронным вором» — московским «кулибиным».

С Сержантом они были знакомы лет пять. Перезванивались редко, виделись еще реже, но тем важнее были их встречи, потому что Сержант никогда по пустякам к Филину не обращался.

После того как они выпили за встречу, Сержант, поставив пустую рюмку на столик, произнес семь цифр.

— Это телефон. Надо вычислить хозяина.

— 784... — повторил задумчиво Филин. — Скорее всего, эмтээсовский номерок. А не думаешь, что номерок просто сперли и он числится за каким-нибудь лоховатым чиновником... У депутатов таких телефонов у каждого воз и маленькая тележка.

Сержант усмехнулся:

— Про депутата ты почти в точку попал. Хотя этот номерок к депутату имеет отношение, но не то, о чем ты подумал. Ну так что, посмотришь?

Филин встал и, поманив его пальцем, двинулся в соседнюю комнату. Он отпер замок длинным ключом и вошел первым. Сержант был тут впервые. Это была «телефонная станция»: отсюда хозяин квартиры вступал в единоборство с кодами и защитами городских телефонных линий — и кабельных, и беспроводных. Филин подсел к одному из пяти больших мониторов, щелкнул по кнопкам клавиатуры — и экран вспыхнул.

— Та-ак... — пробурчал себе под нос Филин. — Значит, «эм-тэ-эс». Любимый тариф... — Он сыграл на клавиатуре какую-то сложную гамму, и по экрану поползли колонки цифр. Через полчаса Филин оживился и сказал: — Вот, Степан! Мы вошли в сервер клиентов компании. Теперь поиск по номеру... Та-ак. Вот и он!

Сержант впился взглядом в монитор, совсем не надеясь увидеть там необходимую ему информацию. И ошибся. Против номера телефона с бесконечной колонкой цифр, фиксирующих даты и продолжительность входящих и исходящих звонков, стояло полное имя владельца и адрес: Кирилл Иванович Грунский. Москва, Калошин переулок, дом 16, кв. 45.

Кирилл Грунский — Кирюха Грунт!

— Ну что, Степа, то самое? — спросил Филин торжествующе.

— Похоже, — обалдело кивнул Сержант, он даже представить не мог, что человек, который пошел на «мокрое» дело с депутатом, мог оказаться таким беспечным мудаком. — Похоже, это тот. Ты гигант, Руслик!

— Фирма веников не вяжет! — С этими словами Филин щелкнул по клавише, экран потух, и по нему поползла разноцветная черепаха, на глазах превратившаяся в жука, а тот в свою очередь стал голой девушкой.

— Ну а теперь пойдем выпьем еще по рюмашке, и расскажешь мне, как там дела в Питере, — предложил Филин, вставая из-за монитора.

Сержант помотал головой:

— Времени нет, дружище. Но я теперь в Москве задержусь, так что еще увидимся. Если что, звони мне на мобильный. Вот мой номер... А это за работу. — И Сержант протянул Руслану пачку денег.

— Спасибо, Степа, — усмехнулся Филин. — Ты как всегда балуешь клиента.

— За профессиональную работу, Руслик, никогда не жалко платить хорошие суммы. Поверь мне, даже приятно.

Глава 16

Грунт понял, что пора делать ноги. Надо было слинять из Москвы на месячишко-другой, а потом вернуться и поглядеть, что тут происходит. Правда, оставались двое — Арефьев из Шереметьево и Митька — его, можно сказать, подельники, которые неминуемо наведут ментов на его след. Правда, Николай Иванович уверил его, что он, Грунт, так чисто провернул дело, что следствие уже в тупике. И что через месяц-полтора расследование и вовсе заглохнет.

Они поговорили по телефону позавчера — куда подробнее, чем в тот вечер... Кирюха выяснил, что его работой довольны и что, когда шум уляжется, возможно, он снова понадобится. Николай Иванович очень прозрачно так намекнул ему об этом, но Грунт же не мудель сопливый, он все с лету схватил. И его обуяла ужасная гордость. Кажется, он скоро и впрямь заделается классным киллером.

Коля посоветовал ему на некоторое время исчезнуть из столицы. Так что, бросив все как есть в Одинцово, он сегодня рванул к себе в московскую квартиру, чтобы наскоро собрать кое-какие вещички и, главное, прихватить спрятанную в ванной сумку с бабками. В кармане у него уже лежал билет на самолет до Ларнаки. Покрутится на Кипре у знакомого пацана Валеры — тот держит там турфирму, привозит русских туристов...

Эту квартиру Грунт использовал нечасто — в основном для приема нужных людей да для блядок. Квартира была в добротном доме, в самом центре. Он купил ее по случаю у какой-то старухи, у которой помер муж три года назад, и она решила съехать в однокомнатную на окраину...

«Форд-сиерра» остановился в самом начале переулка. Грунт на всякий случай поставил «форд» подальше от дома и пошел пешком. Подойдя к подъезду, он огляделся по сторонам: вроде все чисто. Никаких подозрительных тачек. Грунт уверенно взялся за ручку входной двери...

***

Дом 16 по Калошину переулку стоял возле недавно вырытого котлована под новостройку. Конечно, никакого кодового замка во входной двери этого древнего кирпичного уродца не было. Сержант легко взбежал по лестнице к лифту. Судя по потертой табличке на стенке лифта, квартира 45 находилась на шестом этаже. Уже нажав было кнопку, он услышал, как хлопнула дверь подъезда.

Сержант машинально выглянул через застекленную дверцу лифта и увидел крепкого широкоплечего парня лет тридцати с небольшим, коротко стриженного, с толстой шеей и чуть приплюснутым широким носом. «Перебили на ринге или в уличной драке», — определил Сержант. На руке у стриженого болтался мобильник в кожаном чехле. «Неужели?» — с интересом подумал Сержант и даже распахнул дверь лифта.

Парень, проехав взглядом по незнакомцу, что-то буркнул нечленораздельное и отвернулся.

— Мне на седьмой, — бросил Сержант и нажал на кнопку «6».

Обладатель мобильника снова проутюжил его взглядом — на сей раз повнимательнее. В его черных глазах блеснула угроза. Но Сержанта это не колебало. Интуиция охотника подсказывала ему, что он на верном пути. Сегодня ему везло.

Лифт дополз до шестого. Стриженый с грохотом распахнул дверь и быстро устремился налево в холл. Сержант доехал до седьмого, шумно вышел и тихо, по-кошачьи, спустился на шестой. Он увидел, что в левом холле шестого этажа находились четыре квартиры. Одна из них была сорок пятая. К ней-то и подошел стриженый. Дождавшись, когда он отопрет и распахнет дверь, Сержант в два прыжка оказался у него за спиной и, с силой втолкнув его в квартиру, захлопнул дверь и прошипел:

— Ты Грунт?

Стриженый даже не обернулся. Но Сержант сразу заметил, как напряглись бугры мышц под рубашкой, как налились кровью вены на толстой шее, как он весь подобрался, готовясь к атаке. Сержант не стал ждать. Он схватил противника за левое плечо, сильно сжал, сделав свой коронный болевой захват, и резким коротким ударом кулака по затылку свалил парня на пол.

Наклонившись над ним, Степан задал еще один вопрос:

— Кто тебя послал в Шереметьево?

И тут Грунт встрепенулся. Он вывернулся из-под руки Сержанта, вскочил на ноги и, отведя согнутую в локте правую руку в сторону, резко выбросил ее назад. И тут же взвыл от нестерпимой боли: Сержант перехватил руку и с размаху ударил ребром ладони по локтевому суставу.

— Со мной в казаки-разбойники не надо играть! Со мной лучше в дочки-матери. Я по-хорошему, и ты давай по-хорошему. А если хочешь по-плохому, то, парень, думаю, ты еще не знаешь, что такое по-плохому! Ты на кого лезешь, сосунок!

И словно для того, чтобы придать своим словам весомость, Сержант нанес стриженому первый серьезный удар — кулаком в лицо. Грунт отлетел к противоположной стене коридора и с глухим стуком впечатался спиной в дверь санузла. Развернувшись на каблуках, он заревел, точно раненый кабан, и бросился вперед. Он буквально ослеп от ярости. Ему было обидно, что какой-то толстый хрен сумел завалить его одним ударом, и от этой обиды клокочущая в нем ярость становилась еще острее.

Но ему не пришлось сделать и трех шагов, как резкая боль пронзила ему нос и отдалась в затылке. В носу громко хрустнул хрящ, и из обеих ноздрей тотчас хлынула потоками кровушка. Грунт даже тихо взвизгнул. Он упал на колени и закрыл кровоточащий нос обеими руками.

Сержант подошел к Грунту и, собрав в кулак воротник рубашки, чуть приподнял его с колен.

— Ну что, дурашка, больно? — проговорил он Грунту в ухо тихим спокойным голосом. — Я же тебя предупреждал, дурня, не лезь! А теперь повторяю вопрос: кто тебя послал в Шереметьево? На размышление даю тридцать секунд.

— Ты кто такой, мужик? — прохрипел Грунт. — Ты сдурел, я ща пацанов вызову, они тебя порвут на сто кусков!

— Сержант я, может, слыхал? — бросил плотный блондин. — Я пришел узнать, кто тебе «заказал» Шелехова!

Грунт замычал что-то нечленораздельное.

— А? — переспросил Сержант, шутки ради приложив ладонь трубочкой к уху.

Услышав слово «Сержант», Кирюха просто охренел. Конечно, он слышал имя знаменитого киллера-профессионала — как не слышать. Но даже сейчас, когда он, избитый в кровь, лежал на полу своей московской хазы, он не мог поверить, что к нему в гости пожаловал самый настоящий Сержант. Тот самый, который, как говорили, был верным друганом Варяга и выбросил с пятнадцатого этажа сибирского беспредельщика Коляна Радченко...

И он решил немного выиграть время, оклематься, а там, глядишь, может, замочить этого здоровенного хмыря, Сержант он или не Сержант...

— Сам я пошел. Один я был. Никто не посылал. Я, бля, даже и не знал, что это депутат. Вот те крест! Мне пацан знакомый из VIP-зала стукнул, я Шелехова этого и хлопнул на шоссе. Бабки взял. Если ты за бабками пришел, так и скажи. Можем договориться. В ванной они...

— Ты мне мозги не крути, сопля! — прошипел Сержант. — Ты мне скажи, кто тебя на это дело надрючил? Ты что ж, Грунт, меня за мудака принимаешь, думаешь, я так и поверю, что ты сам в засаду залег? Кто тебя навел?

Грунт вспомнил Колю — Николая Ивановича из кафе «Парус» на Речном вокзале, и по его спине пробежал холодок. Вспомнил его подчеркнуто обходительную манеру разговаривать. Вспомнил его пронзительный стальной взгляд. И его братву — спецназовских бугаев в пиджачках и галстуках. «Нет, — подумал Грунт, — Колю сдавать нельзя. Если он заложит Колю, тогда ему точно хана. А с этим боровом он, может, еще сумеет сговориться».

— Пусти, мужик, — прохрипел Грунт. — Я ж тебе говорю: бармен из VIP-зала навел...

Тут Сержант рассвирепел не на шутку. Он ударил Грунта наотмашь по левому уху, так что тот резко дернул головой, будто деревянная кукла, и повалился на бок.

«Нет, — подумал Сержант, — похоже, парень не скажет ничего. Он с легкостью сдал Арефьева из аэропорта Шереметьево, но как только он вспоминал еще кого-то, в его глазах вспыхивали огоньки страха, животного страха... Ведь ясно, что Грунт — пешка, напуганная до смерти. И из-за страха своего ничего ему не скажет, а будет только талдычить: «Я один, я один».

— Значит, не хочешь колоться, Грунт? — сумрачно пробормотал Сержант. — Ну что ж, вольному воля.

Он вытащил из внутреннего кармана пиджака пластиковый «пинчер». Грунт с удивлением поглядел на диковинную пушку и перевел взгляд на Сержанта.

— Ты что, мужик, ох...л? Я же тебе правду сказал...

— Возможно, — сухо отозвался Сержант. — Возможно, ты и впрямь мало знаешь. А может, и много. Но в любом случае ты теперь знаешь, что я ищу тех, кто заказал Шелехова. А мне это не с руки. — Он с сомнением посмотрел на Грунта. — А то, может, память к тебе еще вернется?

И тут Грунт резво бросился в комнату направо. Там была раскрыта балконная дверь. Кирюха решил спрыгнуть на балкон пятого этажа — к Лидке, молодой бабе-бобылке, которая сейчас явно была на работе. Он прорвется к ней в хату, и там пусть этот хренов Сержант попробует его взять!

Он выбежал на балкон, не забыв закрыть за собой дверь, быстро перелез через перила и, ухватившись одной рукой за стальной прут, повис, пытаясь нащупать ногами перила нижнего балкона. И вдруг потная ладонь соскользнула со стального прута, и Грунт, отчаянно загребая ногами в воздухе, полетел вниз... В полете он впендюрился головой в огромный ящик с рассадой, выставленный кем-то на балконе то ли четвертого, то ли третьего этажа...

Распахнув застекленную дверь, Степан выскочил на балкон и устремил взгляд вниз: на асфальте лежало тело здорового мужчины с нелепо закинутыми за голову руками. Вокруг головы уже бурела лужа крови.

«Грунт лег на грунт», — невесело подумал Сержант и скрылся в комнате. Теперь надо было поскорее сматываться.

Он вспомнил про деньги. Грунт, который надеялся откупиться от него, точно указал место. Сержант вошел в ванную и там обнаружил спортивную сумку, набитую пачками долларов.

«Интересно, кто же так напугал беднягу? Похоже, что «заказчиками» Шелехова были и впрямь серьезные люди, очень серьезные люди», — подумал Сержант, быстро сбегая вниз по лестнице: в лифте уже кто-то подиимался наверх.

Сержант по мобильнику позвонил в приемную Варяга. Но трубку никто не снял. Что за хрень? Сержант посмотрел на часы. Он и не заметил, как пролетел день. Восьмой час. Но все равно не может быть, чтобы в офисе никого не было. Немало удивившись, Сержант набрал мобильный номер Варяга. Но механический голос ответил ему, что абонент временно недоступен. В городской квартире Варяга тоже никого не было. Тогда Степан, уже совсем теряясь в догадках, позвонил на Никитину Гору, на дачу Нестеренко. Он дал звонков двадцать, а может быть, и тридцать, — безрезультатно.

«Ну ладно, — подумал Сержант, — Варяг мог внезапно уехать по делам после вчерашнего большого сходняка, но куда делась Лена? Почему ее нет ни в офисе, ни на даче? И самое главное — куда запропастилась Лиза? Уж девочка-то должна сидеть на даче безвылазно, раз отец строго-настрого наказал ей никуда не выходить за пределы участка».

«Придется ехать к Варягу на Никитину Гору», — подумал Сержант. Ему все это очень не нравилось.

Глава 17

Где-то высоко-высоко над головой глухо лязгнуло железо. Потом все вновь стихло. Он приоткрыл глаза — и его взгляд утонул в кромешном мраке. Голова болела нестерпимо, и было такое ощущение, что в нее напихали ваты. Он вдохнул воздух: влажная духота. С трудом протянул руку вперед — и ладонь нащупала холодные каменные плиты пола.

Варяг лежал на боку. Он кое-как перевернулся на спину. Далеко вверху тьму вдруг прорезал световой квадратик. Послышалось шуршание, и прямо на него сверху стало снижаться что-то темное на тонком шнурке. Он едва успел убрать голову — и темный предмет с грохотом ударился о каменный пол. Ему не хватило сил напрячь зрение в полумраке и разглядеть, что это.

Постепенно к нему возвращалось ясное сознание — и память. Последнее, что отпечаталось у него в мозгу, — лицо Толяна, перекошенное злобой. Потом он почувствовал страшный удар по затылку. И все — дальше тишина...

Когда он очнулся, его тело было стиснуто со всех сторон, он лежал в каком-то душном темном ящике... Потом он понял: это багажник машины. Его долго везли куда-то. Наконец машина остановилась, багажник распахнулся — и в глаза брызнул яркий слепящий свет фонаря. Он чуть приоткрыл глаза, пытаясь рассмотреть людей, которые им занимались, но все были в масках.

Он подумал предпринять попытку бежать, но сразу понял, что сопротивление бесполезно: силы оказались слишком неравны. Их собралось вокруг него человек шесть. Все в масках. Они действовали молча, видно, боялись, что он запомнит их голоса.

Владислав снова получил сильный удар по затылку — и опять потерял сознание... И вот очнулся в этом мрачном колодце.

И все это произошло на большом сходняке на Дмитровском шоссе. Как такое могло случиться! Как могли большие авторитеты, приехавшие на серьезный разговор со смотрящим России, пойти на такое неслыханное преступление! Его избили прямо на глазах у людей, уволокли его бездыханное тело и бросили в этот вонючий колодец...

Что же случилось? Как же такое могло случиться? И почему не убили?.. Зачем сунули в эту яму?

Владислав присел на каменном полу, огляделся. Глаза уже привыкли к мраку и смогли различить стены. Судя по всему, его темница представляла собой довольно узкий и глубокий глухой колодец. «Да, отсюда не выберешься, — подумал Варяг. — Даже если сильно захочешь. Тут можно позавидовать графу Монте-Кристо — у того хоть была железяка, которой он расковырял швы в каменной кладке».

Он встал и раскинул руки. Левая наткнулась на стену. Правая повисла в пустоте. Он сделал вправо один шаг, другой, пока пальцы правой руки не нащупали выщербленный кирпич. Так, значит, колодец шириной метра три. «Ну, жилплощадь порядочная», — невесело пробормотал про себя Варяг.

И тут ему вспомнились события полуторагодичной давности — его побег из зоны. Но там подземный туннель для него вырыла команда зеков-землекопов. Здесь же отряда кротов не будет...

С тех пор прошло много времени. И теперь все произошло совсем по другому сценарию. Тогда хоть все было ясно, теперь — ни черта! Ему не давала покоя мысль, почему он оказался здесь. Он вспомнил лица воров, сидевших за столом. Дядя Толя. Паша. Витя. Тима... Нехорошие были лица... Понятное дело, они знали о готовящемся захвате.

Варяг стал припоминать события, которые предшествовали большому сходняку на Дмитровском шоссе. Ему вменили в вину «нецелевое использование» средств общака и отход от общего дела. Но интуиция подсказывала, что эти претензии были лишь дымовой завесой, предлогом, чтобы вынести ему вотум недоверия. На самом деле все упиралось в воровскую казну — кому-то очень хотелось прибрать общак к рукам — и во власть. Им потребовалось убрать его, Варяга, с общака, потому что они прекрасно понимали, что Варяг — не тот человек, которого можно уговорить поделиться деньгами. И еще им нужна была власть над воровским сообществом.

Размышляя, Владислав медленно передвигался по периметру колодца. Вдруг в самом углу он нащупал влажную стальную решетку. Он встал на колени и приблизил лицо к решетке. Снизу пахнуло смрадом канализации. До ушей донесся отчетливый звук текущей воды.

Его сразу же осенило: он оказался в коммуникационном колодце. А значит, тут может быть какой-то выход, маленькая дверка в стене или люк в полу. На крайний случай — вот эта решетка в каменном полу. Варяг вцепился пальцами в стальные прутья и подергал. Черта лысого! Решетка была намертво вмурована в камень.

И тут Варяг вспомнил о металлическом подарке сверху. Он присел на корточки и, опасливо проведя пальцами по краю, понял, что это металлическое ведерко. В ведерке оказалась пластиковая бутылка воды и полбуханки черствоватого хлеба. Ага, смотри-ка, тюремщики позаботились о его пропитании... И его душу захлестнула горячая волна злобы.

Но он тотчас приказал себе успокоиться. Нельзя позволить чувствам затуманить рассудок. Нельзя отдаваться во власть эмоций. Надо трезво оценить ситуацию и взвесить все шансы. А потом спокойно действовать. Сколько ему придется тут просидеть: день, два, неделю или месяц? Если его оставили в живых, не убили сразу, значит, он им нужен. А раз нужен, то рано или поздно кто-то придет и заведет с ним разговор.

Да, сделал вывод Владислав, воры в данном случае выступили простыми пешками, марионетками, подставными лицами в чьей-то хитрой игре. Ясно, что ни Дядя Толя, ни Шота, ни даже Максим Кайзер не могли бы придумать такую пакость, если бы их кто-то не надоумил, причем кто-то очень влиятельный... Кто упрямо расчищал поле для будущей большой игры. Сначала отдав приказ убить Шелехова, а потом приказав убрать его, Варяга...

Владислав по привычке запустил руку во внутренний карман пиджака, где всегда лежал сотовый. Разумеется, телефона там не оказалось — было бы странно, если бы они оставили ему возможность связи с внешним миром. Потом он нащупал то место на запястье, где носил часы. Нажал кнопочку подсветки. Стрелки по-прежнему показывали половину одиннадцатого. Часы сломались.

Время для него остановилось. Он сел на пол, прислонился затылком к холодному камню и стал ждать, сам не зная чего.

* * *

Все пройдет как по маслу. Все пройдет по плану. По его плану. Спецоперация началась идеально. «Объект», как и требовалось, будет задержан и упрятан в надежное место — и одновременно с этим будут «зачищены» его воровские владения. Они получили полную свободу рук, и теперь успех всей операции целиком зависит от его, генерал-полковника Урусова, сноровки и удачливости.

Евгений Николаевич сидел в своем рабочем кабинете в здании Министерства внутренних дел и, по привычке чертя карандашиком на чистом белом листе бумаги замысловатые узоры, дожидался телефонного рапорта от своих людей и обдумывал дальнейшие действия. Перво-наперво требовалось нейтрализовать шустрых журналистов. Не сегодня завтра они прознают про внезапное таинственное исчезновение президента крупной внешнеторговой компании, о котором ходят самые невероятные слухи, и начнут бомбардировать назойливыми вопросами и запросами правоохранительные ведомства. Генпрокуратура пускай сама отмазывается, а милицейское министерство должен отмазывать он, генерал Урусов.

Что ж, на этот случай у него был заготовлен целый спектакль. И он уже дал ценные указания министерскому управлению по связям с прессой. Да-да, они в курсе. Да-да, они знают, что господин Игнатов Владислав Геннадьевич исчез. По оперативным данным, это результат серьезных разборок криминальных авторитетов. Ведь господин Игнатов, как известно, и сам причастен к оргпреступным группам. По всей видимости, он что-то не поделил с боссами российской мафии и те применили к нему распространенные в их кругах методы воздействия. Более того, некоторым особо «приближенным» к МВД журналистам можно будет предъявить вчерашнюю оперативную съемку на Дмитровском шоссе. Там будет отлично видно, как Игнатова вяжут в банкетном зале его же кореша, как под белы руки выводят из ресторана и... ну, кадры того, как его закладывают в багажник, надо бы вырезать... и увозят в неизвестном направлении.

Урусов хмыкнул. Он встал из-за стола и, пройдясь по кабинету, заглянул в санузел. Отметил про себя, что уборщица повесила чистое крахмальное полотенце, и довольно улыбнулся: он был большой чистюля и обожал, чтобы в санузле царила стерильная чистота, как в операционной. И если бы не эта неожиданная заваруха с Шелеховым и Варягом, сейчас бы его голова была занята куда более приятным делом — предстоящим ремонтом на подмосковной даче...

Итак, ему удалось нейтрализовать Варяга. Теперь Варяг упрятан надежно и надолго. Пока он им не понадобится. И его телка тоже в надежном месте. Всевластный смотрящий России теперь отработанный материал, мусор. То, чего не удалось в свое время покойному генералу Калистратову, удалось ему, Евгению Николаевичу Урусову. И это радовало: он расчистил им место для водворения их человека — и теперь уж пусть они там поторопятся. Это не его дело. Его дело — проследить за Варягом. И уж он проследит...

Оставалось только доложить туда об успешном проведении спецоперации. Урусов сел за стол и повернулся к батарее телефонных аппаратов на низком столике слева от кресла. Он снял трубку с «вертушки» и набрал четырехзначный номер. На втором звонке в трубке послышалось энергичное: «Алло!»

Глава 18

Затренькал мобильный на сиденье. Сержант, не сбавляя скорости, поднес миниатюрную серебристую трубочку к уху:

— Да!

— Степан! — Он сразу узнал голос Абрамова, одного из людей Чижевского. — Ты где?

— Еду на Никитину Гору! — ответил Сержант. — А ты?

— Я на Тверском бульваре. Беда, Степан! Что-то там произошло, на Дмитровском шоссе! — почти прокричал бывший военный разведчик. — А что — пока неясно. Я звонил Владиславу по всем номерам — нигде его нет! Как бы чего не стряслось!

От неожиданности Сержант едва не врезался в идущий впереди синий «москвичок», но вовремя успел вывернуть руль и сделать правый обгон.

— А что, по-твоему, могло стрястись?

— В том-то и дело, что непонятно... — Голос в трубке задрожал и потонул в эфирном шуме. — Мы с ребятами сегодня около шести выдвинулись к месту встречи, ему на подстраховку. Да нас чуть не повязали менты в штатском.

Сержант не врубался в сбивчивый рассказ бывшего военного разведчика.

— Погоди, майор! Не части. Расскажи по-человечески, что произошло! — Он переложил сотовый в левую руку, а правой вцепился в руль. — Я ничего не могу понять. Давай сначала. Вы втроем, насколько я понимаю, поехали на Дмитровское прикрывать Владислава...

— Да! Не успели мы занять позицию в доме напротив, как нас повязали! Мы и двадцати минут там не просидели! Получается, они пасли нас заранее — ты можешь себе это представить!

— Кто? — не понял Сержант.

— Да менты, елки-палки!

— Ты уверен, что менты, а не воры?

— Нет, не воры. По повадкам — явная ментура! Мои ребята ушли, а я потом вернулся, но опоздал. Наверное, на пять-десять минут опоздал. В том ресторане уже никого не было! Всех как ветром сдуло. Это очень странно, Степан! У них так скоро дела не делаются... Тут что-то нечисто!

— Вот что, майор, поезжай в офис, — распорядился Сержант, — и посмотри, что там происходит. А то я звоню — никто не берет трубку. Ты Чижевскому доложился? — и, едва услышав утвердительный ответ, вырубил телефон.

Он выехал за город и понесся по шоссе. В голове роились тревожные мысли. Все-таки случилось именно то, чего и опасался Варяг. Игнатов, конечно, опасался предательского удара в спину, иначе бы не вызвал его, Сержанта, из Питера. И теперь ему надо было торопиться. Хотя в сложившейся ситуации — после того, что ему рассказал Абрамов, — он и сам не понимал куда... Одно он понимал безусловно: надо найти Лену. Она была последней, кто находился в офисе «Госснабвооружения». И к тому же оставалась надежда, что Варяг сумел ей хоть что-то сообщить... Лена должна знать...

Начало смеркаться. До Никитиной Горы было езды минут двадцать, не более, и он торопился, чтобы поспеть туда засветло. Его надежная «хонда» резво бежала по асфальту, изредка подскакивая на выбоинах. Сержант, долгие годы проживший за границей, все никак не мог опять привыкнуть к российским дорогам, имевшим странно необъяснимую особенность — даже после недавнего капитального ремонта на гладкой асфальтовой полосе появлялись неровные кляксы рваных дыр, точно какой-то невидимый злоумышленник специально выдалбливал их, чтобы затруднить движение транспорта на трассе.

Свернув на аллею, ведущую к дачному поселку, Сержант сбавил ход. Поселок надежно охранялся местной милицией, и он не хотел рисковать: если его остановят, не дай бог, придется долго препираться, а то еще, чего доброго, признают в нем Степана Юрьева, находящегося во всероссийском и международном розыске...

Сержант еще ни разу тут не бывал и знал дачу Варяга — вернее, его покойного наставника Егора Нестеренко — только по адресу: Липовая аллея, 5. Наконец «хонда» въехала на Липовую, и через три дома Сержант остановился у высокого глухого забора. Он на всякий случай достал из кармана удостоверение сотрудника «Госснабвооружения», которым его накануне снабдил Варяг. Если сейчас из кустов вылезет охрана, водитель «хонды» не вызовет подозрений со своей ксивой.

Но, к его удивлению, никто из кустов не вылез. Более того, калитка в высоком заборе даже не была заперта. Он просто ткнул ее ладонью и вошел на участок. Вдали за буйным зеленым морем кустов и деревьев темнел дом. На участке было тихо. В окнах не горел свет.

Последние пятнадцать-двадцать метров до дома Сержант не шел, а бежал. Сердце его бешено колотилось. Рука нащупала кобуру под мышкой. Теперь можно было ожидать, чего угодно.

Он взбежал на крыльцо. Дверь на веранду была приоткрыта. Проскользнув внутрь, он замер и прислушался. Тишина стояла гробовая. Видно, на даче никого не было. Но тогда почему все открыто?

Сержант осмотрелся. Все вроде нормально: стол, стулья, буфет с посудой, в углу телевизор. На столе стоят чашки и блюдца, самовар. Он приблизился к столу: судя по недоеденным кускам торта на тарелочках и недопитому чаю в двух чашках, тут совсем недавно сидели люди... Двое. Ни о чем не подозревая, пили чай с тортом. Он снова прислушался: не донесется ли какой-нибудь звук изнутри? Нет, все тихо.

Когда он открыл дверь в комнату и вошел, его взору предстала страшная картина такого разгрома, что, казалось, тут побывала банда пьяных подростков-вандалов. Все было перевернуто вверх дном: книжные стеллажи от пола до потолка вдоль двух стен были полностью опустошены от содержимого, растерзанные, разодранные, раскрытые книги грудами лежали на полу. На большом круглом столе посреди комнаты была навалена куча самых невообразимых предметов — какая-то верхняя одежда, ботинки, раскуроченные портфели и записные книжки, коробочки то ли из-под конфет, то ли из-под лекарств...

Наметанным глазом Сержант определил, что на даче побывали грабители. Сержант побежал по другим комнатам, поднялся по скрипучей деревянной лесенке на второй этаж, где находился, как он понял, кабинет бывшего хозяина дачи — академика Нестеренко. И везде он застал ту же картину полного разора: побывавшие здесь буквально за несколько часов до него непрошеные гости что-то отчаянно искали. Догадки одна за другой роились в голове Сержанта. Случайный налет? Налет по наводке? Или... Последнее предположение показалось ему наиболее предпочтительным. Это был не просто налет, а спланированный рейд... Но, главное, куда делись обитатели дачи?

Он выбежал на участок и осмотрелся. Позади дома за деревьями он приметил небольшую темную постройку — что-то вроде сарая. В сарае было темно. Сержант пошарил по стене у двери, надеясь нащупать выключатель. Ни фига. Но в густых сумерках он все же различил под потолком голую лампочку на витом шнуре. Осторожно взявшись за стеклянную колбу пальцами, он повернул лампочку вправо — раз, другой. Сарай осветился тусклым светом. И его взгляд сразу упал на большой кованый сундук с откинутой крышкой в дальнем углу сарая. Вокруг сундука валялось разбросанное тряпье, ржавые отвертки, молотки и прочая дребедень. Сержант подошел поближе и заглянул в сундук.

У сундука не было дна, вернее сказать, вместо дна внутри оказалась довольно-таки глубокая яма, вырытая в грунте. Сержант склонился над бездонным сундуком и пощупал землю — земля была рыхлая и влажная. Копали явно недавно. Но что же выкопали из-под этого сундука? Это Сержанту было невдомек.

Он внимательно осмотрел земляной пол сарая. Ага! Вот тут поставили, а вернее, уронили что-то массивное, тяжелое. Судя по вмятине — прямоугольной формы с острым углом. Похоже на какой-то ящик. Или сейф... Сейф! И тут Сержант вспомнил, как Варяг однажды обронил мимоходом что-то насчет тайника на даче. Он сказал: «мой личный сейф». Да, именно так и сказал. Уж не этот ли сейф похитили заявившиеся на дачу гости?

Да, но куда же делась его дочка, Лиза? А Лена? И, кроме того, тут должна была находиться еще какая-то женщина, что-то вроде домоправительницы... Неужели их тоже похитили?

Сержант вернулся на веранду и присел на стул, раздумывая, что же предпринять. Достав мобильный телефон, он набрал номер Чижевского — занято. Ну понятно, поднимает на ноги всю свою команду. И тут Сержант вспомнил, что у Варяга есть доверенный человек, старый вор Михалыч. Он открыл в своей «Нокии» записную книжку и после недолгих поисков выудил номер Михалыча. Старик жил где-то в Серебряном Бору.

На третий или четвертый звонок трубку подняли, и довольно молодой голос хмуро произнес: «На связи!»

— Мне этот телефон дал Владислав Игнатов, — на всякий случай упредил ненужные вопросы Сержант. — Я могу поговорить с Михалычем?

В трубке послышался тяжелый вздох, и голос еще более хмуро отозвался:

— Нельзя. Помер Михалыч. Сегодня днем помер... А вы что хотели?

— Да нет... Хотел передать ему привет от старых друзей, да, видно, опоздал, — обескураженно пробормотал Сержант и отключился.

**

Николай Валерьянович Чижевский сидел на кухне у себя дома и курил. Он уже много раз бросал, но на нервной работе у Игнатова разве бросишь эту дурацкую привычку! Согласившись в свое время наладить качественную службу личной охраны Владислава Геннадьевича, отставной полковник ГРУ и не предполагал, что это будет сопряжено с такой нервотрепкой. Особенно в последние полгода, когда виновником всех напастей, свалившихся на его шефа, стал сибирский отморозок Коля Радченко. Но даже после славной операции по ликвидации Радченко в высотке на Новом Арбате расслабиться им так и не довелось. А уже теперь, после сегодняшнего, ему и его команде не то что расслабиться — спать не придется!

От Чижевского только что уехал Сергей Абрамов, подробно доложивший о происшествии на Дмитровском шоссе. Чижевский мысленно связывал все четыре события этого страшного дня: исчезновение Владислава Геннадьевича, уехавшего на встречу со своими заклятыми друзьями, почти одновременно с этим произведенный массированный обыск в офисе «Госснабвооружения», закончившийся выносом документов, конфискацией компьютеров и опечатыванием здания, арест Лены и загадочный налет на подмосковную дачу...

Обыск, а точнее говоря, налет на офис «Госснабвооружения» производил взвод молодцов в камуфляже и в черных масках, предъявивших удостоверения сотрудников налоговой полиции. Когда обыск только начался, с ним связалась Лена и взволнованным голосом попросила срочно приехать. Он возвращался с деловой встречи и собирался ехать домой, но развернул служебную «ауди» и рванул в «Госснабвооружение». Удивительное дело, его, начальника службы безопасности концерна, долго не пропускали в здание, а когда наконец впустили, он застал уже финал шмона... По коридорам и комнатам сновали угрожающего вида парни с короткоствольными автоматами в руках и не вступали ни в какие переговоры. Найти старшего оказалось делом архисложным — его искали в трехэтажном здании точно иголку в стоге сена. Наконец нашли — им оказался мордатый майор с опухшим не то от недосыпа, не то от перепоя лицом, но он так толком и не смог объяснить, что именно они ищут.

Этот внезапный рейд не так бы сильно удивил многоопытного Чижевского, если бы не весьма странное задержание Лены. Сколько ни напрягал память отставной военный разведчик, он так и не смог припомнить хотя бы один случай, когда бы задерживали секретаря руководителя компании, оказавшейся в эпицентре конкурентной борьбы. Чем могла быть полезна налоговой полиции молодая помощница Игнатова, которая не проработала у него в офисе и трех месяцев?..

Николай Валерьянович позвонил Владиславу домой, но там долго не брали трубку, а на десятый или двенадцатый звонок грубый молодой голос глухо бросил: «Вас слушают!» Чижевский сразу отключился и тут же пожалел, что звонил не с мобильника: звонок могли засечь. Подошел не личный охранник Родик, который неотлучно находился в квартире Владислава. Это был какой-то незнакомый голос. Владислав никогда бы не взял к себе нового человека в качестве телохранителя и сторожа без ведома руководителя своей службы безопасности.

Значит, в квартире Варяга находились посторонние люди... Возможно, и там шел обыск...

И теперь, после звонка Степана Юрьева с Никитиной Горы, после известия о форменном погроме на старой даче академика Нестеренко, все встало на свои места. Лену, конечно, взяли не в связи с делами «Госснабвооружения». Ее взяли из-за Владислава. И искали в офисе «Госснабвооружения», видимо, то же, что потом искали на даче на Никитиной Горе, — следы «теневых» средств, прокручиваемых через внешнеторговый концерн.

Можно было только догадываться, кто организовал эту массированную акцию, но у Чижевского не было желания разгадывать загадки. Его тревожило только одно — судьба Владислава. Он уже связался со своими старинными друзьями по ведомству военной разведки и попросил об услуге. Потом с трудом дозвонился до знакомого полковника в центральном аппарате МВД. Но тот отказался с ним беседовать по служебному телефону и предложил перезвонить попозже вечером.

Теперь Чижевский сидел на кухне, тупо уставившись на телефонный аппарат, и ждал звонка. Наконец в половине десятого телефон разразился истерической трелью.

— Чижевский слушает, — по старой привычке рявкнул в трубку Николай Валерьянович.

— Валерьяныч! Слушай меня внимательно! Я тут кое-что выяснил...

— Слушай, Петрович, откуда ты звонишь? — недовольно оборвал его Чижевский. — Слышно как из жопы...

— Я из автомата. Пришлось на улицу выскочить, чтобы в кабинете не светиться... Дела ваши очень фиговые! Вами интересуются у нас.

— У вас? — переспросил Чижевский, крепче сжав трубку. — Значит, это не налоговая полиция?

— Не налоговая. Ребят в масках просто послали для отвода глаз. У вас крупные неприятности, Валерьяныч. И у тебя в том числе. Насколько я понял, объявлена общая облава на вашу фирму. Вас обложили со всех сторон... Ну все, брат, больше не могу говорить. Со мной связывайся только по домашнему. На работу больше не звони. Бывай!

Как только Николай Валерьянович положил трубку, в дверь позвонили. Еще не успев переварить только что услышанное, он пошел открывать. Но перед самой дверью остановился и на всякий случай глянул в глазок. На хорошо освещенной лестничной площадке никого не было. Присмотревшись хорошенько, Чижевский заметил две тени на полу по обеим сторонам двери. Ему это не понравилось. Он привычно нащупал в заднем кармане свой старый именной ПМ и снял его с предохранителя, готовясь к худшему. Если их только двое, им не удастся взять его врасплох, недаром же он прошел отличную подготовку в разведшколе. Но если внизу или вверху у них есть подмога, тогда ему не поздоровится.

Чижевский вспомнил доклад Абрамова: на Дмитровском шоссе их тройку «пасли» от того самого места, где они вышли из машины. Значит, слежка ведется давно, коли их всех знают в лицо и их тачки опознают издалека.

Он тихо щелкнул замком и резко распахнул дверь. Быстро проутюжил взглядом лестничный пролет, ведущий вверх, и с деланной вежливостью осведомился у обоих сержантов милиции с одинаковыми, как у близнецов, смурными непроницаемыми лицами:

— Чем могу?

— Гражданин Чижевский? Николай Валерьянович? — осведомился правый близнец.

Лицо Чижевского изобразило удивление:

— Никак нет, товарищ сержант. Я Поляков Матвей Михайлович. А вы кого-то ищете?..

Сержанты держали в руках автоматы — но не на изготовку, а как-то по-бабьи, в обнимку. Чижевский понял, что дело приняло слишком серьезный оборот и надо было что-то срочно предпринимать. Что-то неординарное, неожиданное. «Только не драться», — подумал он. Конечно, хотя он уже был не тот, что раньше: килограммов десять лишнего веса, и удар с правой был не такой стремительный, как бывало, и реакция чуть-чуть замедленная, — но все же мог бы дать этим горе-молодцам хорошую фору. Но тогда ему от ментуры не отвертеться — за нападение на этих сержантов ему могли бы влепить срок.

Но он также понимал, что нельзя терять темп, и решил продолжить свою импровизацию. Он достал из кармана красную книжку пенсионера Министерства обороны, выписанную на полковника Полякова М. М., протянул левому близнецу и подсказал:

— А вот на пятом, выше меня, действительно живет какой-то не то Чижовский, не то Чижевский. Может, вы квартирку перепутали?

Сержанты растерянно переглянулись и послушно двинулись верх по лестнице. «Мудаки, ну и мудаки там работают», — раздраженно подумал Николай Валерьянович. Он вышел на лестничную клетку, захлопнул и запер дверь и торопливо припустил вниз по лестнице, перепрыгивая сразу через две ступеньки. Над ним на пятом этаже жила одинокая пенсионерка. Сейчас она была у своей сестры в Наро-Фоминске. Пока сержанты будут торчать под ее дверью и дожидаться ответа, он успеет уйти.

«Ауди» Чижевского мягко вылетела со двора на оживленную Дорогомиловскую улицу и рванула в сторону Кутузовского. Выехав на проспект, машина сразу сместилась в левый ряд и рванула в сторону центра.

Похоже, Петрович сказал правду: их обложили со всех сторон.

Глава 19

Как обычно, Лена сидела в приемной Владислава в здании «Госснабвооружения». Владислав уехал на свою таинственную и тревожную встречу в каком-то ресторане на Дмитровском шоссе. Она видела, что он отправился туда один, без охраны, с водителем Сашей. Буквально через полчаса после его отъезда она услышала в коридоре громкие голоса, топот ног и вышла посмотреть.

По коридору бежали какие-то парни в камуфляжной форме и с маленькими автоматами в руках. Все были в черных масках. Они шумно распахивали двери и приказывали сотрудникам покинуть помещение. «Странно, — подумала она тогда, — где же наша охрана? Где люди Чижевского?» Налетчики беспрепятственно проникали в каждую комнату, и их никто не останавливал. Когда один из парней в камуфляже повернулся к ней спиной, она успела прочитать слова «Налоговая полиция» на черной планке. Это удивило Лену еще больше. Она точно помнила, что неделю назад у них побывала налоговая инспекция с обычной проверкой и, просидев полдня, уехала. Никаких претензий к концерну они не предъявили. И вот теперь налоговая полиция... Все это очень странно.

Она вернулась к себе, села за стол и стала ждать. Ждать ей пришлось недолго. В приемную без стука ворвалась группа парней в масках. Они рассыпались по помещению, двое молча встали у дверей, видимо, кого-то пропуская вперед. И действительно, следом за ними в приемную быстрым шагом вошел невысокий плотный брюнет с проседью. По повадкам он был явно начальником.

— Ну что, барышня, — начал он насмешливо, не поздоровавшись и не представившись. — Я надеюсь, ваш шеф, уезжая, не запер свой кабинет? — И он мотнул головой на обитую кожей дверь в кабинет Игнатова. — Встаньте из-за стола и отойдите к окну!

Седоватый брюнет обернулся к своим бойцам и кивком отдал приказ: мол, начинайте!

— Покажите мне ордер на обыск! — срывающимся от волнения голосом бросила Лена, поднявшись. Она впилась ногтями в столешницу, стараясь подавить охватившую ее дрожь. — И представьтесь, пожалуйста!

Брюнет удивленно вскинул брови:

— Ишь ты какая отчаянная! Отважный котенок! — И, насупившись и понизив голос, он рявкнул: — Я — генерал-полковник эм-вэ-дэ Урусов, милая! И я произвожу обыск по постановлению генеральной прокуратуры!

Самый высокий «налоговый полицейский» метнулся к двери с табличкой «Генеральный директор» и взялся за бронзовую ручку. Но Лена с ловкостью пантеры опередила его и преградила путь. Парень явно смутился и повернулся к Урусову, ожидая дальнейших указаний.

А того поведение секретарши отчего-то развеселило. Он подошел к ней и, взяв за плечо, крепко сжал, так что Лена ойкнула от боли.

— Ну что ж ты, целка, ойкаешь! Я еще до тебя даже не дотронулся, а ты уже вякаешь! — со злобной ухмылкой произнес генерал-полковник. — Давай, Ерофеев, действуй, что стоишь!

«Налоговый полицейский» Ерофеев решительно рванул дверь на себя и скрылся в кабинете. За ним последовали еще трое. Лена попыталась вырваться из рук Урусова, но тот вцепился в нее мертвой хваткой.

— Куда, отважный котенок! — Урусов хищно лизнул взглядом ее грудь, бедра, потом снова уперся маслянными черными глазами в ее грудь. — Какой ты миленький котенок! А ну-ка скажи мне, котенок, где твой хозяин держит документики? Ты хочешь, наверное, знать, что тут делает налоговая полиция и я, генерал милиции? Отвечу, киска. На него имеется оперативный материал, что он не все налоги платит в госбюджет! И вообще за ним длинный-предлинный шлейф тянется всяческих пакостей. Твой шеф Владислав Геннадьевич Варягов... то есть Игнатов... — Урусов гадко хохотнул, осознав, какую он сделал забавную оговорку, — по уши в дерьме! И теперь ему не отмазаться, как бывало в прошлые разы! — Урусов внезапно впал в ярость. Его глаза помутнели, лицо побагровело, и он отшвырнул Лену в сторону, так что она, споткнувшись, едва не упала на ковер.

В это мгновение из кабинета генерального директора вышли трое «налоговиков».

— Ну! — с надеждой бросил им Урусов. — Есть что-нибудь?

Тот, кого он называл Ерофеевым, покачал головой:

— Ничего, товарищ генерал-полковник.

Урусов молча глянул на Лену.

— А ты, конечно, не знаешь, где он хранит свои документы?

Лена уже немного оправилась от первоначального испуга.

— Никаких документов я вам не покажу! Вы мне не предъявили ордер! — повысила она голос. — Без ордера вы не имеете права искать...

— Ах, не имею! — заорал Урусов. — Ерофеев! Дмитриев! Поищите-ка у этой девицы в столе! Может, найдете что интересное. А потом оформите по полной программе!

«Налоговый полицейский» Дмитриев подскочил к столу Лены и, повернувшись к ней спиной, начал один за другим выдвигать ящики. Через минуту он торжествующе извлек из самого нижнего целлофановый пакетик с белым содержимым.

— Есть!

— Что там? — невозмутимо поинтересовался Урусов.

Дмитриев надорвал пакетик и, взяв щепотку порошка, поднес к носу.

— Героин, товарищ генерал-полковник.

— Ай-яй-яй, отважный котенок. Так ты у нас марафетница! — укоризненно заметил он. — Что ж, придется тебя задержать. До выяснения всех обстоятельств.

И после этих слов, точно они того только и дожидались, парни в камуфляже заломили Лене руки за спину, защелкнули наручники на запястьях и повели по коридору к выходу.

Вот тут она впервые по-настоящему испугалась. А когда ее грубо затолкали в темно-серый фургон, совсем пала духом...

Грузовик сильно трясло на ухабах. Двигатель мерно урчал и временами, сбрасывая скорость на поворотах, сердито взревывал, точно переключение передачи причиняло ему нестерпимое страдание. Начался дождь, и крупные капли нервно выбивали тихую дробь по крыше.

В кузове-фургоне с надписью «Хлеб» была тьма-тьмущая. Только через крошечное оконце с матовым стеклом в боковой стенке кузова внутрь проникал смутный сумеречный свет.

Она не понимала, куда ее везут. Она вообще мало что понимала. И единственным чувством, которое владело ею безраздельно в последние несколько часов, был безотчетный животный страх.

Грузовик вдруг остановился. Послышались шаги, громыхнул замок, и дверца распахнулась.

— Выходи! — рявкнул незнакомый хриплый голос. Женский голос.

Лена неловко выбралась из темного кузова и по приставленной лесенке спустилась на землю. Уже сгустились сумерки, но она хорошо рассмотрела то место, куда ее привезли. Грузовик стоял на мрачном дворе, окруженном высокой краснокирпичной стеной и железными воротами. Перед ней стояла низкорослая толстая женщина в военной форме цвета хаки. На голове у нее была грязная пилотка, на толстых ногах, похожих на перевернутые вверх дном бутылки из-под шампанского, были надеты сапоги. Рядом с ней стоял «налоговый полицейский» Дмитриев.

— Значит, она? — хмуро поинтересовалась женщина в пилотке. — Наркотики, говоришь? Ну ничего, тут мы ее отучим от этой гадости — выйдет на свободу с чистой совестью и без вредных привычек. — И хрипло расхохоталась.

— Послушайте! — Лена уже поняла, что ее привезли в тюрьму. — Послушайте! Я требую, чтобы вы поставили в известность моего начальника Игнатова Владислава Ген...

— Теперь я твой начальник, красавица! — оборвала ее женщина в пилотке. — И со всеми вопросами ко мне! Сейчас мы ее отправим в баню, — понизив голос, сообщила она Дмитриеву, — оформим, а завтра я доложу. Езжайте. Мы тут сами управимся.

После этого Лену повели в «баню» — холодную душевую с крохотными окошками под потолком, неровным бетонным полом и стенами, кое-как выложенными грязно-белым кафелем. Лену сопровождала все та же тетка в пилотке.

— Раздевайся! — коротко скомандовала тетка.

— Послушайте! — твердо заявила Лена, словно очнувшись наконец от оцепенения, в которое она впала после того, как ее упрятали в фургон с надписью «Хлеб». — Я не понимаю, что происходит. По какому праву меня сюда привезли! Я что, арестована или похищена? Я не буду раздеваться. И вообще я требую...

И тут тетка сделала нечто совершенно ужасное: она со всего размаху влепила Лене оглушительную пощечину, так что девушка едва не потеряла равновесие.

— Да вы что себе позволяете! — начала было Лена, и вдруг слезы так и брызнули у нее из глаз. Она зарыдала громко, трясясь всем телом и нервно всхлипывая.

— Наркоманка х...ева! — заорала тюремщица. — Тут те не Москва! Ниче! Я тя в два счета обломаю! Будешь у меня в камерах полы мыть и сральники языком вылизывать. Я те покажу «позволяете»! Марш мыться, сука!

Всхлипывая и вздрагивая, Лена поплелась в угол раздеваться. Она ломала голову, теряясь в догадках, что бы это все значило. Одно она поняла сразу: с Владиславом приключилась какая-то беда. Страшная беда, иначе бы налоговые полицейские, или милиционеры, или кто они там на самом деле, не осмелились вот так вломиться к нему в офис, перевернуть все вверх дном, арестовать его секретаря.

Лена встала под душ — вода текла еле-еле и была обжигающе холодной.

Тем временем в помывочную вошла еще одна женщина в форме — тощая и высокая как жердь. Она принесла какую-то ужасную простыню и серое тряпье. Тетка в пилотке ушла. Лена, стесняясь, встала к ней боком и выжидательно стала смотреть.

— Ну че вылупилась? Иди вытирайся и одевайся! — грубовато бросила жердь. — Что, познакомилась?

— С кем? — не поняла Лена и, прикрывая грудь и пах, подошла.

— С ковырялкой нашей, с Груней-начальницей. Она начальник СИЗО, — пояснила жердь. — А я тут навроде завхоза. С чем пожаловала к нам?

И Лена вдруг ощутила странное чувство доверия к этой высокой женщине с суровым лицом, но, по-видимому, незлобивым сердцем. Слезы вновь навернулись ей на глаза.

— Я сама не знаю! Сегодня в Москве налоговая полиция провела обыск у моего начальника — генерального директора крупной фирмы, — торопливо заговорила она, кое-как вытершись и натягивая на себя казенную рубашку и стираный-перестираный серый халат. — А я его секретарь. Так пока они рыскали у меня в столе, подкинули мешочек с каким-то белым порошком. А потом тот, кто его сам и подкинул, понюхал и сказал их старшему, что это, мол, героин...

Завхоз понимающе кивнула:

— Да ясно, будто не знаем, как оно бывает. Ну тогда надейся, пока тебя твой начальник не вытянет отсюда. Сюда тебя не зря привезли с Москвы. Тут у нас знаешь что? Безнадежное СИЗО.

— Где я хоть? — Лена вдруг с изумлением поняла, что даже не знает своего местонахождения.

— В Волоколамске. А что, тебе даже не сказали, куда везут? — удивилась завхоз.

Лена не ответила. Застегнув халат на оплывшие после сотен стирок белые пуговицы, она двинулась к выходу.

Потом завхоз передала ее очередной толстой тетке в форме и в пилотке, и та повела ее по длинному мрачному коридору с бетонированными стенами. Около двери с номером 34 тетка остановилась и тихо скомандовала: «Встать лицом к стене!»

Громыхнул замок, и Лена оказалась в камере — низком душном помещении, заставленном двухъярусными койками. Почти все койки были заняты. На них лежали и сидели женщины. Лена увидела, что свободной оставалась только самая ближняя койка. Она подошла к ней и встала, не зная, что делать дальше.

— Да садись, садись, не бойся! — подбодрила ее беззубая баба с морщинистым испитым лицом и набрякшим синим фингалом под глазом. — Что, на вокзале взяли? Дембелю в кустах отсасывала? — И баба разразилась громким мерзким хохотом. Потом, заметив, как лицо новенькой передернулось, злобно прошипела: — Да ты не кривись, столичная! Привыкай! Мы народ простой, университетов не кончали. И по «метрополям» с иностранцами не блядовали. Мы тут все девки правильные — одну повязали за мордобой, другую за х... с трубой. А тя за что?

Ошеломленная такой словесной атакой, Лена непонимающе заморгала.

— То есть как за что?

— За блядки или за прятки? Вот за что!

Лена села на край железной койки и опустила плечи.

— Не знаю. Мне наркотики подбросили.

— А! — Беззубая соскочила на пол. Она оказалась бабой рослой, под сто восемьдесят. — Ну тогда помарафетимся вместе. — С этими словами беззубая подошла к Лене и, взяв ее за руку, рванула вверх. Потом вдруг задрала ей халат, резко просунула потную пятерню под резинку трусиков и стала ощупывать пах и промежность.

Лена дернулась в сторону, но беззубая крепко держала ее другой рукой за шею.

— Куда, курва! — взвизгнула тетка с синяком под глазом. — Ты не вырывайся, чувара! А то мы тя щас всей камерой разложим на нарах как цыпленка табака и умудохаем насмерть! Стой смирно! Тебе еще наша кума осмотр не устраивала? Баба Груня тебя еще не щупала? И ты ей клитор не сосала? ну ниче, завтра она тебя осмотрит. — И, вытащив руку, удовлетворенно заключила: — Хорошая манька. Наверно, мужикам нравится. Наверно, мужики любят тебя там языком лизать. Ну и ладненько, теперь мы тебя полижем. — И беззубая снова разразилась срывающимся хриплым хохотом.

Она была на полголовы выше Лены и явно сильнее. Но Лена об этом как-то не подумала. Отвратительные грязные слова обитательницы камеры и прикосновения ее мерзких похотливых пальцев возбудили в ней вдруг страшную злобу и даже ярость — она низко завыла и накинулась на свою обидчицу с кулаками, но ее слабые удары почти не достигали цели.

Зато беззубая оказалась прыткой и умелой драчуньей. Она схватила Лену за волосы, рванула так, что у Лены слезы брызнули из глаз, а потом ткнула ее коленом в пах, и Лена упала на койку. Беззубая прыгнула на нее сверху, навалилась всем своим внушительным весом и стала душить. Лена инстинктивно вцепилась ей в плечи, пытаясь сбросить с себя. Но силы были неравны. Скоро Лене уже не хватало воздуха, и она беспомощно застонала. Руки ее бессильно упали на одеяло. Она потеряла сознание.

...Когда Лена очнулась, она поняла, что лежит на койке, прикрытая тонким вонючим одеялом. В помещении было темно. Рядом с ней сидела незнакомая женщина в сером халате.

— Ну, пришла в себя? — незлобиво проговорила женщина. — Как тебя зовут?

— Лена. Сорокина.

— Ну вот что, Лена Сорокина. Если хочешь дожить до суда, советую тебе вести себя тихо. И на Бананку руку не поднимай — она и убить может.

— До какого суда? Какая Бананка? — Лена поднесла руку ко лбу. — Вы кто?

Женщина усмехнулась:

— Я Зина.

— Где я?

— Уже забыла? В Волоколамском СИЗО. Наше СИЗО знаменито на всю Россию... Тихо! — Зина поднесла ладонь к Лениным губам. — Уже отбой был. Разговаривать надо тихо. Если ты девочек разбудишь, завтра могут тебя наказать. А это, поверь мне, не самое приятное удовольствие на свете.

— А мы ее так и так накажем! И ты, Зинка, ее не умасливай! — раздался откуда-то сверху громкий голос. Лена его сразу узнала: беззубая! — Надо же ее подготовить к бабе-Груниному осмотру!

Зина наклонилась к Лене и зашептала ей в ухо:

— Это Бананка — она тут вроде старосты. Противная баба, сидит тут уже второй месяц, но что-то выходить не собирается — похоже, она стукачка. Начальнице женского отделения стучит на нас. Ты ведь познакомилась с начальницей?

— Это такая низенькая, толстая, в пилотке? — вспомнила Лена.

— Она самая.

— А вы тут почему сидите?

Зина ответила не сразу. Она тяжело вздохнула и отрезала:

— Да я своего мужика «прибила».

— Как это прибила? — не поняла Лена.

— Как-как... Сядь да покак! — грубовато ответила Зина. — Молотком по лбу врезала — он и копыта откинул.

Лена не поверила своим ушам. Ей подумалось, что Зина просто шутит. Но та словно прочитала ее мысли и добавила:

— Он пил как сволочь. Как напьется — так руки распускает. А напивался он, сволочь, сначала по пятницам, потом еще и по средам, а под конец вообще каждый день. Меня колотил — я бы стерпела, да он дочку Людочку чуть не пришиб. Вот тогда-то я и не вытерпела... Насмерть. Вот так-то. Адвокат у меня хороший попался, кстати, из Москвы. Хочет доказать, что я в эффекте его убила. То есть психанула и своих действий не осознавала.

Зина поднялась с койки и молча побрела прочь. Лена повернулась на правый бок и закрыла глаза. Она старалась поскорее заснуть, чтобы проснуться и осознать, что все случившееся с ней сегодня вечером не более чем жуткий сон.

...Но наутро стало ясно, что это не сон. Обитательниц камеры № 34 подняли в шесть. После нехитрого утреннего туалета принесли завтрак — пшенную кашу, чай. Но Лене есть совсем не хотелось. Она поковыряла глиноподобную массу в алюминиевой миске и отставила.

— Че, жрать не хочешь? Не проголодалась? — гаркнула беззубая Бананка. — Ну ниче! День не пожрешь, два не пожрешь, а на третий ты все схаваешь, да еще и миску сгрызешь! — И она разразилась своим непотребным хохотом.

Сразу после завтрака пришла надзирательница и вызвала Лену к начальнице.

Баба Груня сидела за обшарпанным столом в тесном кабинетике с зарешеченным окном. Она была в форме, но без пилотки. Седоватые сальные волосы были туго стянуты на затылке в пучок. Начальница строго глянула на Лену и завела разговор:

— Ну что, Сорокина, скажешь? Как тебе наше хозяйство? Понравилось?

Лена молча покачала головой.

— Правильно. Ничего тут хорошего нет. И не жди. Вот тебе мой совет — ты лучше не молчи, а расскажи всю правду.

— Какую правду?

— Ты отлично понимаешь, Сорокина, почему ты здесь. У тебя нашли наркотики. Да еще твой начальничек, как выясняется, большой ворюга. Так что ты, можно сказать, подельница, Сорокина.

— Если меня в чем-то обвиняют, пусть предъявят обвинение! — чуть не закричала Лена.

— Предъявят, предъявят, не сумлевайся! Коли о тебе заботу проявляет сам генерал-полковник... то, значит, и ты птица немалая! На десять суток тебя сюда поместили, а там, глядишь, и до суда рукой подать. Но я тебя позвала не для того. У нас в Волоколамске тут тихо. Вроде до Москвы близко, всего сотня километров с небольшим, но как будто за Уралом. Кричи — не докричишься, жалуйся — не дожалуешься. Вот так-то. — Начальница оглядела ладную фигуру Лены и добавила: — А ты девка славная. Тебе лет-то сколько? — И, не дожидаясь ответа, продолжила: — Двадцать три. Может, целочка еще? Жаль, если тебя в камере испортят.

Баба Груня встала из-за стола и подошла к Лене вплотную. И вдруг положила свою тяжелую ладонь ей на грудь и крепко прижала.

— И сиськи у тебя сочные. И промеж ног, верно, жарко.

— Что, полизать захотелось? — вдруг вырвался у Лены дерзкий вопрос.

Баба Груня так и вспыхнула — то ли от гнева, то ли от возбуждения.

— А ты на язычок остра, девка! Ну гляди, дохохмишь! — Начальница женского СИЗО вернулась за стол и надавила пальцем на потайную кнопочку под столешницей. В кабинет через боковую дверь в стене тут же вошли два дюжих охранника — один помоложе, другой постарше.

— Вот что, Пахомов, — обратилась начальница к охраннику постарше. — К нам вчера вечером поступила новенькая. По наркотикам проходит и, возможно, по соучастию в организованной преступной группе. Вы познакомьте ее с нашими порядками. А то она пока слабо себе представляет, что у нас тут такое.

«Боже мой, — пронеслось у Лены в голове. — Что она задумала, эта страшная тетка! Владислав, где ты? Что с тобой? Когда же ты вытащишь меня из этого ада?»

Охранники взяли ее под руки и поволокли в боковую дверь. Она не сопротивлялась, понимая, что это совершенно бесполезно и что она полностью во власти этих монстров.

Они оказались в тесной комнатушке без окон. Посреди комнатушки стоял высокий стол на тонких ногах — вроде операционного. Молодой захлопнул дверь. Второй охранник коротко приказал ей лечь на стол. Она повиновалась, предчувствуя что-то страшное. Ее заставили снять тюремный халат и привязали руки и ноги к столу. Потом началось самое отвратительное. Молодой охранник взгромоздился на девушку и, грубо и неумело тиская ее груди, вонзил свое горячее орудие...

Она закрыла глаза и закусила губы. «Нет, — решила Лена, — я не стану молить о пощаде, не буду плакать — будь что будет».

Охранники по очереди насиловали ее, и, кажется, эти скоты не знали усталости. Чудовищная экзекуция продолжалась долго — может быть, час, а может быть, и два. Наконец они оставили ее в покое. Дверь распахнулась, в комнатушку брызнул поток света.

Лена медленно оделась и пошатываясь вышла в кабинет начальницы. Баба Груня сидела за столом и что-то писала. Взглянув на узницу исподлобья, она насмешливо поинтересовалась:

— Ну, получила удовольствие? Ладно, иди подумай.

В кабинет вошла надзирательница.

— Уведи Сорокину обратно! — распорядилась начальница.

Уже выходя из кабинета, Лена обернулась и тихо проговорила:

— Теперь моя самая большая мечта — посмотреть на твою рожу, баба Груня, когда тебя найдет Владислав Игнатов!

Глава 20

Что-то не складывалось. Что-то не вырисовывалось. У него создалось впечатление, что где-то он прокололся. Но где? И точно ли он сам виноват, точно ли он чего-то недодумал, не просчитал? А может быть, он просто стал жертвой коварного плана, о котором не догадывался?

Евгений Николаевич подошел к окну и выглянул на улицу. Внизу за решеткой ограды вокруг здания Министерства внутренних дел сновали люди, текли вереницы машин и автобусов. Вдалеке у станции метро в этот ранний час лоточники подготавливали свои торговые места, раскладывая бананы, апельсины, яблоки, помидоры... Он всегда, когда обмозговывал какие-то непростые дела, подходил к окну и рассеянно глядел вниз, в то время как его мысли уносились далеко-далеко...

Накануне утром Урусов вызвал в этот кабинет старшего лейтенанта Артема Свиблова — здоровенного брюнета, неизменно сопровождавшего его в поездках на Речной вокзал, — и отдал ему приказ: в радиусе двухсот метров от ресторана «Золотая нива» на Дмитровском выставить дозоры. Хитрый Урусов прекрасно понимал, что, хотя Варяг, как и подобает уважаемому законному вору, приедет на большой сходняк без охраны, все равно за ним на подстраховку увяжутся какие-нибудь его «солдаты». И он решил на всякий случай подстраховаться. Урусов не ошибся. Варяг и впрямь взял с собой людей — тройку разведчиков, которых и повязал, вернее, чуть не повязал старлей Исаев. Этим троим удалось от мудака старлея уйти. Но это была еще не беда.

Беда пришла поздно вечером, когда Урусов узнал, как подло его обманули. Просто-таки надули, как сопливого лоха у метро, клюнувшего на предложение сыграть в «беспроигрышную лотерею». Его люди повязали Варяга прямо в банкетном зале на глазах у заговорщиков. Засунули в багажник джипа. Джип укатил, а его люди ушли из ресторана через служебный выход. Но потом вдруг выяснилось, что сунули Варяга не в черный «рейнджровер», а в темно-синий «шевроле-блейзер». «Рейнджровер» постоял-постоял у «Золотой нивы», да и уехал ни с чем... А откуда взялся этот «блейзер», одному аллаху ведомо.

Урусов понимал, что его ребят в этом винить не стоит. Они выполняли приказ. И в суматохе сунули клиента в джип, но не могли же они знать, что это не тот джип! Вот только как же так получилось, что этот хренов «блейзер» подкатил к ресторану в нужный момент — когда Игнатова уже волокли по коридору к выходу. Значит, кто-то дал сигнал. Значит, в ресторане у них был свой человек, связник.

И сейчас Урусова беспокоило только одно — кто задумал против него эту хитроумную игру? Спросить об этом он мог только у одного человека, с которым он уже несколько месяцев контактировал по этому делу, — у Александра Ивановича Сапрыкина. Но Сапрыкин ему настрого запретил звонить на работу, в Кремль. А на дачу в Жуковку-5 Урусов вчера звонил весь вечер, но без толку. Никто не брал трубку. Только срабатывал определитель номера. Урусов представил себе миленькую картину: сидит гад Алик перед своим телефоном, заглядывает на светящееся табло АОНа и решает: так, на этот звонок отвечу, а на этот — нет.

Подозрения Урусова в том, что с ним ведут двойную игру, подтвердились и укрепились, когда майор Шапкин, которого он с отрядом спецназа отправил на дачу на Никитину Гору, позвонил ему поздно вечером и доложил, что опоздали и на даче уже побывал кто-то до них.

— Кто, мать вашу, там побывал! — заорал вне себя от ярости Евгений Николаевич. — Кто там мог быть?

— Евгений Николаевич, товарищ генерал... — продолжал невозмутимо Шапкин. — Мы туда не одни приехали.

— Да? — насторожился Урусов. — Ну-ка давай подробности!

— Чтобы не привлекать внимания, мы на Никитину Гору отправились на служебном «москвиче». Как раз перед поселком на шоссе нас обогнала «хонда» с одним пассажиром. Мы сначала не придали этому значения — ну «хонда» и «хонда»... Пока по поселку колесили, пока дачу эту искали, прошло минут пятнадцать, если не двадцать. Словом, подъезжаем к месту — видим: стоит перед дачей Нестеренко та самая «хонда», которая нас подрезала. Тогда мы немного вперед проехали. Только собрались выходить — видим: вылетает из калитки такой плотный блондин, мужик лет сорока пяти. Ну, выбежал он на аллею, сел за руль и рванул...

— Так что ж вы его не взяли? — оборвал собеседника Урусов.

— Евгений Николаевич! — обиженно воскликнул Шапкин. — Нам же надо было в дом зайти — все там осмотреть! У нас был приказ дачу проверить, а не «хонду» преследовать!

— И что же в доме? — нетерпеливо поинтересовался генерал.

— Пусто. Ни людей, ничего... Все раскидано — бумаги, одежда... Явно шмонали.

— Что, водитель «хонды»? — предположил Урусов.

— Вряд ли это тот, из «хонды». Если бы он один там шмонал — полчаса-минут сорок не меньше бы у него на это ушло. Там явно орудовала бригада. Я так думаю, Евгений Николаевич, что тот блондин тоже не меньше нашего удивился тому, что увидел. Там явно кто-то побывал еще раньше.

— Выводы? — злобно пробурчал Урусов.

— Значит, полный облом, товарищ генерал, — после паузы смущенно проговорил исполнительный майор Шапкин.

«...Все верно, — подумал Урусов, отходя от окна и садясь в кожаное кресло. — Все правильно сказал майор Шапкин. Облом. Значит, за его спиной кто-то ведет свою тайную игру».

Но кто этот невидимый и неведомый игрок? А точнее, целая команда, потому что ему дали добро на операцию по устранению Игнатова и заверили, что вся ответственность возлагается именно на него, генерал-полковника Урусова. Но выходит, не все так просто. Выходит, параллельно с ним они пустили по следу Варяга еще одну бригаду. И эта бригада сыграла на опережение!

На даче Нестеренко, как понял Урусов из отрывочных обмолвок Алика Сапрыкина, Игнатов хранил в тайнике часть воровской казны — общака. И эта часть общака была лакомой добычей для очень многих. Для тех законных воров, которые заложили своего смотрящего, и для кремлевских заговорщиков во главе с Аликом Сапрыкиным, и для самого генерала Урусова. Но, судя по всему, общаковские деньги пропали. Шмон на даче Нестеренко — не случайность, и неизвестные шмонари искали — и по всей видимости, нашли — то, что им требовалось. И Варяг ускользнул у него из рук — как жирный сазан слетает с крючка в тот самый момент, когда незадачливый рыбак норовит подвести ему под хвост садок.

Да, облапошили. Причем генерал-полковник Урусов вовсе не исключал, что это все работа самого Сапрыкина, который просто его руками провернул свою операцию, оставив его, Урусова, в дураках...

Хотя почему же в дураках? По крайней мере одну рыбку он поймал — секретаршу Игнатова Елену Сорокину. Уж она-то точно парится в укромном месте, и никто, кроме него, не знает — где!

И тут в голову Евгению Николаевичу пришла блестящая мысль. А что, если эта девица в курсе игнатовских дел — не только официальных, но и, так сказать, неофициальных? Чем черт не шутит, может быть, сапрыкинские орлы ни хрена не нашли на даче? Может быть, Игнатов держит свой клад вовсе не на Никитиной Горе, а... где-то еще — и Сорокина это знает...

Тогда надо с ней побеседовать, как говорится, «попристальнее». И генерала Урусова вдруг охватило щемяще-сладкое предвкушение увлекательного «допроса» молодой девки...

Глава 21

Начальница женского специального следственного изолятора № 345 Волоколамского района Аграфена Петровна Дардыкина с утра была не в духе. Из райцентра опять не перечислили деньги, которые вот уже третий месяц болтались где-то между Москвой и Волоколамском, и теперь под вопросом остались закупки продовольствия на весну. Да и инвентарь пора было обновлять. Но самое неприятное — это полная неясность со спецзаключенной из Москвы Сорокиной. Сегодня утром позвонил сам генерал Урусов и предупредил, что заедет днем потолковать с Сорокиной.

Аграфена Петровна — или, по-здешнему, баба Груня — четко выполнила устное пожелание Урусова, но, зная прихотливый нрав московских начальников, гадала теперь, как отнесется вспыльчивый генерал к состоянию Сорокиной. Девку держали в общей камере с самыми отъявленными подонками — среди наркоманок, алкоголичек и воровок наиболее приличной в камере была мужеубийца Зинаида Копылова. Сорокину уже дважды насиловала самая отвратительная обитательница камеры Бананка, которую побаивалась даже баба Груня. Вчера вечером начальница СИЗО случайно присутствовала при этом — сцена, надо сказать, была не из приятных: Сорокину держали за ноги и за руки две Бананкины «сосалки», а сама Бананка заставляла свою жертву довести ее до оргазма.

Баба Груня и сама была не прочь порезвиться с Сорокиной, но ее удерживал безотчетный страх: понимая, что у генерала Урусова на ее счет имеются какие-то свои тайные намерения, она боялась к ней прикоснуться пальцем. Если что, если положение Сорокиной вдруг изменится — а такое в этом СИЗО бывало нередко — и ее помоют, оденут и с сиренами повезут обратно в Москву, кому-то ведь придется отвечать за все те истязания, которым заключенная под стражу без суда и следствия и, похоже, даже без постановления прокуратуры подвергалась в этом учреждении. Во всяком случае, отвечать придется не Аграфене Петровне, а кому-нибудь другому — да хоть бы самой этой мерзопакостной Бананке...

Она никогда еще до сих пор не встречалась с генерал-полковником Урусовым лично и перед встречей волновалась.

Евгений Николаевич приехал вместе с человеком, который доставил Сорокину сюда позавчера, кажется, его фамилия была Дмитриев. Евгений Николаевич был не в генеральской форме, а в цивильном — в черных узких брюках, в темно-сером свитере и в ковбойских полусапожках на каблуке. Баба Груня сильно удивилась такому странному наряду высокого московского генерала, но виду не подала.

— Я вам ее приведу в комнату для допросов, — после приветствий сообщила начальница женского отделения.

— Да, — важно заметил генерал Урусов. — И я вас попрошу, чтобы нас никто не тревожил. Думаю, мы с ней проговорим не меньше часа. И дайте мне ключ от комнаты.

— Конечно, товарищ генерал! — по-военному четко отрапортовала женщина в пилотке. Она вызвала охранника и поручила ему проводить гостя.

Оставшись один в комнате для допросов, Евгений Николаевич оглядел стены, зарешеченное окошко, колченогий стул перед письменным столом и древний продавленный диван в углу. Он еще не знал, как построить беседу с Сорокиной — то ли взять ее на испуг, то ли на жалость. Одно он знал твердо: надо было любым способом выведать у нее все, что ей было известно о воровских делах Игнатова...

Дверь с металлическим скрипом отворилась, и Урусов увидел Сорокину. Точнее сказать, едва узнал Елену Сорокину в отощавшей, бледной как смерть женщине, которая выглядела на добрые сорок лет. «Ну, эк за двое суток доконали ее», — подумал про себя Урусов и кивком приказал охраннику выйти. Подойдя к двери, он сунул ключ в замочную скважину и дважды повернул.

— Садитесь, Сорокина. — Он указал рукой на стоящий посреди комнаты стул, а сам сел за письменный стол. — Я хочу задать вам несколько вопросов касательно вашего начальника Владислава Геннадьевича Игнатова...

Он сделал многозначительную паузу. Долгий опыт общения с арестованными, осужденными, обвиняемыми и заключенными самого разнообразного психологического склада научил Урусова некоторой тактике разговора. Самое главное в этой тактике было умение успокоить, потом усыпить бдительность собеседника, а затем загнать его в ловушку внезапным вопросом. Так он решил действовать и на этот раз. Первый вопрос заставил Сорокину психологически подготовиться к разговору об Игнатове. Но Урусов резко сменил тему.

— Скажите, на даче на Никитиной Горе вы давно живете?

— Полгода, — неуверенно ответила Лена, не глядя на него.

— Вы родственница Игнатова?
— Я няня его дочери.
— У него ведь сын...

Ее губы вздрогнули. «Так, — довольно подумал Урусов, — попал».

— Его сын погиб. У него осталась дочь.
— А каким образом вы совмещаете обязанности няни и личного секретаря гражданина Игнатова?

Она не ответила и, впервые подняв взгляд на Урусова, твердо произнесла:

— Почему меня здесь держат? Меня в чем-то обвиняют?

Урусов на мгновение растерялся. Опять она за свое!
— Вас обвиняют, во-первых, в хранении наркотиков, а во-вторых и в-главных, в пособничестве криминальной деятельности Игнатова Владислава Ген...
— Наркотики мне подбросили! Если вы провели экспертизу того пакета, вы не могли найти там отпечатков моих пальцев!
— Оставим пока тему наркотиков! — раздраженно отрезал генерал Урусов. — Меня интересует ваше участие... ваше соучастие в преступной деятельности Игнатова! Сколько вы были его секретарем?
— Три недели...
— За эти три недели через ваши руки наверняка проходили бумаги, документы... вы были свидетельницей разговоров Игнатова... о финансовых операциях, которые проходили мимо бухгалтерии «Госснабвооружения». Так?
— Нет! — твердо, даже чуть насмешливо ответила Лена. — Я не имею отношения к финансовым вопросам. Однако мне известно, что у «Госснабвооружения» вся бухгалтерия белая. Мы имеем дело с министерствами, и, если уж вы хотите покопать нас на предмет черных финансов, попробуйте копнуть, например, в Министерстве обороны.

— Ты меня не учи, поганка, как мне работать! — вскипел Евгений Николаевич и, схватив девушку за локоть, с силой сжал. — Отвечай на вопросы! И не рассуждай тут! Ты жила на Никитиной Горе пять месяцев. За это время Игнатов там ночевал постоянно?

— Постоянно, — спокойно сказала Лена, не делая ни малейшей попытки вырваться из стальных тисков.

— Так, — Урусов немного успокоился и выпустил худой локоть, на котором тут же вылезли синяки — следы от его пальцев. — Ты должна была заметить, был ли у него там... ну, скажем, тайник, где он хранил особо важные документы, деньги...

— Был! — вдруг громко воскликнула Лена и криво улыбнулась. — Был у него тайник. В дупле дерева. Он в том дупле хранил фантики от конфет!

Урусов подскочил на стуле и со всего размаха влепил ей оплеуху. Удар был настолько силен, что Лена рухнула со стула на пол. В голове у Урусова мелькнула похожая сцена: комната на втором этаже ресторана Речного вокзала, наглая девица в майке, из-под которой дерзко торчат две высокие сиськи... Он тогда славно ее уделал.

Евгений Николаевич почувствовал, как по бедрам побежал похотливый огонек. Но нет, надо хоть что-нибудь вызнать у этой шлюшки. Он поднял Лену за руку, усадил на стул и, нависнув над ней, тихо сказал:

— Отвечай на вопросы, паскуда. Для тебя же лучше. Отвечай! Не умничай. А то я тебя на кол посажу — клянусь, падла, на кол посажу — прямо жопой! Где у Игнатова на даче тайник? Где он хранит общак? Ты знаешь, паскуда, что он рецидивист, вор в законе, убийца? Кого ты покрываешь, дура? Тебе тут, в СИЗО, что, хорошо? Хочешь на настоящую женскую зону загреметь? Я это удовольствие тебе устрою. Там тебе это СИЗО раем покажется! Говори, падла! Где у Варяга там тайник?

У Лены из носа хлынула кровь. Она положила руки на стол и бессильно уронила лицо на ладони. Урусов тряхнул ее за плечи, потом, собрав в кулак волосы на затылке, резко поднял голову: Сорокина была в обмороке.

Евгений Николаевич обвел взглядом комнату в надежде найти графин с водой. Ни хрена! Он с усилием откинул обмякшее тело Сорокиной на спинку стула и рывком распахнул серый тюремный халат. Под халатом у нее ничего не было — только две упругие груди с темными кружочками бугристой кожи вокруг крупных розовых сосков. Урусов положил правую ладонь на одну грудь и сжал. Потом взялся левой рукой за другую грудь. Затем стал неистово мять их, гладить и щипать. Сорокина застонала.

Генерал порывисто сорвал с нее халат. Его взору предстало молодое девичье тело — все в синяках от многочисленных побоев. На полных ляжках с внутренней стороны виднелись свежие багрово-синюшные пятна. Он повалил бесчувственное тело на пол, поспешно скинул с себя одежду и уверенно направил свой мгновенно восставший клинок по излюбленному маршруту. Его охватил бешеный восторг. Никогда ему еще не доводилось трахать такую девку — то ли спящую, то ли мертвую... Они почти всегда сопротивлялись, визжали, царапались, кусались, дрались... Но эта, которая была безмолвна, податлива и покорна, возбудила его так, как никакая раньше.

Он вторгался в нее как не знающий усталости механический поршень. Через несколько минут Евгений Николаевич возлег на нее всем своим весом, продолжая мять руками раскинувшиеся груди: он сводил их вместе, разводил, поглаживал коричневые круги вокруг сосков, щипал гладкую кожу, точно надеялся привести Сорокину в чувство. Но она лежала с закрытыми глазами и только вся содрогалась в такт его мощным толчкам. Наконец наступила блаженная разрядка.

Урусов встал на колени и, тяжело дыша, поднялся. Сорокина лежала, раскинув руки на полу, и не шевелилась. Ну вот, не хватало еще! Он набросил на нее халат. В сущности, он зря проехал сто километров. Эта сучка ничего ему не сказала, да и могла ли она что-то сказать? Знала ли она хоть что-то важное для него? Вряд ли. Он бросил на нее хмурый взгляд. Ну, поднимайся, что ли. Чего так валяться...

Девушка шевельнулась. Нащупала халат, села, сунула руки в рукава. Не глядя на своего мучителя, завязала пояс, встала пошатываясь...

Евгений Николаевич застегнул брюки, расправил свитер на груди и глухо бросил:

— Ну что ж, как хочешь, Сорокина. Хочешь молчать — молчи. Пеняй на себя!

Черная служебная «ауди» весело бежала по ленте шоссе. Евгений Николаевич сидел на заднем сиденье, уставившись в окно. День прошел впустую. Надо сегодня дозвониться Сапрыкину и постараться выведать, не дал ли он параллельно кому-то задание взять Варяга и пошмонать у него на даче. Конечно, этот кремлевский шакал ничего ему напрямую не скажет, но генерал Урусов тоже не лыком шит — догадается, по голосу догадается, по тону... Придется самому искать. Тем более что по крайней мере один помощничек у него имеется — Закир Большой. На него и надо будет сделать ставку.

Глава 22

Благополучно слиняв от тупых ментов, Николай Валерьянович первым делом известил о случившемся своего верного помощника Сергея Абрамова. Чижевский настрого запретил ему или кому-нибудь из их команды появляться возле его злосчастной квартиры, где наверняка уже произвели обыск и выставили засаду. На всякий пожарный случай Николай Валерьянович имел одну тайную «явку» в Сокольниках — в старом, давно предназначенном на слом доме, откуда еще не все жильцы выехали. Там он буквально за гроши приобрел двухкомнатную квартирку на пятом этаже, где теперь и обосновался. Именно здесь он время от времени проводил оперативные совещания со своими бойцами.

На следующее утро Чижевский собрал их в Сокольниках, и они начали вырабатывать план поисков Игнатова. Понимая, что в условиях, когда пропавший начальник службы безопасности «Госснабвооружения» объявлен в розыск — об этом Николай Валерьянович узнал из утренних теленовостей, — его контакты в силовых ведомствах оказались на неопределенное время заморожены. Ну кто, в самом деле, из заслуженных работников МВД или ФСБ станет сотрудничать с человеком, даже пускай и старинным приятелем, попавшим в черный список спецслужб! Так что приходилось рассчитывать только на свои силы и возможности.

Впрочем, не только. Будучи в курсе сложных отношений Владислава Геннадьевича с криминальными кругами, Чижевский знал, что из крупных авторитетов Игнатова поддерживают питерские, которых «построил» новый тамошний смотрящий Филат, и смотрящие некоторых небольших среднерусских городов, например Саша Турок, смотрящий Твери. И Чижевский решил выходить на них, поскольку больше ему ждать помощи было неоткуда. В Питере это мог сделать только один человек — Сержант.

План был таков. Сержант в Питере находит Филата и с его помощью начинает собирать информацию о возможном местонахождении Игнатова. Одновременно, с той же целью, бывшие военные разведчики Абрамов, Лебедев и Усманов нащупывают контакты с надежными людьми в Москве и в Подмосковье — через Сашу Турка. Этот молодой законный вор, который давно относился к Варягу с уважением, если не сказать преклонением, в кругах российских авторитетов был фигурой незначительной, и самое большое, что ему доверяли, — это сбор дани в Тверской области. Впрочем, он знал кое-кого из крупных авторитетов и за пределами своей вотчины и мог по цепочке установить для Чижевского нужные контакты.

Искать Сашу долго не пришлось: пока Чижевский со своими бойцами обсуждал план ближайших действий в Сокольниках, Турок объявился сам, позвонив Николаю Валерьяновичу на мобильный телефон.

— Извините, Николай Валерьянович, я Владиславу Геннадьевичу только что в офис звонил, но там какие-то стремные мужики трубку берут. Менты какие-то. Что там стряслось?

— Стряслось, Саша, — уклончиво ответил Чижевский. — Сегодня вечером мне надо бы с тобой встретиться. Есть дело. Но об этом при личной встрече...

Чижевского удручала полная беспомощность в сложившейся ситуации. Дело в том, что Владислав Геннадьевич всегда проводил четкую грань между своей деятельностью в «Госснабвооружении» и своими совместными делами с «авторитетными» людьми России, не посвящая в них начальника своей службы безопасности. Конечно, Чижевский знал, какая связь существует между крупным бизнесменом Владиславом Геннадьевичем Игнатовым и вором в законе Варягом, но его интересовал только Игнатов, но никак не Варяг. И если он лично знал и был вправе связываться напрямую со всеми деловыми партнерами, конкурентами и друзьями заместителя генерального директора «Госснабвооружения», то доступа к партнерам, конкурентам и друзьям Варяга у него не было...

И это обстоятельство в данном случае сильно осложнило ситуацию. Потому что теперь речь шла о жизни и смерти Игнатова, и различие между двумя видами его деятельности — официальной и «теневой» — не имело никакого значения. Но не мог же он просто зайти в кабинет Игнатова, взять его записную книжку, найти телефон, допустим, Закира Буттаева и позвонить... Не было никакой записной книжки: секретарь Лена пропала, кабинет Игнатова в «Госснабвооружении» опечатан, в его московской квартире сидели чужие люди, а на Никитиной Горе кто-то все хорошо почистил...

Действовать пришлось с нуля. И вся надежда теперь была на Сержанта, на Сашу Турка... Ну и, конечно, на его собственных сотрудников.

Первым делом Николай Валерьянович направил Ваню Лебедева и Андрюшу Зверька на Речной вокзал — что-нибудь разведать относительно плечистого брюнета, которого Андрюша видел там несколько раз в компании странного мужчины в черной кожаной куртке и который потом чуть не арестовал спецгруппу Чижевского на Дмитровском шоссе. Это была единственная зацепка. Вернее, одна из двух. Второй зацепкой был ресторан «Золотая нива», откуда похитили Игнатова. Там тоже предстояло поработать.

Отправив Лебедева и Зверька на задание, в «Золотую ниву» Чижевский поехал сам, взяв с собой Абрамова.

* * *

Дверь ресторана оказалась открытой. Но посетителей в этот ранний час явно еще не было. Они вошли внутрь. К ним навстречу тотчас двинулся совершенно квадратный человек, не человек, а шкаф — в ширину такой же, как в высоту, с невозмутимым лицом, на котором выделялись маленькие водянистые глазки.

— Вам чего? — просипел он.

— Нам бы пообедать, — спокойно пробасил Чижевский.

— Закрыто. Санитарный день! — Человек-шкаф махнул пухлой лапой на дверь.

— Да? А никакого объявления нет, — озабоченно заметил Чижевский.

— Я тебе заместо объявления говорю русским языком, — повысил голос человек-шкаф. — Или ты по-русски плохо понимаешь? Так я объясню — на пальцах! — И амбал угрожающе сжал пухлую руку в кулак.

Чижевский медленно вытащил из кармана красную книжечку и, раскрыв, сунул ее мордовороту под нос. Тот, едва поглядев в нее, сразу преобразился.

— Ща Филимонова, метрдотеля, позову, — бросил он и, развернувшись на каблуках, исчез за тяжелой занавесью.

— Сработало, — удовлетворенно буркнул Чижевский, убирая книжечку. Это было удостоверение сотрудника Московской налоговой полиции Мартемьянова Ивана Ивановича.

Скоро появился и метрдотель — высокий худощавый блондин с сотовым телефоном на поясе.

— Я вас слушаю! — выдавил он вымученную улыбку.

Чижевский не стал заводить разговор о причине своего появления и предложил пройти куда-нибудь в укромное место, «где бы нам не мешали». Метрдотель провел обоих посетителей через зал в просторную комнату, где стоял длинный банкетный стол и несколько стульев. На столе виднелись следы вчерашней трапезы: неубранные блюда с объедками, грязные бокалы. Чижевский напрягся: он вдруг понял, что именно в этом зале вчера и произошло похищение Игнатова. Значит, он оказался в нужном месте...

— Мы бы хотели заглянуть в вашу бухгалтерию, — начал Чижевский издалека. Богатый опыт работы в спецслужбах давно научил его нехитрой психологии общения с людьми. Если хочешь расколоть или завербовать скользкую или темную личность, надо усыпить бдительность собеседника, а потом внезапно огорошить его таким вопросом, который выбьет клиента из колеи, заставит нервничать, а самое лучшее — перепугаться. Ясно, что метрдотель «Золотой нивы» подходил под эту категорию, и бывший военный разведчик пошел по испытанному маршруту. — Поступили сигналы, что у вас реальный оборот вчетверо превышает показатели отчетности перед налоговой инспекцией. Мне не нужно вам объяснять, что это значит...

— Не нужно, — спокойно ответил Филимонов. — Да только я бухгалтерией не занимаюсь. В моем ведении — кухня, бронирование мест, заказы... Финансовая сторона меня не касается. Вам бы лучше поговорить с нашим главбухом.

— Поговорю, — успокоил его «налоговый полицейский Мартемьянов». — Но есть ряд вопросов, которые только вы можете мне прояснить.

Чижевский ввинтил строгий взгляд в метрдотеля. Держался тот хорошо: спокойно, невозмутимо, без малейшей тени беспокойства. Видно, тертый был калач, а возможно, знал, что у него надежная крыша, и просто так к нему не подъедешь — и не наедешь. «Ну ладно, — подумал Николай Валерьянович, — тогда попробуем взять нахрапом».

— Меня интересуют события вчерашнего вечера, — жестко проговорил он. — Здесь у вас было что-то вроде банкета... И в этом банкете участвовал человек, который очень интересует наше ведомство. — Он сделал многозначительную паузу и сразу заметил, как невозмутимый метрдотель слегка напрягся. — Высокий, светлые волосы, на вид лет сорок или около того. Ямочка на подбородке. Владислав Геннадьевич Игнатов.

— И что Владислав Геннадьевич Игнатов? — севшим голосом поинтересовался Филимонов, зачем-то сняв сотовый телефон с пояса и положив перед собой на стол. — При чем тут мы?

— А при том, господин Филимонов, — продолжал наступать Чижевский, — что он исчез! Пропал — в последний раз его видели именно в вашем ресторане... Вы работали вчера вечером? — вдруг спросил он в лоб.

— Ра... работал, — Филимонов побледнел. В его глазах мелькнула тень страха. «Ага, — подумал Чижевский, — попался птенчик. Рыло-то у тебя в пуху. Сейчас главное не дать ему понять, с какой конкретной целью к нему пожаловал «налоговый полицейский». А лучше дать ему понять, что никакой он не налоговик, а гораздо хуже...»

— ...Следовательно, вы обслуживали этот, с позволения сказать, банкет? И вы не могли не видеть гражданина Игнатова Владислава Геннадьевича! — С этими словами Чижевский полез во внутренний карман пиджака и достал другую ксиву — сильно потертое и давно просроченное удостоверение сотрудника ГРУ МО РФ. Но это была не липа. Он повертел удостоверением перед носом Филимонова. — Прошу прощения, что ввел вас в заблуждение в момент нашего знакомства, — важно произнес Чижевский. — В действительности мы из военной разведки. Могу сказать вам одно. Нас очень интересует гражданин Игнатов. Он по необъяснимым причинам пропал как раз в тот момент, когда им плотно заинтересовались. Расскажите нам в подробностях, что вчера тут произошло. Когда он отсюда уехал. С кем. В котором часу. Хотя бы примерно. И может быть, вам даже известно куда.

Метрдотель сжал сотовый телефон в ладони и ткнул поочередно семь кнопочек, буркнув: «Сейчас расскажу». Поднеся трубку к уху, он через несколько секунд проговорил:

— Тут пришли, интересуются вчерашним. Из органов.

После этого суперкраткого разговора он заметно повеселел.

— В этом зале был банкет. Заказ на двенадцать персон. Скромно, но со вкусом. Рыба, овощи, немного мясных блюд. Водка, прохладительные, без вина и шампанского, — как по-заученному затараторил он. — Игнатов был. Вернее, человек, которого вы описали. С ямочкой на подбородке. Фамилию не знаю. Имени не слышал. Вон там сидел! — И Филимонов указал на среднее место с правой стороны. — А когда и с кем уехал — простите, не знаю. Я же тут не стоял. Ничего не видел.

— И шума не слышали? — Чижевский мигнул Абрамову: мол, готовься, всякое может случиться.

— Какого шума? — с невинным видом осведомился Филимонов.

— Разговора на повышенных тонах. Или там борьбы, драки... — впервые за все время вступил в беседу Абрамов.

Метрдотель покачал головой:

— У нас приличное заведение. Мы следим за порядком.

И в этот миг плотно закрытая дверь в банкетный зал распахнулась, и через дверной проем ввалились четверо коротко стриженных пацанов. Наверное, та самая охрана, о которой только что упомянул метрдотель. Они были похожи на сборную областного центра по вольной борьбе: все плотные, с хорошо накачанными плечевыми мышцами, солидными брюшками, вдобавок у двоих были перебиты носы. Впечатление об их принадлежности к одной команде подчеркивалось одинаковой, как униформа, одеждой: на всех были светло-голубые застиранные джинсы и коричнево-белые рубашки-поло. На толстых шеях поблескивали массивные золотые цепи.

— Эти, что ль, интересуются? — грозно шагнув вперед, брякнул первый — обладатель самого объемистого брюха.

Метрдотель Филимонов вскочил и отпрянул к стенке.

— Эти! Эти! Игнатова им какого-то подавай!

— Вы откуда, орлы? — нагло усмехаясь, обратился к Чижевскому брюхастый. — Из ментуры? Че-то я вас не узнаю. Хотя со всеми ребятами из нашего ОВД лично знаком.

Николай Валерьянович с интересом смерил взглядом брюхастого, потянулся было за гээрушной ксивой, но передумал и перевел взгляд на бледного Филимонова.

— Ну что же вы! Только-только у нас разговор склеился, а вы за подмогой!

— Фильтруй базар, папаша! — рявкнул толстяк. — Посидел, отдохнул — и вали! Обедать не получится — санитарный день.

Брюхастый мотнул толстой волосатой рукой, намереваясь схватить Чижевского чуть не за лацкан пиджака. Но бывший военный разведчик опередил его, перехватил руку в воздухе, резко вывернул ее вбок и рванул на себя. Раздался неприятный хруст — брюхастый взвыл, и его толстое лицо с перебитым носом съежилось.

Пацаны брюхастого на секунду остолбенели от неожиданности, чем не преминул воспользоваться Абрамов: он отскочил в сторону, зажав в одной руке стул, а другой в одно движение выхватил из-за пазухи свой старенький ТТ.

— Мы не из ментуры, ребята, — спокойно пояснил он. — Мы хуже! Стойте смирно — и останетесь при своих. Стреляю без предупреждения на поражение.

— Ну ладно! — прохрипел брюхастый, присев на корточки: Чижевский не отпускал его перекрученную руку, закинув ее высоко вверх. — Все, начальник, все! Отпусти. Поговорим по-хорошему.

Бросив опасливый взгляд на пистолет Абрамова и потирая руку, брюхастый сел на свободный стул.

— Игнатов, говоришь? Не знаю — был тогда, факт. А потом куда-то слинял — часов в восемь.

— Один? — Чижевский тоже сел, развернув свой стул спинкой вперед, чтобы в случае чего его можно было бы схватить обеими руками и превратить в грозное оружие.

— А хрен его знает. Может, один. А может, и нет.

— Он уехал на своей машине? — Чижевскому было известно, что служебная машина Владислава тоже бесследно исчезла. Во всяком случае, вчера вечером, вернувшись к ресторану, Абрамов не заметил черной «ауди».

— Не видал. А какая у него тачка?

Чижевский пропустил вопрос мимо ушей.

— Вы, видимо, в вестибюле стояли. И должны были видеть...

Он не закончил фразу, потому что два пацана в полосатых рубашках-поло вдруг с рычанием набросились на Абрамова, заломили ему обе руки за спину, и один из нападавших попытался вырвать у него из руки пистолет.

Брюхастый тоже вскочил. Его глаза мгновенно налились кровью, и он прохрипел:

— Мочи их, ребя, мочи их на х...й! Я их обоих ща живьем закопаю в подполе!

Но Абрамов уже успел применить свой фирменный прием: он резко присел на корточки, увлекая за собой обоих. Те потеряли равновесие и едва не повалились на него сверху, но Абрамов вдруг резко выпрямился, врезав головой сначала по носу первому, а потом второму. «Ребя» от неожиданности выпустили пленника, но одному из них, у которого из разбитого носа ручьем хлынула кровь, все же удалось выбить у него ТТ — пистолет с грохотом отлетел в угол банкетного зала. Абрамов прыгнул за ним, но метрдотель Филимонов оказался проворнее — он подхватил пистолет и направил его на Абрамова. И в ту же секунду грянул выстрел. Пуля, визгнув в метре от виска, пробила оконное стекло.

— Ты что наделал, идиот! — заорал отставной майор, мотнув головой. — Считай, ты уже покойник! — Он в прыжке выбросил вперед правый кулак и впечатал его метрдотелю в челюсть. Голова Филимонова откинулась назад, и затылок глухо ткнулся в стену. Видимо, удар Абрамова был настолько силен, что Филимонов выронил пистолет и съехал по стене на пол.

С грохотом захлопнулась дверь. Раздался лязг замка. Дверь заперли снаружи.

Абрамов подобрал пистолет и огляделся. В банкетном зале они остались втроем: Чижевский, он и бездыханный Филимонов.

— Надо делать ноги, Николай Валерьяныч! — тяжело дыша, заметил Абрамов. — «Ребя» дернули за подкреплением.

Чижевский кивнул:

— Да, надо уходить. Можно сказать, задание сорвано. — И, помолчав, добавил: — По моей вине. Видно, слишком засиделся в офисе. От оперативной работы отвык.

За запертой дверью в банкетный зал послышался топот ног и возбужденные голоса. Абрамов подскочил к пробитому пулей окну и недолго думая, саданул по нему стулом. Раздался звон разбитого стекла. Сорвав со стола плотную белую скатерть и обмотав ею руку, отставной майор быстро отбил торчащие из рамы осколки и вылез наружу. Чижевский последовал за ним.

Они оказались во внутреннем дворике позади ресторана. Дворик был огорожен невысокой кирпичной стеной. Судя по аккуратно прочерченной на асфальте белой разметке, это была парковка. Железные воротца в стене — въезд на парковку — были распахнуты. На парковке стоял одинокий черный джип.

— Товарищ полковник, ручаться не могу, но, по-моему, я именно этот джип видел в тот вечер. Он как раз отъезжал от ресторана. Очень торопился!

— Да? И что? — скептически спросил Чижевский.

— Да ничего... — пожал плечами майор и махнул рукой. — Нам на выход — туда!

Но Чижевский замешкался. Его взгляд наткнулся на что-то знакомое. В первую секунду он не понял, что там. Только машинально зафиксировал это на асфальте. Он нагнулся и поднял разорванный черный шнурок с болтающимся на нем темным серебряным крестиком.

Он мог поклясться, что это крестик Владислава Геннадьевича.

Глава 23

В окна комнаты, задрапированные белыми непрозрачными занавесками, струился солнечный свет. Комната была обставлена дорого и со вкусом: кожаный диван-уголок, два глубоких кожаных кресла, дубовый журнальный столик, в углу японский телевизор с огромным экраном. Собеседники сидели напротив друг друга, через стол. Урусов, расстегнув генеральский китель, внимательно изучал лицо Закира Большого, ища в нем признаки то ли испуга, то ли вины. А Закир, закинув ногу на ногу и широко раздвинув плечи, сохранял невозмутимое спокойствие, хотя, по правде сказать, он отнюдь не был спокоен. Урусов внезапно позвонил ему сегодня утром на мобильный и приказал — именно приказал, а не предложил — встретиться на «нейтральной территории».

Для беседы со своим информатором Евгений Николаевич выбрал издательство «Щит и меч», в котором он числился «литературным консультантом». Офис издательства на Остоженке был очень удобным местом для тайных встреч генерала со своими «кадрами».

— Я что-то никак не пойму, — с расстановкой проговорил Евгений Николаевич, — куда это все слиняли. Ты же, Закир, мне сам говорил, что раньше десяти ваш съезд не закончится. Мои люди были там в половине девятого, а сходняком там и не пахло... — Он замолчал, испытующе глядя на законного вора.

Тот не отвел глаза, а, наоборот, так пристально смотрел на генерал-полковника, что, казалось, хотел прожечь его взглядом.

— Я сообщил все, что знал, — спокойно ответил Закир. — Для меня то, что случилось вечером, стало полной неожиданностью...

— А то, что случилось на Никитиной Горе, тоже стало полной неожиданностью? — повысил голос Урусов. — Группа захвата прибыла на дачу к восьми, а там уже было все подчищено! Ни тайника, ни дачников — никого! Куда это они все подевались — нянька, девчонка?

Евгений Николаевич не мог сдержать раздражения. Как только ему доложили, что операция фактически провалена, он стал срочно искать концы и первым делом назначил встречу Закиру Большому. Одновременно генерал-полковник все-таки сумел дозвониться до Александра Ивановича Сапрыкина и, кратко доложив обстановку, стал допытываться у того, что ему известно. Но кремлевский чиновник очень ловко перевел разговор на его, Евгения Николаевича, «недоработку», попеняв, что, мол, он сам и дал себя одурачить.

Впрочем, ситуация оставалась все равно до конца так и не проясненной. В глубине души генерал надеялся, что Закир что-то знает, не может не знать, но он также понимал, что из него хоть клещами тяни — этот гордый дагестанский горец ни слова не скажет.

— Ладно, Закир, — миролюбиво продолжал Евгений Николаевич. — Допустим, ты не в курсе. Но ведь твои люди были на Никитиной Горе, они же там всю неделю паслись, ты сам мне говорил! Не могли же они ничего не видеть — кто туда приезжал, кто входил, кто выходил. Кого выводили, что выносили с дачи...

Закир сидел выпрямившись и молча смотрел на генерал-полковника. Он покачал красивой черноволосой головой.

— Все верно. Мои люди сидели там в засаде неотлучно. Но потом, к концу дня, когда должна была подъехать группа, там приключилась странная вещь. Мои даже ничего не поняли...

Закир не обманывал генерал-полковника Урусова. Он просто не сказал ему всей правды.

Вот как разворачивались события на самом деле...

* * *

Позавчера часов около шести, уже в сумерках, к даче покойного академика Нестеренко на Никитиной Горе со стороны Москвы подъехал темно-вишневый джип «тойота». Джип остановился на аллее напротив дачи, и сидящие в нем пассажиры — три здоровых дагестанских абрека, которым Закир Большой безгранично доверял и которых он три года назад вывез в Москву из своего родного горного аула, — стали наблюдать за домом. По переданной им Закиром информации, сюда в семь вечера должны были подкатить две или три машины, набитые «гладиаторами», которые имели строгий наказ искать в доме тайник. Но кроме тайника в доме находились два человека — пожилая женщина, что-то вроде дачной домработницы, и маленькая девочка, дочка Варяга. Их-то Закир Большой и распорядился тихо вывезти с дачи...

Вишневый джип не простоял на аллее у дачи и пяти минут, как из калитки вышли двое верзил в черной униформе охранной фирмы и, помахивая дубинками, направились к машине.

— Здорово, мужики! — Охранник со смурным лицом недовольно вгляделся в плотно затонированные окна «тойоты», но никого не смог разглядеть. От осознания своей полной беспомощности его настроение резко ухудшилось. Он схватился за ручку и попытался открыть дверцу водителя. Темное стекло плавно поехало вниз, и охранника прожег взгляд черных глаз.

— Ти што, дарагой? Нэ трогай! Поцарапаешь машину!

— Ты, дорогой, ехал бы отсюда, — в тон ему отозвался смурной охранник. Николай Валерьяныч, пославший Алешку Копытина на Никитину Гору вместе с Сергеем Стрельцовым охранять дачу Игнатова, предупредил обоих, что сегодня вечером возможны всякие неприятные неожиданности, поэтому им полагалось держать ухо востро. Появление возле дачи странного вишневого джипа, который Алешка заприметил еще утром, показалось охраннику не случайным. Скорее всего, это и была та самая неприятная неожиданность, о которой его предупредил начальник службы безопасности «Госснабвооружения».

— Слюшай, дарагой, ти толко не волнуйсь, да? — ухмыльнулся водитель «тойоты». Он говорил с кавказским акцентом, хотя сам явно был славянского происхождения. — Ми тут товарища ждем. Он вон в той даче живет! — И он махнул рукой в сторону соседнего дома — летней дачи, где — Алешка это точно знал — уже месяца два как никто не жил.

— Да там нет нико о... — сорвалось у Алешки с языка, и он сразу почувствовал сильный удар сзади в бок: это Серега Стрельцов предлагал ему заткнуться.

В этот момент распахнулись обе задние дверцы, и на слегка подмороженную аллею выпрыгнули два амбалистых бородача. Правая передняя дверца тоже раскрылась, и появился коренастый седой мужичок в темных очках. Он, чуть прихрамывая, обошел джип, приблизился к охранникам дачи и, ни слова не говоря, мотнул головой. И в ту же секунду оба бородача набросились на Алешку и вырубили его коротким ударом по сонной артерии. Серега, видя такое дело, полез в карман за газовым пугачом, но и его в то же мгновение завалили точным ударом по шее.

— Как бараны, — криво усмехнувшись, заметил хромой. — Ну ладно, братки, быстро в дом. Девчонка и тетка. Только с ними смотрите поаккуратнее — не как с этими ослами. Если что, Закир с нас шкуру спустит. Отнесите этих ослов в дом и заприте там где-нибудь...

Подхватив бездыханных горе-охранников за ноги, двое торопливо припустили в сторону дома, оставляя на свежевыпавшем снегу глубокие борозды. Третий поспешил за ними, держа в руках два черных покрывала. Хромой остался ждать, поглядывая на аллею. Но в этот то ли еще ранний, то ли уже поздний час дачный поселок, казалось, вымер.

Они отсутствовали недолго. Из дома раздалось несколько приглушенных женских криков и детский плач, который тотчас смолк. Потом на тропинке показались четыре фигуры: двое «гладиаторов» торопливо вели с собой женщину, укутанную с головой в черное покрывало, а третий нес на руках ребенка, тоже плотно завернутого в черное.

— Быстрее! — крикнул по-дагестански хромой и тревожно оглянулся на водителя. — Сейчас поедем! — бросил он по-русски.

Женщина не сопротивлялась и только тихо всхлипывала. Девочка же вовсю извивалась и тщетно норовила вырваться из стальных объятий верзилы-дагестанца.

— Как в «Кавказской пленнице», — пошутил верзила.

Хромой строго нахмурился:

— Аккуратнее! Шею ей не сломай!

Дверцы джипа захлопнулись, и мощный автомобиль с ревом рванулся вперед. Уже на выезде из поселка «тойота» едва не врезалась в свернувший с шоссе грузовой ГАЗ с номерами какой-то воинской части. За ГАЗом вплотную шла черная «ауди» с синими мигалками.

— Туда? — спросил водитель джипа хромого.

Тот кивнул и оглянулся назад — посмотреть, как там ведут себя пленницы.

— Еще пять минут — и мы бы опоздали, — процедил он по-дагестански. И добавил по-русски, обращаясь к водителю: — Это тебе не два русских лопуха с дубинками. Со спецназом шутки плохи.

— Спецназ, Надир? — удивился водитель. — Это спецназ? Так ведь это был не милицейский грузовик!

— А кто тебе сказал, Миша, что это милицейский спецназ? — хромой покосился на водителя. — Армейский спецназ. Видал, какой грузовичок чистый? Не удивлюсь, если из кремлевского гаража грузовичок.

— Ну дела... — пробурчал себе под нос водитель и вдавил ногу в акселератор.

***

...Вот об этом рейде своих людей на Никитину Гору Закир Большой ни слова не сказал генерал-полковнику Урусову. Желая перехватить инициативу в этом непростом разговоре, дагестанский авторитет вдруг вспомнил:

— А что это вы, генерал, решили послать на дачу армейский спецназ?

Генерал Урусов вытаращил глаза:

— Ты что это, милый! Какой армейский спецназ? Туда поехала обычная группа захвата — отделение омоновцев.

Тут пришел черед удивляться Закиру.

— А мои люди сказали: там был армейский крытый ГАЗ-полуторка. «Ауди» с номерами вэ-чэ.

— «Ауди»? — нахмурился Евгений Николаевич, начиная кое о чем догадываться. — В котором часу твои там были?

— В районе семи, — честно ответил Закир. Посланная им вторая группа действительно прибыла на дачу в начале восьмого и застала картину полного разгрома в доме.

— Та-ак, — раздумчиво протянул Урусов, — а мои там были в восемь. — Выходит, кто-то вас опередил. Армейская, говоришь, колонна?

— Не колонна, — поправил Закир. — ГАЗ-51 и «ауди».

Для Урусова это сообщение было полной неожиданностью. Значит, Сашка Сапрыкин все-таки вел с ним двойную игру — использовал его как болвана в старом польском преферансе. По-русски это называется загребать жар чужими руками. Причем, учитывая всю рискованность позавчерашней операции, господин... или товарищ, уж не знаю как его... Сапрыкин загреб жар чужой головой. Его, генерал-полковника Урусова, головой. Ах, сукин кот!

— Ладно, Закир! — мрачно бросил Урусов. — Я все это проверю. Если ты мне понадобишься, я сообщу. И вот еще что... — Он помолчал. — Если что-нибудь узнаешь про обитателей этой дачи... Не могли же они сквозь землю провалиться... Сообщи мне. И еще, — Урусов даже крякнул, когда у него в голове вдруг созрело это решение. Но по-другому действовать было нельзя — слишком многое поставлено на карту. — Можешь звонить мне на дачу, в Переделкино. Номер не записывай, запомни: 747-67-56.

Закир сильно удивился. Если генерал дает ему номер личного телефона, значит, ситуация и в самом деле для него тяжелая. Но воровской авторитет был и сам стреляный воробей, прекрасно знавший цену ментовской «искренности» и «доверительности». Он не раз — по молодости и неопытности — становился жертвой коварных ментовских интриг, и теперь его так просто на крючок было не поймать.

— Запомнил, — Закир изобразил сочувствие. — Так что ж, Евгений Николаевич, я так чувствую, вас товарищи подвели?

Урусов помотал головой:

— «Подвели»... Да не подвели, а взяли за яйца, раскрутили да... Иди, Закир!

Он не мог понять, что происходит. Как не понимал, зачем его втянули в эту игру. Впрочем, одна догадка к нему пришла: если товарищ Сапрыкин и те, кто за ним стоит, вели все это время свою линию и использовали генерала милиции только в качестве прикрытия, тогда получается следующее. Первое: Варяг сам разыграл весь этот спектакль вчера и сбежал вместе с общаком. В пользу этого предположения говорило как раз исчезновение с дачи домработницы и девчонки. Планируя заранее свое исчезновение, он конечно же позаботился о своих домочадцах. Не стал бы он бросать дочку — это факт. Вот тут только была одна нестыковочка: Игнатов не успел спрятать свою секретаршу. Вариант второй: режиссером спектакля был все-таки Сапрыкин — и именно по его команде и с его ведома выкрали Варяга и общак. Ну и, понятное дело, дачников... В пользу обеих версий говорило то обстоятельство, что люди Урусова проворонили Варяга в ресторане на Дмитровском шоссе, а люди Закира проворонили дачу вместе с ее обитателями и содержимым. Причем на обитателей дачи Евгению Николаевичу было наплевать: девчонка-малолетка и баба пенсионного возраста его не интересовали — их даже трахнуть с удовольствием нельзя. А вот этот гребаный тайник интересовал Евгения Николаевича сильно. И у него теперь оставалась единственная возможность нащупать ниточку, которая, в случае удачи, может привести его к тайнику Варяга. Госпожа Елена Сорокина. Леночка Сорокина, секретарша господина Игнатова. Ее-то Евгений Николаевич Урусов все-таки отловил. Уж эта добыча — его собственная, ею он ни с кем делиться не намерен!

И он использует эту добычу на все сто!

***

Белый «линкольн» Закира Буттаева, как крейсер по морским волнам, плавно плыл по шоссе со скоростью под сто восемьдесят. Закир держал в руке хрустальную рюмку, наполовину наполненную янтарной жидкостью.

Он признавал только дагестанский коньяк — не те жалкие подделки, разливаемые из «виноматериалов» на московских винзаводах, и даже не кизлярские сорта, а истинно благородный напиток, который изготавливали из редчайших виноградных лоз, а затем десятки лет выдерживали в бочках умельцы в его родовом ауле. Этот коньяк разливали в простые темные бутылки и наклеивали на них рукописные этикетки, на которых обозначали только год урожая, время выдержки и год розлива, да еще имя виноградаря.

Сейчас в мини-баре лимузина у Закира стояли две бутылки коньяка урожая 1972 года и соответственно четвертьвековой выдержки. Одну из них он почал только что. Закир отпил глоточек и, закрыв глаза, наслаждался каждой каплей, обжигавшей нежную кожу языка.

Настроение у него было хорошее. Он был доволен, что сумел-таки облапошить хитрого и безжалостного генерала, тем более такого подлого и коварного. Он точно не знал, какие такие политические игры затеяли высокие люди совместно с милицейским генералитетом и какая роль в этих играх отводилась Варягу. Но одно Закир понимал безошибочно: пусть сильные воюют с сильными. Но когда сильный хочет поднять руку на слабого — этого допустить нельзя. Для Закира законы горской чести были, может быть, важнее воровских законов и понятий. Но даже по воровским понятиям дети не могли отвечать за прегрешения отцов...

Он вспомнил, что ему рассказывал как-то один человек в Махачкале про генерала Урусова. Евгений Николаевич — опасный человек. В своем служебном рвении он не признает никаких границ и никаких ограничителей. Все, что нужно и полезно для дела, которому он служит, шло в ход. Для него не существовало разницы между здоровым мужиком и слабой женщиной. Люди для генерала Урусова были только «объектами разработки».

Поэтому Закир не сожалел о том, что он сделал втайне от большого сходняка, фактически нарушив уговор, заключенный крупнейшими авторитетами России в отношении Варяга... Ну что ж, главное они получили — Варяга. И общак... Хотя в отношении общака Закир не был так уж уверен, что воры поступили правильно. Общак должен быть при ворах — это закон. А теперь... Как все будет дальше — один аллах знает.

Лимузин вплыл в ворота и остановился перед большим трехэтажным домом. Этот особняк в подмосковной Поваровке Закир строил два года. Кучу денег стоил этот дворец, но он не напрасно их потратил: получилось на славу. Покруче, чем дворцы у некоторых дагестанских или грузинских «хозяев жизни».

В сопровождении охранника Лечи, всю дорогу молча просидевшего на переднем сиденье «линкольна», Закир прошел мимо бассейна с фонтаном и взошел по мраморным ступенькам на крыльцо. Застекленная дверь тихо раскрылась, и на пороге появился другой охранник.

— Все спокойно, Беслан? — тихо поинтересовался Закир.

Тот кивнул:

— Да, все тихо.

— Как она?

— Спала. Ела хорошо.

Закир вошел в гигантскую прихожую с высоким стеклянным потолком, сквозь который в помещение струился мягкий дневной свет.

Оказавшись в соседней комнате — это была просторная столовая, — Закир не успел пройти и двух шагов, как ему навстречу бросилась девочка.

— Дядя Закир! Ну что, папа приехал? — закричала она тревожно.

— Нет, Лиза, — серьезно ответил Закир и, приветливо улыбнувшись, присел перед ней на корточки. — Я же тебе объяснял: папа уехал в важную командировку. Надолго.

— А где Валя? Лена где? — На глазах у девочки показались слезы.

Закир вздохнул:

— Валя завтра сюда приедет. Обещаю. А Лена... — он запнулся. — Наверное, она уехала с твоим папой. Она же работает у него на фирме. Помогает ему, ты сама знаешь...

— А почему он меня не предупредил?

Закир развел руками.

Лиза внимательно посмотрела в черные глаза под густыми черными бровями и тихо спросила:

— Послушай, дядя Закир, а что это с нами вчера хотели сделать те дядьки? Это был киднеппинг?

Закир, улыбаясь, кивнул:

— Ну что-то вроде того.

— А ты нас с Валей спас?

— Выходит, так.

Лицо Лизы просветлело. Она обвила ручонками загорелую шею мужчины и прошептала ему на ухо:

— Приедет папа — я ему расскажу, какой ты отважный!

Закир с трудом оторвал детские ручки от себя и, выпрямившись, предложил:

— А хочешь, я научу тебя делать плов?

Девочка энергично закивала головой, и, взяв ее за руку, Закир устало двинулся в сторону кухни.

Глава 24

Широкая площадь перед выстроенным в форме парохода зданием Северного речного вокзала продувалась морозным декабрьским ветром. Отсюда, из густого кустарника на пригорке, площадь была видна как на ладони. Уже в шестой раз за последние три недели разведотряд в составе бывших сотрудников ГРУ Абрамова и Лебедева и примкнувшего к ним Андрея Пронина по прозвищу Зверек прибывал в парк Речного вокзала на дежурство. Они приезжали сюда, чтобы выследить того самого таинственного брюнета, которого тут видел летом Андрюша Зверек и который потом, в ноябре, внезапно появился на стройке около ресторана «Золотая нива» и обезвредил «спецназ» полковника Чижевского.

Но пока что их субботне-воскресные вылазки не привели ни к каким результатам. Да и вряд ли могли привести. «Спецназовцы» не знали ни имени своего «клиента», ни места его работы, ни тем более графика его перемещений по городу. Зверек, правда, уверял, что видел его тут несколько раз, но что с того? Дело было летом, брюнет мог тут просто культурно отдыхать в обществе местных работниц секс-сервиса... Где гарантия, что тут у него какая-то постоянная явка? Но все равно они приходили сюда регулярно по субботам и воскресеньям, потому что Зверек трижды засек «клиента» на этой площади в выходные — два раза в субботу и один раз в воскресенье.

Прошел уже почти месяц со дня исчезновения Владислава Геннадьевича, Чижевский давно «перешел на нелегальное положение», скрывшись из Москвы, и только время от времени связывался по телефону с кем-то из своих сотрудников, чтобы узнать новости и отдать новые распоряжения. В офисе «Госснабвооружения» хозяйничали новые люди. Охрана сменилась полностью — и теперь в вестибюле и по коридорам особняка расхаживали сытые омоновцы с автоматами, бросавшие презрительные взгляды на сотрудников и провожавшие молоденьких сотрудниц цоканьем языков и подмигиванием. Многие комнаты были опечатаны, в бухгалтерии трудились днем и ночью какие-то чужие финансисты: они тщательно изучали документацию, внимательно читали компьютерные таблицы, делали бесконечные распечатки файлов. В бухгалтерию никого из прежних сотрудников концерна не пускали, кроме главбуха Жени Ивановой.

Все это Андрею Пронину удалось выяснить только потому, что он в службе безопасности работал сравнительно недавно и Чижевский, когда взял его в штат, записал (как в воду глядел!) не к себе в охрану, а в АХО. Завхоза Валерия Петровича пока не трогали, и Зверек умудрился дня два поошиваться в здании и провести визуальное наблюдение. Один раз Зверьку даже показалось, что в толпе многочисленных проверяльщиков, по нескольку раз на дню приезжавших в «Госснабвооружение» с инспекциями, он приметил того самого плечистого брюнета, хотя трудно было сказать наверняка.

Сегодня Зверек, уже, кажется, окончательно потерявший всякую надежду на успех, оставил старших товарищей в парке и, выйдя на площадь, сел за столик единственного не закрывшегося на зиму уличного кафе и попивал горячий кофе. В кармане у него лежала миниатюрная рация. «Может быть, сегодня все-таки повезет, — думал Зверек горестно. — Ну сколько же можно сюда наведываться! А может быть, я обознался? Мало ли широкоплечих черноволосых амбалов ходит по Москве!»

Горячий кофе приятно согревал нутро. Вдруг внимание Зверька привлекли две тачки, стремительно выкатившие на площадь со стороны Ленинградского шоссе. Парень поставил — чуть не бросил — чашку на столик. Кровь прилила к его лицу, и он даже привстал от возбуждения. Это была та самая машина — навороченная «Нива», в которой сидели двое, и один из них был тот самый здоровяк-брюнет...

Неужели все-таки подфартило?

***

Неразлучные Абрамов и Лебедев сидели на стволе поваленной летним ураганом березы. Оба сотрудника расформированной службы безопасности «Госснабвооружения» чувствовали себя спокойно. Возле поваленного ствола на снегу была расстелена плащ-палатка, а на ней красовались наполовину опорожненная бутылка «Московской» и две эмалированные кружки. Оба с аппетитом закусывали докторской колбасой с черным хлебом, зеленью и свежими огурцами, запивая все это квасом из пластиковой бутыли. Водку они пока не трогали, приберегая для вечера. Метрах в двухстах от них в глубине парка на обочине асфальтированной аллеи стояла видавшая виды «копейка», но с безукоризненно отлаженными двигателем и ходовой частью.

— Слышь, Серега, там эта водяра еще не выдохлась? — с усмешкой спросил Абрамова Лебедев. — На прошлой неделе недопили и на этой, боюсь, не придется...

— Да, повезло ей, этой водочке... — ухмыльнулся Абрамов. — Сколько таких же бутыльков мы с тобой прикончили, а эта все живет...

— Ты где Новый год встречать собираешься? — поинтересовался Лебедев. — Может, втроем махнем куда-нибудь к теплому морю?

— Это было бы неплохо, — согласился Абрамов. — Вот боюсь только, Фаридику с нами скучно будет, он ведь неженатый. Да и вряд ли нас троих Валерьяныч отпустит...

— А ты поговори с Валерьянычем, — предложил Лебедев. — Мы же формально за штатом.

— Формально — да, но фактически... в строю. Надо вот это дело наконец закончить, тогда с довольным начальником легче будет разговаривать, — заметил Абрамов. — Но вот когда мы его закончим — это большой вопрос. Сколько времени уже нас Андрюшка сюда таскает, а все без толку, никакой гарантии, что изловим зверя.

— Гарантия есть, — веско сказал Лебедев. — Законы математической статистики.

— Дай-то бог! — хмыкнул Абрамов. — Сволочная у нас работенка, конечно. Сколько ж надо тужиться, чтобы ловить одного какого-нибудь хмыря, который, по совести говоря, давно пулю заслужил... Толком не спишь, жрешь что попало, пьешь какую-то бурду, часами торчишь то на жаре, то на морозе, дома не ночуешь, всегда на нервах... И главное — наша служба и опасна и трудна и ни перед кем похвастаться нельзя, даже перед родным сыном, — наоборот, все боишься, как бы он не узнал про папашу чего-нибудь лишнего.

— Ну, главное, приключений хватает! — возразил Лебедев.

— Заманали меня эти приключения, — отмахнулся Абрамов. — Взять хотя бы то приключение на стройке... Я до сих пор удивляюсь, как жив остался. Только бы нам этого клиента наконец достать — потом я сразу переговорю с Валерьянычем об отпуске!

— Слышь, Сереж, только учти — я на Гран-Канария — Сейшелы-Мальдивы не поеду, — заявил Лебедев. — Не люблю я это «новорусское» благолепие. Мне б чего попроще — Египет, Турция... Дешево и сердито...

Внезапно в кармане у Абрамова захрипела рация. Он мгновенно бросил колбасу, вытер пальцы о куртку, выхватил рацию и услышал взволнованный голос Зверька:

— Товарищ майор! Сергей! Я засек объект! Навороченная «Нива», вся в никеле. Эта «Нива» тогда сопровождала тот «жигуль» с мужиком в куртке! В «Ниве» и сидит наш бугай. С ним еще один мордоворот. Они в ресторан пошли...

— Понял тебя хорошо! — рявкнул Абрамов. — Ты только не напрягайся, Зверек. Сохраняй спокойствие. Сядь и сиди, где сидишь. Рацией там не свети. Оставайся на связи, мы сами разберемся. Как только выйдут из вокзала и сядут в тачку — сразу сообщи нам. Мы их накроем.

Майор отключил связь и мгновенно увязал в узел водку и остатки закуски, дабы не оставлять на позиции лишних улик. Лебедев, поняв все без слов, вскочил и сдернул кусок плаща с какого-то длинного предмета, лежащего на снегу. Под плащом обнаружился легкий пулемет с глушителем. Разведчики подхватили оружие и, продираясь сквозь сухие ветки кустов, поспешили к аллее.

Серебристая «Нива», сверкая никелированными молдингами, въехала на пустую аллею и покатила в сторону Ленинградского шоссе. Вдруг водитель увидел метрах в двухстах впереди «жигуленок-копейку», который, виляя, мчался задним ходом по самой середине асфальтовой дороги.

— Вот дура! — сквозь зубы выругался водитель и три раза просигналил чудаку, чтобы тот поостерегся и сдал вбок.

Но тот и не думал сдавать, а пер прямо по центру — с явным намерением врезаться в толстую никелированную решетку на передке «Нивы».

— Слышь, Свиблов, — прорококотал сидящий рядом с водителем рослый брюнет, — е...ни-ка его в жопу, ему не вредно!

— Урус нам башку свернет, Никита, если мы в какую-нибудь х...ню вляпаемся. Он же сказал: только сгонять в «Волгу» и опросить Столбуна...

— «Опросить-опоросить»... — передразнил его Никита Левкин, бывший у генерал-полковника Урусова чем-то вроде вольного ординарца. — Ладно, тормозни, ща я с этим водилой потолкую по-свойски.

Дождавшись, когда «Нива» сбавила ход, он выпрыгнул на дорогу, одновременно выудив табельный ПМ. Но «жигуль» вдруг, не доехав метров пятнадцать до сверкающей никелированной решетки бампера, резко затормозил и, взвизгнув всеми четырьмя шинами, рванул вперед. Никита только успел недоуменно зафиксировать в мозгу, что у диковинной «копейки» полный привод, и с еще большим недоумением заметил краем правого глаза, что из придорожного кустарника на дорогу вылетел высокий мужик в плащ-палатке и с пулеметом в руках. Причем бравый эмвэдэшный капитан никак не мог понять, почему у этого пулемета такой длинный ствол.

Никита развернулся в сторону мужика, но тот вскинул пулемет и нажал на спусковой крючок. Теперь Никита понял: на ствол пулемета был навинчен тонкий глушитель. Он не услышал очереди — только какой-то негромкий кашель. И в ту же секунду его лицо исказила гримаса боли. Правая рука, прошитая короткой очередью, повисла плетью, пистолет грохнулся на асфальт.

В следующую секунду движок «Нивы» свирепо взвыл, и русский джип понесся по аллее прочь от места происшествия.

— Куда, бля! — обреченно завопил раненый Никита. — Куда, сучара, уё...ешь?!

Он просто не заметил, что из открытого окна водителя «копейки» угрожающе высунулся ствол и хищно нацелился прямо на лобовое стекло «Нивы». Антон Свиблов, поняв, что промедление смерти подобно, решил не рисковать — и попросту смылся.

— Порядок, Ваня! — крикнул мужик в плащ-палатке водителю «копейки». — Подваливай сюда. Ну здорово, орел! — насмешливо обратился он к истекающему кровью Никите.

И только теперь Никита узнал этого хмыря — того самого, которого он заловил в ноябре на Дмитровском шоссе и упустил так по-дурацки.

— Ты зачем стрелял, мудель? — хрипло буркнул Никита, тщетно пытаясь зажать артерию и остановить кровь. — Я капитан милиции. Ты понимаешь, жопа, что теперь тебе хана?

Абрамов нагло хохотнул:

— Ха! Ты смотри, капитан, не лопни. Ты с майором разговариваешь, понял? А стрелял я в тебя затем, чтобы ты по глупости или по случайности меня не ухлопал. Вот тогда тебе, мудель, точно была бы хана. — И он, подумав секунду, добавил грозно: — Тут в парке у меня взвод бравых ребят пасется — они бы из тебя бефстроганов сделали!

Подбежал Ваня Лебедев и встал за спиной у капитана милиции. Вот только разница в росте была у них слишком большая: Лебедев оказался на голову ниже. Правда, у него было одно очень важное преимущество — ПМ, чей ствол уже нежно массировал широкую спину пассажира «Нивы».

— Давай-ка зайдем в кустики, — предложил Абрамов, — потолкуем там. А если будешь разговорчивым мальчиком, может, я тебе даже «скорую» вызову. — И, развернувшись, решительно зашагал в заросли голых кустов, припорошенных пушистым снежком.

Подталкиваемый сзади стволом пистолета, здоровяк послушно заковылял следом.

— Ну че надо тебе? — хмуро бросил он в спину Абрамову. — Считай, повезло тебе, что ты тогда от меня слинял.

— Так не я один, — усмехнулся Абрамов, оборачиваясь. — А надо мне узнать от тебя кое-что. Во-первых, что ты там делал, на Дмитровском, тогда, в день нашего знакомства. Во-вторых, что за мужика в черной куртке ты здесь пасешь регулярно. И в-третьих, куда вы дели господина Игнатова Владислава Геннадьевича. — И, заметив, что раненый поморщился и скроил непонимающую рожу, предупредил: — Только ваньку мне не валяй.

Абрамов многозначительно помахал перед лицом пленника пулеметом. Никита с сожалением поглядел на окровавленный локоть и хрипло попросил:

— Ты бы хоть перевязал, блин... Кровища так и течет.

— Ответов не слышу! — грозно прикрикнул отставной военный разведчик. — Сначала беседа, потом лечение.

— Я не знаю, кто вы, хлопцы, — миролюбиво начал Никита Левкин, — но вы совершаете большую ошибку. Вы замахнулись, братки, на очень больших людей. Я начальник охраны генерал-полковника милиции... — Он осекся, поняв, что болтает лишнего.

— Ну-ну, дальше! — закивал Абрамов.

Его собеседник повернул голову вправо и как бы прислушался. Абрамов по инерции тоже посмотрел туда же — и в то же мгновение раненый мощным ударом ноги выбил у него пулемет из руки. Но Абрамов тоже был не лыком шит — его левая рука крепко вцепилась в приклад пулемета. Но и того, что грозный ствол ткнулся в мерзлую землю, генерал-полковничьему охраннику хватило, чтобы перехватить инициативу. Он, не разворачиваясь, ощутимо лягнул стоящего у него за спиной Лебедева по коленной чашечке — тот на миг потерял равновесие, и его пистолет отлетел в кусты, выбитый мощным ударом ноги. Одновременно пленник, совершенно позабыв о боли, обрушил на Абрамова всю мощь своих кулаков. Бил капитан со знанием дела — метя в нос и в брови.

— Ах, ты зрячий, — хрипел Абрамов, немного опешив от такого неожиданного поворота событий и еле уворачиваясь от града ударов. — Ну, сейчас будешь слепой...

Он отскочил на шаг назад, взял пулемет в две руки как дубинку и, сделав несколько обманных движений в стиле Стивена Сигала, сильно, со всего размаху, звезданул амбалу-брюнету прикладом по голове. Тот зашатался и упал. Теперь он явно не притворялся. Из рваной раны на виске ручьем полилась кровь. Похоже, он потерял сознание.

Абрамов присел над ним на корточки и наклонился к уху:

— Говори, гад, какой генерал-полковник! Говори, а то, бл... просто пристрелю тебя здесь — и все. Я твою сраную «Ниву» все равно ведь по номерам вычислю и твоего напарника хренова, который тебя тут бросил подыхать, найду. Где Игнатов? Кто шмонал у него в офисе и на даче? Кто эту операцию придумал и провернул?

Никита приоткрыл глаза, понял, что настал его смертный час. Но умирать ему не хотелось. Тем более из-за генерала Урусова. Хрен-то! Он же не герой-панфиловец, чего ему Урусова выгораживать? Он промычал что-то нечленораздельное.

— Повтори! — приказал Абрамов.

— Ге...не...рал Урусов... Эм-вэ-дэ... — прошелестел голос. — Все знает. У него спраши...

Он затих. Ваня Лебедев тронул напарника за плечо:

— Серега, кажется, у него сотрясение мозга.

Но Абрамов, похоже, не слышал его. Он что-то писал в своем потрепанном блокнотике. Потом вынул сотовый телефон, набрал 03 и, слегка изменив голос, торопливо заговорил:

— Срочно нужна карета «скорой помощи»! Мужчина в парке Речного вокзала лежит весь в крови... Около боковой аллеи, недалеко от оптового рынка. Подрался с какой-то шпаной из серебристой «Нивы» — номер подмосковный 56-72.

Отключив телефон, он вынул рацию и скомандовал Зверьку «отбой», после чего побежал рысцой к брошенному на аллее «жигулю». Лебедев устремился за ним.

— Давай, Ваня, кочегарь свою «копейку», и рвем отсюда! — спокойно произнес Абрамов, усаживаясь на заднее сиденье. — С минуты на минуту подъедут менты. На шоссе, у троллейбусной остановки, подхватим Андрюшку. — И, заглянув в свой блокнотик, добавил: — Ну хоть что-то мы теперь имеем. Генерал МВД Урусов. Будем искать!

Глава 25

Смену времени суток он определял только по железному лязгу откидываемой решетки, когда ему на веревке спускали ведро с едой и питьем — раз в сутки, по утрам. Меню не отличалось разнообразием. Полуторалитровая бутылка воды и полбуханки черного хлеба, а в придачу кусок жилистого вареного мяса или вареная картошка через день. Никаких приборов — ложек или вилок — не было. Неизвестные тюремщики, видно, отлично знали порядок содержания в карцерах ШИЗО колоний строгого режима. Ладно, это ему было не впервой...

Больше всего Варяга угнетала полная неизвестность. Самое странное, что за все эти дни — а Владислав уже просидел в этом каменном мешке больше месяца — его так никто и не проведал, никто ни о чем с ним не заговаривал. И люди, которые приносили ему еду и воду, — он даже не знал, сколько было этих охранников, — молча спускали на веревке ведро с бутылкой воды и едой, не вступая ни в какие переговоры, хотя он пытался несколько раз затеять с ними беседу.

Спустив ведро на веревке, человек то ли ждал, то ли уходил — во всяком случае, минут через десять он поднимал ведро обратно. Поначалу Варяг решил выбраться отсюда с помощью спущенной веревки. Он как-то даже долез до самого верха, а это было, по его подсчетам, метров пять. Но оказалось, он лазил напрасно: решетка была заперта снаружи на здоровенный стальной засов, и открыть его изнутри не было никакой возможности. Владислав чуть не заплакал от досады и, свирепо скрипя зубами, отправился в обратный путь...

Владислав понимал, что дожидаться, пока к нему кто-то придет и соизволит дать объяснения, бессмысленно. Надо было действовать самому. Для начала он внимательно осмотрел свой «карцер», исследовав буквально каждый сантиметр стен и пола. Единственная возможность выйти отсюда — это решетка над зловонной клоакой. Он как-то лег на каменный пол и, прислонившись лицом к решетке, стал разглядывать внутренности этого смрадного лаза. Расстояние от решетки до дна туннеля было примерно метра два. По дну туннеля шли трубы, видимо, канализационные. Вокруг труб струилась темная густая жижа — то ли вытекшие из прохудившихся труб испражнения, то ли прокисшие сточные воды. Одним словом, если ему суждено попасть в этот туннель, то топать придется по этому вонючему болоту. Оставалась самая малость — каким-то образом снять эту проклятую решетку и спрыгнуть в туннель...

Он уже обзавелся орудием труда, на которое возлагал все надежды: нашел на полу ржавый гвоздь, заточил его о каменный пол — и каждый день по нескольку часов аккуратно расковыривал швы металлической решетки в полу. Забетонированные швы поддавались плохо, видно, от времени и влажности тут все так закаменело, что впору было взрывать. Но взрывчатки у него, понятное дело, не было, так что приходилось рассчитывать только на свое упорство и терпение.

Правда, после того как у него появилась крохотная надежда на освобождение, он работал с настойчивым усердием, как муравей, который тащит к своему муравейнику сучок вдесятеро больше и тяжелее, чем он сам. Ему некуда было спешить, и он спокойно шел к своей цели. Вот только непонятно, сколько времени у него на это уйдет — месяц, два, полгода?

Он сильно исхудал за эти три недели, но, чтобы не терять физической формы, постоянно два раза в день делал приседания по сто-двести раз, отжимался на руках, качал пресс, лежа на спине. В его «карцере», как ни странно, не было холодно. Напротив, из-под решетки сюда проникали пары теплого воздуха. Единственное, что отравляло ему существование, — это гнилой смрад сточных вод, поднимавшийся снизу вместе с парами воздуха.

Из-за регулярных изнурительных физических упражнений у Варяга так разыгрывался аппетит, что он с трудом мог побороть чувство голода, которое преследовало его целый день и порой не давало заснуть, — он едва дожидался очередного утра, чтобы с жадностью наброситься на черствый хлеб или мучнистую невкусную картошку. Он с невеселой усмешкой думал о том, что превратился в подопытную собаку Павлова, у которой выработали условный рефлекс на выделение желудочного сока. Вот только собака реагировала на вспыхивающую лампочку, а он — на лязг железного засова. Варяг старался расковыривать швы осторожно, чтобы, не дай бог, не сломать гвоздь, который уже довольно-таки сильно стерся. Сколько раз он провел им по тонкой бороздке между каменной плитой и стальной решеткой — сто раз, а может быть, тысячу раз? Но его упорный каторжный труд не был бесполезным. Он уже мог вложить в возникшую щель половину пальца. Он решил для себя, что, когда щель окажется настолько глубокой, что в нее поместится весь вытянутый палец, он начнет ковырять щель с другой стороны. И так со всех четырех сторон, пока он не поднимет эту решетку, как крышку с кастрюли...

К вечеру, устав после каторжной работы, он приваливался спиной к стене и принимался вспоминать — Свету, Олежку, Егора Сергеевича, отца Потапа и Лену. И Лизу. И другую Лену, которая за последние несколько месяцев стала ему так близка, так дорога... Что с ними? Что с ней? Где они сейчас? Зная нравы и привычки молодых законных воров, Владислав понимал, что «гладиаторы» какого-нибудь Вити Тульского наверняка отследили и Лену в офисе «Госснабвооружения», и Лизу на даче на Никитиной Горе. И вполне возможно, что их обеих сейчас держат в каком-нибудь укромном месте под Москвой или за Уралом... Он даже выматерился при этой мысли, представив себе, каким издевательствам, унижениям и боли их могут подвергнуть...

Но ему было ясно, что, кроме него, их никто не сможет вырвать из рук этих сволочей, и осознание этого непреложного факта придавало ему дополнительные силы.

Сам не зная еще зачем, Варяг начал вести счет дням, прочерчивая на стене тонкие черточки отросшим ногтем большого пальца. Когда таких черточек стало тридцать, он вдруг впервые почувствовал холод. Несложный подсчет показал, что сейчас уже, видимо, наступил декабрь и, значит, пришла зима. А у него, кроме почти уже стертого до дыр пиджака и брюк, ничего не было. Одно спасало его от ночного похолодания: паркий воздух, наполнявший его подземную камеру теплом. Видимо, где-то недалеко отсюда проходила теплотрасса, подогревавшая его обиталище.

Однажды утром, услышав привычный скрежет стального засова, Владислав поднял голову и заметил, что на ведре сверху лежит что-то большое и темное. Когда ведро глухо ткнулось в каменный пол, он понял, что это такое: большое ватное одеяло. Так, выходит, его собирались продержать тут всю зиму.

— Эй, земляк! — крикнул Владислав вверх незримому охраннику. — Отзовись, земляк! Ты бы привел кого! Пусть мне хотя бы огласят приговор! А? На какой срок настраиваться? А если в январе мороз под тридцать будет — я же тут околею!

Но ему никто не ответил. Владислав на миг подумал, уж не глухонемой ли этот хмырь — вот так комедия! Но через секунду в голову ему пришла другая, куда более тревожная мысль: а что, если они как раз и хотят, чтобы он околел — как бездомный пес, как пьяный бомж. Ведь это удачное решение: ни на ком не будет вины за его смерть, ничьи руки не будут замараны кровью смотрящего России — он же сам помер, естественной смертью. Никто не виноват!

И только сейчас Владислав понял суть хитроумного и подлого плана похитителей. Ну конечно, никто и не собирался его ни допрашивать, ни уговаривать. Он вообще был им не нужен. Сдохнет — ну и хрен с ним. Не сдохнет — ну и ладно, все равно будет торчать в этой яме до скончания века. Жив Варяг или умер — кого это волнует. Он просто исчез. Есть человек — есть проблема, нет человека — нет и проблемы... Да, они действуют как всегда, по старой привычке.

Но подобные мысли только распаляли в нем жажду жизни, бешеное стремление вырваться отсюда и покарать подлых предателей. И с утроенной силой он продолжал упрямо вгрызаться в окаменевший бетон, с радостью ощущая, как все глубже уходит острый стальной штырь...

Как-то утром Владислав проснулся от нестерпимого холода. Он лежал прямо на решетке, плотно укутавшись в грязное одеяло. Его знобило. Снизу шел едва ощутимый теплый воздушный поток. Варяг подумал об уродливых стариках с испитыми лицами, которые зимой торчат в вестибюлях станций метро, греясь у решеток вентиляции. И впервые в жизни он подумал о них не с неприязнью, а с жалостью.

Рядом с ним на полу стояло ведро. Он даже не слышал, как его спустили. Схватившись рукой за пластиковую бутылку, он почувствовал, что вода там замерзла. Нащупав в ведре кусок мяса и хлеб, Варяг понял, что и скудная пайка закаменела на морозе. Что же там теперь — декабрь или, может быть, уже январь? Зима! Он быстро опустошил ведро и, дождавшись, когда охранник поднимет его обратно и закроет засов, принялся за повседневный ритуал: сто приседаний и пятьдесят отжимов на руках. Потом, жадно поев, вооружился своим стальным орудием, которое за эти долгие недели уже изрядно стесалось, и принялся за работу.

Монотонные движения были заучены им до автоматизма — это помогало отвлечься. За почти сорок лет жизни судьба предложила Владиславу Игнатову немало жестоких испытаний, но впервые он оказался в таком положении, когда были обрублены все связи с внешним миром, с друзьями, с надежными партнерами, с близкими людьми, на чью поддержку он мог бы рассчитывать. Как ни трудно было ему на зоне у Беспалого, там он все же был не один, и ниточка, связывавшая его с волей, хоть и была тонкая и хрупкая, все же ни на секунду не рвалась. Сейчас все было иначе. Сейчас его жизнь висела на волоске — и в его власти было либо оборвать этот волосок, либо осторожно вытянуть себя из этой ямы — как Мюнхгаузену из болота.

Но не в его привычках было смиряться со злодейкой-судьбой, не в его нраве было сгибаться под ее ударами. «Врешь, не возьмешь!» — с остервенением думал он, в тысячный раз пропахивая гвоздем бороздку в бетонной окантовке.

Один шов, скреплявший ржавую решетку с каменным полом, уже был полностью расковырян. Теперь он обрабатывал второй. Продолжая трудиться с такой же интенсивностью, он сумеет расковырять оставшиеся три шва за месяц-полтора. Тогда можно будет вытащить решетку — и уйти на волю!

Если только не произойдет чего-то непредвиденного. Если не ударит тридцатиградусный мороз и не приморозит его во сне. Если в одно прекрасное утро его просто не убьют в этой яме...

Глава 26

Массивный полированный стол в просторном кабинете еще хранил следы прежнего владельца: хромированную подставку для канцелярских принадлежностей, россыпь иностранных военно-технических журналов, ворох служебных писем и записок, пронумерованные толстые папки-скоросшиватели с аккуратными надписями на корешках и даже серебряную табличку с выгравированной надписью «Владислав Геннадьевич Игнатов» в деревянной рамке.

Просидев в этом кабинете уже почти месяц, Леонид Аркадьевич Суриков тем не менее не чувствовал себя тут вполне хозяином. В середине ноября его, ветерана службы внешней разведки, внезапно вызвал на беседу в Кремль некий Александр Иванович Сапрыкин, с которым генерал-майор Суриков до того ни разу в жизни не встречался. Сапрыкин предложил ему «интересное дело» — стать заместителем директора крупного оружейного концерна «Госснабвооружение».

— Да я не справлюсь, — робея, возразил Суриков. — Я же всю жизнь на оперативной работе...

— Вот и хорошо! — радостно перебил его Александр Иванович. — Значит, знакомы с материалом. Вы же, насколько я понимаю, в последние пятнадцать лет имели дело с «железом». Участвовали в пяти последних оружейных ярмарках в Абу-Даби. Были членом российских делегаций... Вам и карты в руки!

И Суриков понял, что Сапрыкин хорошо подготовился к разговору. Генерал-майор и впрямь в последнее время подвизался на военно-коммерческом поприще, хотя его специализацией была вовсе не торговля оружием, а промышленный шпионаж: завязывая знакомства на международных оружейных форумах, он затем использовал новых приятелей для добывания секретной информации о ведущихся разработках новейших видов вооружения и оружейных технологий. Сугубо же коммерческая сторона этого дела ни его самого, ни его начальство никогда не интересовала. И вот теперь ему предложили стать «купцом».

— Нет, Александр Иванович, — твердо заявил тогда Суриков, — не потяну. Я в этой бухгалтерии ни в зуб ногой, да и не по возрасту мне в эти дебри влезать... Не потяну! Я же двадцать лет во внешней разведке отработал.

Но Сапрыкин не сдавался.

— Да в действительности, Леонид Аркадьевич, вам предстоит скорее работа по вашему профилю — там же не столько бухгалтерия, сколько внешняя разведка. Вам надо будет разыскать несколько банковских счетов в оффшорных зонах...

— Где-где? — изумился Суриков, который об оффшорных зонах знал только по газетным публикациям о бегстве капиталов из России.

— А вот это вы и узнаете — где! — улыбнулся Сапрыкин. — Мы и сами толком не знаем где. Где-то в Европе. Андорра, Лихтенштейн, Гибралтар... Черт его знает!

— И что там, на этих оффшорах? — рассеянно поинтересовался Суриков.

Тут Сапрыкин посерьезнел.

— Там, Леонид Аркадьевич, лежат деньги, вырученные «Госснабвооружением» от торговли российским оружием. Немалые, должен вам сказать, деньги. Миллиарды долларов. Их надо вернуть в Россию.

Теперь Суриков начал что-то понимать. Задание было похоже на то, чем он занимался лет десять назад, когда отколовшиеся от союзного КГБ российские спецслужбы занялись поисками пресловутого «золота партии». Где только не искали — на Кубе и в Швейцарии, в Италии и Греции... А потом выяснилось, что «золото партии» просто закачали через подставные коммерческие фирмы в нефтегазовые и алюминиевые концерны, в золото— и алмазодобывающие компании, приносившие кое-кому баснословные барыши. Что ж, история повторяется, смекнул Суриков и стал отказываться от предложенного места работы без прежней решимости. Напротив, уяснив, что от него требуется, Леонид Аркадьевич даже возликовал. Он помнил, сколько золотой пыли прилипло к рукам чиновников, занимавшихся розысками «партийной кассы». И ему тогда тоже перепало. А тут, если он правильно понял Александра Ивановича, можно поживиться...

— То есть вы хотите сказать, что мне не придется вникать в юридические тонкости контрактов о продаже ручных пулеметов в республику Негритяндию... — осторожно заметил Суриков.

— Ни в коем случае! Для этой цели в концерне есть знающие, толковые люди... Тоже из вашей системы, — многозначительно поднял палец Сапрыкин. — Ваша задача — найти укрытые от налогообложения капиталы концерна.

— А как же это им удалось так лихо спрятать миллиард долларов? — Суриков пристально посмотрел на Александра Ивановича.

— Не миллиард, а миллиарды, — строго поправил его тот. — Ну, есть там один деятель, большой, надо сказать, дока. Заместитель генерального директора. Мы посадим вас в его кресло... когда оно освободится.

— А, так этого жулика собираются выгонять? — предположил Суриков.

Сапрыкин не ответил, а только неопределенно взмахнул рукой.

— Ну что-то вроде этого. — И вдруг он озабоченно добавил: — Кстати, вам ничего не говорит фамилия Игнатов? Владислав Геннадьевич Игнатов?

Суриков отрицательно покачал головой.

— Ну и ладненько! — повеселел Сапрыкин. — Как только кресло освободится — я вас извещу.

В конце ноября Леонида Аркадьевича известили о том, что он может приступать...

Суриков входил в курс дела недолго. Он не стал «въезжать» в бизнес, предоставив это удовольствие двум своим заместителям — хмурым, неразговорчивым полковникам «оттуда», которые занялись контрактными поставками. За месяц совместной работы Суриков понял, что эти новоявленные «бизнесмены в штатском», которых ему сосватал Сапрыкин, ни хрена не петрят в торговле оружием. Но его это не волновало. Они отчитывались перед вышестоящим начальством, а Леонид Аркадьевич открыл свой сезон охоты...

Первым делом Суриков активизировал старые, давно законсервированные связи в Германии — людей, которых он терпеливо прикармливал еще в конце восьмидесятых, когда служил в Бонне «корреспондентом» советского агентства печати «Новости». Он не имел с этими людьми контактов уже много лет, и за это время кое-кто из них отправился в мир иной, а кое-кто успел сделать головокружительную карьеру в бизнесе и политике. На них-то Суриков и сделал основную ставку в своей игре.

Параллельно он решил отследить связи бывшего руководства «Госснабвооружения» и для этого обратился за помощью к старым друзьям с Лубянки, которые занимались «телефонными делами». Один из них, отставной генерал КГБ Михеев, возглавлявший теперь аналитический отдел крупного нефтяного концерна, когда-то работал вместе с

Суриковым в Бонне. Михеев пообещал помочь, и ровно через неделю Суриков получил от него увесистый пакет с десятком аудиокассет, на которых были записаны телефонные разговоры бывшего замгенерального директора «Госснабвооружения» Владислава Игнатова с зарубежными партнерами, а также распечатки компьютерных данных о движении финансовых средств концерна. Внимательно изучив записи телефонных переговоров, Суриков сразу же обратил внимание на одно странное обстоятельство: за полтора года работы в «Госснабвооружении» Игнатов сорок шесть раз разговаривал с Испанией, причем только с тремя абонентами, и семь раз выезжал в Барселону, хотя никаких контрактных отношений у него с испанцами не было. Просмотрев компьютерные распечатки, Суриков быстро сообразил, что «игнатовские» миллиарды следует искать в банках Андорры — крохотного государства на испанско-французской границе.

Неделя ушла у него на то, чтобы через своих людей в Германии найти зацепку в Андорре. Еще через две недели — уже перед самым Новым годом — он получил шифрованную депешу из Германии, которая гласила: «Пропавший груз нашелся там, где мы и предполагали. Доставка за ваш счет».

Получив эту в высшей степени интересную информацию, Суриков снова задумался о таинственном исчезновении бывшего заместителя генерального директора Владислава Игнатова. Самое удивительное заключалось в том, что, как он хорошо помнил, Сапрыкин заранее предупредил его о готовящемся увольнении — а выходит, исчезновении — Игнатова. Другими словами, Сапрыкин знал, что Игнатов должен исчезнуть. Значит, сделал вывод проницательный Суриков, сам Сапрыкин, скорее всего, и причастен к исчезновению Игнатова. А раз так, то тогда ясно, что повышенный интерес Александра Ивановича к тайному андоррскому счету «Госснабвооружения» связан с какими-то не менее тайными интригами, а вовсе не с желанием вернуть «убежавший» капитал в бюджет страны. Но с чем именно?

Ответа на этот вопрос у Леонида Аркадьевича Сурикова пока не было.

***

На первой полосе популярной столичной газеты «Московский экспресс» был помещен крупноформатный фотомонтаж из трех фотографий. На всех трех был изображен явно один и тот же мужчина. В центре красовалось холеное лицо с пронзительными веселыми глазами, сквозь которое проступало то же лицо, но изможденное, небритое, в зековском зимнем треухе. А снизу был подверстан совсем маленький портретик в профиль с английскими надписями. Статья, помещенная тут же, рассказывала, что известный российский криминальный авторитет Владислав Игнатов по кличке Варяг несколько лет назад был арестован в США по подозрению в убийстве (чему доказательством является крохотное фото из тюремного досье), затем странным образом выпущен на свободу, вернулся в Россию, где получил срок... После этого в судьбе Игнатова — Варяга опять произошел чудесный поворот, и он был назначен заместителем генерального директора крупного государственного оборонного предприятия. И вот теперь следствие по делу «Госснабвооружения» разоблачило грандиозную аферу, в результате которой Игнатов — Варяг украл у государства пять миллиардов долларов, бесследно пропавших в «черной дыре» безвестного оффшорного банка где-то в Белизе... Осталось только найти подельников Варяга — не его «законных» корешей, а тех коррумпированных чиновников, которые за взятки помогли криминальному пахану вывезти из страны грязные миллиарды... Далее полполосы занимала стенограмма трех телефонных переговоров Игнатова с анонимным собеседником — речь шла о переводе на зарубежные банковские счета миллионных сумм от торговых контрактов.

Сапрыкин отложил газету в сторону и усмехнулся. Лихо работают ребята. Молодцы. Самое занимательное в этой истории было то, что «Московский экспресс» до последнего времени финансировался господином Игнатовым. Однако как только господин Игнатов таинственным образом «исчез», в редакцию газеты нагрянула налоговая проверка и выявила огромную недоплату в бюджет. Впрочем, в последующие два дня вся эта недоплата была покрыта каким-то доброхотом, газета срочно перерегистрировалась новым советом учредителей и после трехдневного перерыва продолжала выходить как обычно. Читатели даже и не заметили подмены: на последней странице в списке редколлегии фигурировали новые фамилии.

— Ну что, как вам материалец, Михаил Фаддеич? — осведомился Сапрыкин у своего гостя. Они сидели в кремлевском кабинете Александра Ивановича за низким столиком «для бесед» напротив друг друга. — Леша Борзенко далеко пойдет, помяните мое слово. Это вам не Хинштейн и не Минкин. У него кураж есть настоящий. Он не просто отрабатывает номер, а творит по-настоящему. С вдохновением! Знаете, в кабаках бывают музыканты, которые, хоть ты их озолоти, будут лабать с кислой рожей. А есть такие, что просто впадают в транс.

— Ну, этот ваш Борзенко явно впал в транс, — усмехнулся отставной гэбэшник. — Что-то я не понимаю, зачем нужно было вываливать эту историю с Игнатовым на свет божий. И какие пять миллиардов? Это же чушь! Да весь российский оружейный экспорт за последние десять лет составляет не больше трех миллиардов... И при чем тут Белиз? Вы же мне сами сказали: Суриков нарыл игнатовские деньги в Андорре...

Александр Иванович хлопнул в ладоши, как ребенок, развеселившийся от собственной шутки.

— Так в этом-то вся соль, Михаил Фаддеич! Что до криминального прошлого Игнатова — то это сигнал тем, кто его продвигал все эти годы, сигнал его доброхотам. Ведь кто-то его привел в «Госснабвооружение». Причем есть сведения, что это как раз те, кто сейчас воспрял духом. Вот мы их и решили охолонуть. Дискредитируя Игнатова, мы косвенным образом дискредитируем и их. А бросая тень на них, мы оттираем их от кормушки, на которую они уж нацелили клювы. Это нам и надо. Они нас обошли на повороте — назначили преемником своего. Ладно, хрен с ними. Но мы испортим им песню — это наша задача номер один. Преемник-то пока осматривается, вот к нему и надо рассадить наших, а чужих выдавить. Это же арифметика власти, Михаил Фаддеич! — Сапрыкин так разволновался, что даже снял пиджак и бросил его на спинку кресла. — Второе. Пять миллиардов вас смущают, говорите. А помните, как говорил старик Геббельс: чем фантастичнее ложь, тем скорее в нее поверят. Кто будет проверять, сколько украл Игнатов — пять миллионов или пять миллиардов. Чем внушительнее цифра, тем она правдоподобнее. Ну а Белиз... Чем дальше от реального места, где зарыт наш клад, тем меньше вероятность, что его найдут. Деньги в Андорре, на номерном счету. Чтобы их оттуда выковырять, надо предпринять целый ряд определенных действий. Это ведь по щучьему велению не получится.

— Ну и кто же будет выковыривать? — с сомнением спросил отставной генерал Юдин.

— Коля, — коротко отрапортовал Сапрыкин. — Колю помните? Он спец по этим делам.

Морщинистое лицо старика просияло:

— Коля? Это тот, который в девяносто первом счетами международного отдела ЦК занимался?

— Он самый! — довольно кивнул Сапрыкин. — Деньги партии...

Тут лицо Юдина помрачнело:

— Тогда там человек покончил с собой. Из окна выбросился...

Сапрыкин развел руками:

— Ну что поделаешь, Михаил Фаддеич. Серьезные дела требуют серьезного подхода. Его ведь предупреждали, товарища Кручинина: не подписывай ничего, не раздавай... А он, сука, кредитов надавал всем друзьям-родственникам, а потом мы пришли и потребовали отчета. Ну и... Это был его личный выбор. Никто его к балконным перилам не волок...

Старик поднялся и хмуро покачал седой головой:

— Да, вы, ребята, все лихие. Ни перед чем не остановитесь. Я так иногда думаю: если что, то и мне придется себе из наградного ТТ пулю в лоб пускать.

Подойдя к Юдину вплотную и положив руку ему на плечо, Александр Иванович тихо, с расстановкой произнес:

— Так не надо самодеятельности, Михаил Фаддеич, и все пойдет своим чередом. Надо все делать по правилам. Как наш большой сход в Жуковке порешил, так и должно быть. А то ни Андорры, ни миллиардов не будет. А будет только сосновый ящик и духовой оркестр в актовом зале на Лубянке...

Глава 27

— Я ухожу в отставку! — печально-торжественным, ровным голосом произнес президент, поправив очки.

За столом воцарилось гробовое молчание. Все с изумленным недоверием уставились на телеэкран.

— Не может быть! — тихо выдохнул Витюша. — Этого просто не может быть!

— А я что говорил! — с ядовитым сарказмом возразил Сапрыкин. У него был ликующий вид. Он вообще весь сегодняшний вечер держался так, будто знал только одному ему ведомую государственную тайну, многозначительно подмигивая своим гостям. — Тихо! Дальше слушайте!

Он пригласил сегодня отметить наступление Нового, 2000 года весь свой ближний круг — Петю Буркова, Витюшу Самохина и двух отставных кагэбэшных генералов — Михаила Фаддеевича Юдина и Анатолия Игнатьевича Черемина, внесших немалую лепту в ту хитроумную политическую операцию, которую задумал и разыграл Александр Иванович в последние три месяца уходящего года. Первая часть задуманной «рокировочки» успешно состоялась: старого, больного президента-властолюбца заставили-таки уйти подобру-поздорову.

В сложную многоходовую комбинацию были задействованы десятки сильных игроков, которые, впрочем, даже не подозревали о своем участии в этом политическом проекте: крупные российские и иностранные бизнесмены и банкиры, депутаты Госдумы, генералы-силовики, популярные журналисты и даже криминальные авторитеты. Все выполняли свою, заранее определенную им конкретную задачу, на конкретном участке, не зная и не понимая существующей между всеми ними тесной взаимосвязи: кто-то создавал полезный политический контекст, кто-то лоббировал нужных кандидатов, кто-то отстегивал бабки, а кто-то и нажимал на спусковой крючок...

Собравшиеся за праздничным столом, с аппетитом закусив, уже проводили старый год и пожелали друг другу забыть как страшный сон все, что происходило в последнее время в стране.

Для всех известие об уходе президента в отставку прозвучало как гром среди ясного неба, и только Алик Сапрыкин довольно улыбался, как сытый кот, наслаждаясь произведенным на его гостей эффектом, — точно это не «Дед», а он сам объявил на всю страну о внезапной смене политической «конфигурации».

Но уже через несколько минут, через несколько абзацев новогоднего обращения президента к народу, настроение хозяина роскошной дачи в поселке Жуковка-5 резко изменилось. Побледнев, Алик вскочил со стула.

— Как же так! Как же так... Я ничего не понимаю! Почему? Мы же обо всем договорились! — Он налил в свою рюмку водки и залпом выпил. — Мы же договорились!

— О чем?! — мрачно пророкотал Петр Петрович. — Об этом дзюдоисте?

— Да о каком дзюдоисте! — завопил Сапрыкин. — Этот преемник всех нас замочит! Вы его не знаете!

— Да нет, все нормально, — спокойно пророкотал Михаил Фаддеевич Юдин. — Парень наш, прошел весь путь снизу доверху — все будет хорошо, напрасно ты так разнервничался, Алик.

Но Алик не просто разнервничался — он был убит, раздавлен. Все титанические усилия последних трех месяцев пошли насмарку. Все его хитрые интриги оказались напрасными, в том числе и самая хитрая и опасная интрига — устранение Варяга, несговорчивого держателя воровского общака. Одному богу известно, сколько сил ушло на психологическую обработку крупных воров в законе, чтобы заставить их сдать Варяга, а заодно с ним — и общак, который хранился в тайнике в престижном дачном поселке под Москвой. Сколько же там было — семь или восемь миллионов «зеленых»?.. И еще бабки, которые ему дали воры. Три миллиона... Слава богу, они не знают об операции с оффшорными счетами «Госснабвооружения»!

Что же он теперь скажет ворам? Алик от этой мысли похолодел — да ведь если с него потребуют отчета или, не дай бог, потребуют вернуть долг — что он будет делать? К кому обратится за помощью и защитой — к генералу Урусову? Хрен-то! Да этот хитрожопый мент его с удовольствием отдаст на съедение шакалам.

Заставка на телеэкране сменилась. Появились часы на Спасской башне, раздался бой курантов.

— Ладно, друзья, не будем раньше времени себя хоронить, — седоусый Анатолий Игнатьевич Черемин поднял рюмку. — Предлагаю тост за нового президента России — за то, чтобы ему, молодому, была оказана всяческая помощь и поддержка со стороны толковых людей. — Ветеран госбезопасности сделал паузу и с хитрым прищуром закончил: — Словом, за толковых людей, которые знают свое дело! И которые направят государственный корабль по нужному фарватеру.

Тост был правильный. Алик намек понял: мол, рано оплакивать свою судьбу, еще все устаканится. Немного успокоившись, Сапрыкин опрокинул в рот очередную стопку и подошел к телефону.

— Кремль закрыт до Рождества! Все празднуют! Там никого нет! — иронически заметил Петя Бурков, отправляя в рот наколотый на вилку соленый подосиновик.

— Я не в Кремль, — мрачно отозвался Алик. — Я в Переделкино... Там вряд ли празднуют.

***

На переделкинской даче Евгения Николаевича Урусова было шумно еще с утра. Генерал-полковник любил встречать Новый год в кругу семьи, с женой, сыном и примкнувшими сослуживцами. Кроме того, сегодня он позвал и обоих верных телохранителей — Никиту Левкина и Артема Свиблова, чтобы те обеспечили охрану особняка. В последнее время в Переделкино, всегда считавшееся тихой заводью и пристанищем московской творческой интеллигенции, контингент местных жителей сильно разбавили сомнительные личности, и генерал МВД вовсе не желал, чтобы кто-то из его новоявленных соседей омрачил семейный праздник. Тем более что весь декабрь, как не раз ему докладывал сторож Степаныч, около его дачи околачивались двое чужих — не то чтобы они следили за домом Евгения Николаевича, но уж как-то настойчиво прохаживались мимо по нескольку раз за день.

Гости — два генерал-майора из центрального аппарата министерства с семьями — приехали загодя, часов в девять, и теперь все сидели за столом, разгоряченные после выпитого и холодных закусок, и с нетерпением дожидались боя часов, после чего можно было приступить к шашлыку, приготовленному лично генерал-полковником Урусовым — хотя и вегетарианцем, но большим специалистом по части приготовления острых мясных блюд.

— Телевизор не хочешь включить, Женя? — один из гостей, заместитель начальника центра общественных связей Семен Трофимович Лисин, кивнул на стоящий в углу комнаты телевизор «Сони» с огромным широким экраном.

Урусов только махнул рукой:

— Да-а! Чего там! Завтра в газетах прочитаем его речь. А начнется «Огонек» — тогда и включим. Ну что, нести? — Он обвел сидящих лукавым взглядом, понимая, что всем уже не терпится вонзить зубы в лоснящиеся жирком и пахнущие душистыми специями кусочки свинины на длинных шампурах.

— Неси, неси, не томи! — смеясь, захлопала в ладоши Суламифь — супруга Урусова.

Хозяин дома, самодовольно улыбаясь, поднялся из-за стола и отправился на лоджию, где у него был установлен стационарный мангал на высоких ножках и под миниатюрной крышей — «всепогодный», как любил шутить Евгений Николаевич. Проходя вдоль длинного стола, он скользнул взглядом по Светочке Лисиной — восемнадцатилетней красавице дочке Лисина. Если откровенно говорить, он-то и пригласил сегодня Лисина исключительно ради дочери — аппетитной брюнетки с невероятно обширной грудью и томными черными глазами, опушенными длиннющими ресницами. Урусов познакомился с ней два года назад, когда ей было только шестнадцать, но он сразу угадал в ней подспудно бурлящую сексуальность, которая необузданно рвалась из ее расцветающего тела и ждала только подходящего момента, чтобы лавой извергнуться наружу. И у Евгения Николаевича сразу зародилось желание самому терпеливо дожидаться этого момента, чтобы испытать на себе жар и всесокрушающую мощь извержения юной девичьей страсти. Тем более что в делах амурных он был мастером искушенным не меньше, чем в мясной кулинарии.

Светочка кожей ощутила его взгляд и чуть повернула голову в его сторону. Ощутив внезапный прилив крови в нижнюю часть живота, Урусов поспешно исчез за балконной дверью. Выйдя на лоджию, он вдохнул морозный воздух и усмехнулся про себя, подумав: «Хороша соска!» Он снял выпуклую раскаленную крышку с мангала и ощутил щекочущий аромат продымленного печеного мяса. И шашлычок хорош. Для себя он приготовил пару шампуров осетрины — тоже неплохое яство.

Вдруг Евгений Николаевич услышал пронзительную трель телефонного звонка. Кого там еще несет? Неужели какой-нибудь министерский лизоблюд спешит поздравить с Новым годом.

— Я возьму! — крикнул он, вернувшись в комнату и закрыв за собой балконную дверь. — Теперь от этих поздравителей спасу не будет!

Урусов взял со стола трубку с антенной и поднес ее к уху.

— Да, я... — удивленно отозвался он. — Подождите, я возьму в другой комнате... — Он осторожно нажал какую-то кнопочку и, положив трубку на журнальный столик, бросился на кухню.

— Женя, кто это? — с тревогой спросила Суламифь. Он ничего не ответил.

Сняв трубку с настенного аппарата, Евгений Николаевич внезапно осипшим голосом произнес:

— Я вас слушаю, Александр Иванович... Да-да... — Он сел на стул с высокой спинкой и тяжело откинулся назад. — Но ведь я не знаю, кто и, главное, куда увезли Варя... то есть, я хочу сказать, «объект». Не я занимался этой операцией — я. как вы знаете. обеспечивал прикрытие на Дмитровском шоссе и затем проводил операцию проверки в «Госснабвооружении»... Да. Я вас понял, Александр Иванович. Есть!

Никогда еще Евгений Николаевич Урусов не проваливался в такую глубокую яму с дерьмом. Ни с кем еще он никогда не разговаривал таким подобострастным тоном, тем более с каким-то сопляком, который годился ему если не в сыновья, то в племянники. Генерал Урусов, прокручивая в голове краткий разговор, ненавидел себя.

Но то, что сообщил ему кремлевский чиновник Сапрыкин, потрясло его. Они, весь вечер просидев перед неработающим телевизором, пропустили самое главное событие уходящего года, а может быть, и года наступающего. Президент объявил об уходе в отставку. Стало быть, ситуация, которая медленно складывалась на шахматной доске российской политики, враз изменилась. Теперь судьбы сотен, если не тысяч российских чиновников, занимающих теплые кресла на гражданской и военной службе, оказались на грани катастрофы — точно так же как перед сотнями или тысячами доселе безвестных бюрократишек-пигмеев, разносивших папочки с бумагами где-нибудь в Питере, открылись радужные перспективы для головокружительного карьерного роста.

А что теперь делать ему, генерал-полковнику Урусову, который с подачи вот этого самого Сапрыкина упрятал в страшное волоколамское СИЗО ни в чем не повинную бабенку, навел шороху в солидном военно-торговом концерне, а самое главное, упустил крупную рыбу — смотрящего России и его тайник на той гребаной даче... Так, спрашивается, ради чего он землю рыл носом? Чего он добился? А что, если с него спросится за все это? Он, что же, сошлется на устное указание господина Сапрыкина? Так господин Сапрыкин сделает удивленные глаза и скажет, что впервые слышит имя генерала Урусова...

Облом! Вот это облом! Евгений Николаевич обхватил голову руками и уперся локтями в стол. Что же теперь делать-то?..

— Евгений Николаевич! — услышал он за спиной голос Никиты.

— Да! — Генерал Урусов посмотрел на верного капитана Левкина. — Что там?

— Да какой-то «жигуль» светится, Евгений Николаевич, — озабоченно проговорил тот. — Раза два днем проезжал. И теперь вот только что...

— Какой «жигуль»? — не понял Урусов.

— Ну, — замялся Никита, — тот, что на прошлой и на позапрошлой неделе тут видели.

— Так пойди и разберись, какого хера ему тут надо! — заорал вдруг генерал-полковник. — Ну что ты мне голову морочишь такой ерундой! Уж с этим ты можешь самостоятельно разобраться?

И, встав со стула, Урусов решительно зашагал обратно к гостям.

Никита Левкин мрачно кивнул и пошел по коридору к двери. Он не сообщил генералу самого главного: что он узнал этот синий «жигуль». Это была та самая «копейка», с двумя пассажирами которой ему уже однажды пришлось «разбираться» — в парке на Речном вокзале. И закончилась та разборка для Никиты весьма плачевно...

Глава 28

Вечером первого дня нового года на полянке в роще неподалеку от скоростной магистрали, ведущей от Ленинградского шоссе к международному аэропорту Шереметьево-2, группа крепких ребят собралась жарить шашлык. Во всяком случае, так могло показаться со стороны человеку, случайно завернувшему в этот пустынный уголок ближайшего Подмосковья. Ребята, одетые в короткие кожаные куртки на искусственном каракуле, разложили складной мангал на длинных ножках и уже разожгли внутри костерок. Рядом с мангалом стояла кастрюля с кусочками свинины, замаринованной в уксусе с лимонным соком.

Но если бы случайный наблюдатель захотел приблизиться к веселой компании, его бы непременно остановили еще на дальнем подходе недвусмысленными взглядами и угрожающе отведенными вбок локтями правых рук, засунутых в карманы курток. Можно было не сомневаться: чуть что — и руки, не дрогнув, достанут сверкающие вороненой сталью «тэтэшки» или «пээмки» и в мгновение ока изрешетят излишне любопытного чужака.

Метрах в ста от полянки, на которой расположились любители зимнего шашлыка, на просеке стояли два джипа. Один был обычный черный «лэнд-ровер» с никелированными бамперами и молдингами, а также никелированной решеткой на радиаторе. Другой джип был светло-зеленого цвета какой-то диковинной марки — с двумя латинскими буквами SS на передке. Водители обеих машин прогуливались на почтительном расстоянии друг от друга.

Джипы стояли почти впритирку, и задние стекла были опущены. Сидящие в джипах двое мужчин сегодня впервые встретились лицом к лицу — до этого они только общались по телефону — и теперь вели неторопливую беседу.

— Я нэ панимаю все-таки, что праисходит, — мерно вещал статный пожилой грузин в наглухо застегнутой дубленке. Его величавая седая голова блаженно покоилась на мягком подголовнике. — Ми же обо всиом договорились. А уговор дароже дэнэг, батоно Александр. Ми свою часть уговора виполнили — так что даже менты сбились с ног, не могут найти Варьяга... Вы не знаете, батоно, что тут недалеко произошло несколько месяцев назад?

— И что же? — с интересом заметил его собеседник, моложавый мужчина в очень дорогом кашемировом пальто. — Что, уважаемый Шота?

Шота Черноморский, признанный «крестный отец» грузинской мафии, контролировавший деятельность грузинских бригад на всей территории европейской части России, покачал седой головой:

— Здэс по дороге из Шереметьево бил застрелен дэпутат Думы Шелехов...

Александр Иванович Сапрыкин с нарочитым удивлением поднял брови.

— Да что вы, батоно Шота! Не знал! Ну и что?

Шота сохранял невозмутимость, но по блеску его черных глаз было понятно, что он с трудом сдерживает свой гнев.

— А то, что ми потеряли нашего человека.

— Погодите, — задумчиво перебил его Александр Иванович. — Но вы же говорили, что человек должен был уйти за границу... Как его... Грунт?

Шота взмахнул рукой — точно ножом отсекал виноградную гроздь с ветки.

— Нэ ушел! Нэ успел. Вибросился из акна. Или его вибросили... Но это нэ слишком болшая потеря. Варьяга вам отдали, общак отдали — и чэм все кончилось, а? — Шота постепенно разгорячился. — Вчэра все рухнуло! Вы же ничего нэ знали! Нэ знали, что прэзидент подаст в отставку, не знали, что он назначит прэемником этого... гэбэшника! И как ви тэпер надэетес пабедить на виборах через три месяца? Это когда — в марте?

Шота откинулся на мягкие кожаные подушки и с негодованием запыхтел, точно сердитый еж. Сапрыкин молчал. Сохраняя на лице вежливую полуулыбку, он соображал, чем же закончить этот малоприятный разговор с «крестным отцом» грузинского преступного сообщества. Дело принимало серьезный оборот.

Шота позвонил ему сегодня рано утром на дачу и без особых церемоний предложил срочно встретиться. Место встречи он назначил кремлевскому чиновнику сам: видимо, Шота не случайно выбрал именно это малолюдное место за кольцевой дорогой — так он напоминал Сапрыкину о печальном конце депутата Шелехова и давал понять, что пуля, сразившая депутата, может настичь и Александра Ивановича.

Сапрыкин не боялся Шоты. Он знал, что в любой момент может позвонить всесильному генералу Урусову, и тот отдаст соответствующее распоряжение — и на первом же посту ГИБДД инспектора найдут в этом самом элегантном джипе пакетик с героином. Но он вовсе не хотел портить отношения с авторитетным вором, понимая, что тот ему еще пригодится. Варяг, конечно, нейтрализован, и общак попал к ним в руки, что в сложившейся ситуации было как раз очень кстати. И эти деньги еще должны будут послужить их общему делу.

— Да, уважаемый Шота, — серьезно начал он после долгого молчания. — Приходится признать: первую партию мы проиграли. Надо уметь признавать свои поражения. Но одна партия — это еще не весь матч. Впереди нам предстоит тяжелая изнурительная борьба. А вы что же думали, с одного удара закатить все шары сразу? Так не бывает, батоно Шота.

Старый грузин засопел и поежился, точно ему было зябко в теплом овчинном тулупе.

— Ладно. Так что ви далше будэте дэлать?

— Продолжим игру, — строго ответил Сапрыкин. — Насколько я понимаю, исчезновение Игнатова не слишком вас беспокоит — я имею в виду вас лично, батоно Шота. Он находится в надежном месте — и то, что ни вы, ни ваши... ммм... коллеги... не в курсе его местонахождения, я думаю, даже к лучшему. А если вас беспокоит судьба ваших денежных средств... — Тут Александр Иванович скроил ироническую гримасу. — То смею вас заверить, все вернется вам обратно — с наваром. Наберитесь только терпения. Игра перешла в острую стадию. И мы должны принять их вызов...

Александр Иванович попросил шофера поехать по окружной — так быстрее можно было добраться до Рублевки. Он сидел нахохлившись на заднем сиденье «лэнд-ровера» и размышлял. Что ж, события последних суток и впрямь смешали ему все карты. Но в этой игре были задействованы десятки, если не сотни незримых участников, и теперь, после столь неожиданного хода противника, ему предстояло резко поменять тактику, а может быть, и стратегию игры.

Если старая кремлевская гвардия и в самом деле испугалась сделать ставку на «Молчалина», чью кандидатуру с таким упорством проталкивал Сапрыкин все последние месяцы, что ж, тогда ему и его команде придется изобразить ретивую лояльность новому кандидату — и даже в случае его победы на выборах можно — нет, нужно — посадить вокруг него своих, наводнить своими все кремлевские, думские и министерские кабинеты. Пусть они новому президенту вздохнуть не дадут. Пусть утопят его в бюрократической трясине.

А законные воры окажут важное содействие... Какое — Александр Иванович уже знал. Ему в голову пришла гениальная идея. Причем на эту идею его натолкнул только что Шота Черноморский...

Глава 29

Он потерял счет дням. Правда, каждое утро, едва проснувшись, он по привычке прочерчивал на влажной заиндевевшей стене очередную царапину. Число этих царапин уже давно перевалило за сотню. Но сколько их набралось точно — он не помнил. А пересчитывать их не было ни желания, ни сил. Сто с лишним дней... Выходит, больше трех месяцев Варяг томится здесь и сейчас конец февраля... Но об этом он мог бы и так догадаться: ночи стали холоднее — под куцым одеялишком, в которое он плотно укутывался по ночам, ему было зябко так, что от холода он просыпался и кое-как согревал дыханием закоченевшие руки.

Его удручала полная безысходность и неизвестность: за эти три с лишком месяца им так никто и не поинтересовался, никто не пришел встретиться с ним, никто не задал ему ни единого вопроса. Их ничего не интересовало — ни общак, ни его бизнес, ни его связи внутри страны и за рубежом. Смотрящего России просто изолировали, заживо похоронив в этом глухом каменном склепе.

Одно только придавало Варягу силы, одно вселяло надежду: сегодня можно будет наконец выдрать из пола решетку и спуститься в канализационный туннель. А там — свобода. Во всяком случае, ему так хотелось думать.

Дождавшись прихода молчаливого охранника, который спустил ему привычное ведро со скудной пайкой, Варяг жадно поел, но воду пить не стал, решив сохранить ее для долгого и опасного путешествия по подземельям.

Потом он приступил к привычной работе. Разбросав бетонную пыль, которой он на всякий случай всегда присыпал расковырянные швы, он взялся покрепче за стальные прутья и, собрав все силы, рванул решетку на себя. Она поддалась! Поддалась... Но чтобы вытащить ее, надо было еще поработать стальным шпеньком. Он принялся терпеливо ковырять правый шов. Ему вспомнилось, как в далеком детстве он пытался вытащить качавшийся молочный зуб спереди. Зуб уже, казалось, висел на волоске, но все никак не хотел выпадать. Тогда он привязал его веревочкой к дверной ручке, закрыл дверь и стал ждать. Прошло, наверное, полчаса, пока в комнату не вошла бабушка, сильно дернув дверь на себя. Маленький Владик только почувствовал сладковатый вкус крови на языке...

Он зажал свой инструмент в зубах и, снова вцепившись обеими руками в решетку, дернул. Стальной прямоугольник легко пошел вверх, так что Варяг от неожиданности чуть не упал навзничь. Он осторожно, стараясь не шуметь, положил решетку и жадно приник к образовавшейся дыре в полу. Всмотревшись в полумрак, он увидел темную трубу и поток грязной воды, омывавшей ее с обеих сторон. Труба лежала в довольно широком туннеле, выложенном бетонными плитами.

Варяг бросил последний взгляд на свою камеру, мысленно обратился к Богу с просьбой о помощи и сел на край дыры, свесив в нее ноги. Он почти без всякого усилия протиснулся в дыру, осторожно нащупал ногами скользкую трубу, встал на нее и напоследок догадался положить решетку на место. Если его тюремщикам вздумается заглянуть в его камеру, они увидят лишь свернутое одеяло...

Он осторожно шел согнувшись в три погибели, по щиколотку в ледяной воде. В туннеле стояла затхлая вонь, — похоже, это был промышленный сток, потому что запах был какой-то химический. Впрочем, он в этом не разбирался, да и вообще это его мало интересовало. Главное, что беспокоило Варяга теперь, — куда приведет его этот мрачный туннель.

Часов у него не было, и он мысленно отсчитывал шаги и секунды, чтобы иметь хотя бы некоторое представление о времени и расстоянии. Один шаг — две секунды. Через двести метров он почуял свежее дуновение. Неужели уже выход? С утроенной энергией Варяг зашагал вперед. Но каково же было его разочарование, когда он, сумев выпрямиться в полный рост, увидел высоко над собой тонкую светлую полоску — по-видимому, это был кусочек неба: скорее всего, он оказался в коллекторе. Оглядевшись по сторонам, Владислав понял, что и впрямь стоит в квадратном помещении, сточная труба тянется вперед, но вбок от нее, в две стороны, отходили низкие темные проходы.

Он решил проверить, куда ведет правый проход, и двинулся наугад в темноту, низко пригнув голову. Шел он недолго. До его слуха донесся далекий гул и как будто перестук вагонных колес на рельсовых стыках. Еще через мгновение его руки ткнулись в деревянную глухую перегородку или забитую дверь. Из-за двери явственно донесся шум проходящего поезда. Метро! Конечно, это метропоезд. Если выйти на пути, можно добраться до какой-нибудь станции и...

А что дальше? Дурак! Варяг даже застонал. Да первый же встречный мент сразу задержит кудлатого бородатого мужика в грязных лохмотьях. Нет, даже если он сейчас запросто проникнет сквозь эту перегородку и попадет на трассу метрополитена, на станции ему я таком виде появляться нельзя.

И Варяг повернул обратно. Дойдя до коллектора, он нашел свою трубу и двинулся вдоль нее, надеясь найти выход на свет божий понадежнее.

Воды в бутылке, к которой он часто прикладывался, осталось на донышке.

Он отсчитал еще две тысячи шагов и опять почуял дуновение свежего воздуха. И только сейчас вдруг ощутил, что ноги, чавкающие в холодной жиже, напрочь застыли. Не хватало еще простудиться. Ему как-то удалось за три месяца не заболеть в том колодце-холодильнике — теперь подхватить простуду было бы совсем не в кайф.

Варяг прикинул, что сделал уже две тысячи пятьсот двадцать шагов — это километра полтора, не меньше, а впереди никакого просвета. «Этак я до Волги дойду», — невесело подумал он.

Одно спасало его в этом душном смрадном лазе: тут было довольно тепло, и он совершенно не чувствовал морозного воздуха снаружи. Только студеная вода, что хлюпала в ботинках, причиняла ему неудобство. Но он старался об этом не думать. Вот только выбраться на волю, а там можно будет подумать и о смене одежды.

Варяг шел в темноте, держась ладонью за шершавую влажную поверхность трубы. Внезапно он ткнулся во что-то мягкое и большое. Он остановился и пошарил рукой — на трубе лежала гора какого-то тряпья. Он не сразу понял, что там, но в следующее мгновение его сердце радостно забилось: это была забытая или специально оставленная кем-то одежда. Ватник, ватные штаны, здоровенные башмаки, которые носят рабочие-строители. Это был подарок судьбы!

Он допил воду, бросил пустую бутылку, скинул с себя потрепанный костюм, когда-то стоивший полторы тысячи баксов, снял ботинки вместе с абсолютно мокрыми носками и быстро напялил на себя рабочую униформу. Он, конечно, не мог поглядеть на себя в зеркало. Но скорее всего, вид у него был вполне обычный — в таком виде можно спокойно выползти наружу где-нибудь на людной площади у метро и смешаться с разношерстной толпой горожан...

Туннель тянулся вперед прямо, никуда не сворачивая. Владислав шел, стараясь не снижать скорости, но туннель был очень низкий и к тому же теперь сузился настолько, что он едва протискивался между сточной трубой и кирпичной стенкой. Продолжая мысленно отсчитывать шаги, Варяг понял, что за время своего долгого подземного путешествия прошел уже километра четыре.

Стало совсем душно. Ему было трудно дышать. Он вспотел. Но это даже хорошо, что вспотел. Значит, организм согрелся, значит, теперь кровь быстрее побежит по жилам, значит, еще не все потеряно! Одетый в толстый ватник и ватные стеганые штаны, он только теперь понял, как ему было холодно там, в его колодце-тюрьме. Если бы организм за эти три с лишком месяца не привык к постоянному холоду, он бы просто околел в этом туннеле, едва пройдя пять сотен шагов.

Но все же его могучая природа и тут сослужила ему добрую службу. Жаль, в той куче одежды не было шапки — ушанка бы ему сейчас не помешала...

Но грех было корить судьбу. Ему опять повезло. Повезло — в который раз! После этой чудесной, как в сказке, находки он повеселел. Если там лежала эта одежда, значит, наверняка где-то тут недалеко должен быть выход наружу — где-то совсем рядом. Он решил не торопиться и стал внимательно, сантиметр за сантиметром, обследовать стенки туннеля. Наконец его пальцы нащупали деревянный выступ, шляпки гвоздей, ручку... Это была дверь.

Владислав с замирающим сердцем потянул за ручку — дверь поддалась!

Глава 30

Уехав еще в конце ноября из Москвы в Петербург, Чижевский воспользовался питерскими связями Сержанта и выправил себе новый заграничный паспорт на имя Панкина Алексея Борисовича, с которым благополучно выехал в Финляндию и укрылся в маленьком коттеджном поселке недалеко от границы. Место было удобно тем, что там постоянно жили или снимали на лето коттеджи русские — в основном из Петербурга и Москвы. Перезнакомившись с соседями по поселку, Чижевский-Панкин время от времени звонил от них в Москву и справлялся у Сержанта о ходе поисков Варяга и его секретаря Лены Сорокиной...

Сообщения из Москвы были неутешительными. Сержант привез в Москву Гепарда и его приятеля Толика Бунина. Славная троица, пользуясь тем, что столичным ментам их лица пока что не примелькались, развернули активные оперативно-розыскные мероприятия. Но ни на первых порах, ни через месяц они ничем не могли похвастаться. О Лене не было ни слуху ни духу. Не было никаких сведений о пропавшем заместителе генерального директора крупного военно-технического концерна Владиславе Игнатове. Московская пресса, конечно, не заметила исчезновения безвестной секретарши, но, что касается замгенерального директора «Госснабвооружения», столичные «перья» поспешили разнести по столице слух о том что Владислав

Игнатов стал жертвой начавшегося грандиозного передела собственности, и в частности всего экспортного сектора российской экономики. Возобновившаяся в Чечне военная кампания трактовалась как предвестие больших перемен в политике и экономике страны, а в этих условиях силовое устранение активного игрока военно-экспортного рынка — имелась в виду акционерная компания «Госснабвооружение», которая при Игнатове встала в один ряд с мощным государственным «Росвооружением», — было на руку будущим «передельщикам».

Исподволь выдвигались и другие версии: популярный «Московский свисток», например, поместил целое исследование о криминальных корнях Владислава Игнатова, вспомнив о темном деле с его арестом в аэропорту Шереметьево и таинственным исчезновением после этого... Впрочем, поскольку никакого «дела Игнатова» в анналах МВД или ФСБ не существовало, то журналистам приходилось довольствоваться лишь непроверенными слухами, версиями и свидетельствами из косвенных источников. Три человека, которые могли бы пролить истинный свет на фигуру и биографию Владислава Игнатова, были мертвы: генерал Калистратов погиб при невыясненных обстоятельствах в Петербурге, генерал Артамонов стал жертвой теракта на Северном Кавказе, начальник далекого северного лагеря полковник Беспалый тоже каким-то загадочным образом был убит бродягами в том же Петербурге.

Ходили смутные разговоры о том, будто господин Игнатов в один ноябрьский вечер участвовал в сходке воровских авторитетов где-то на окраине Москвы и оттуда не вернулся... Но это был всего лишь слух, который работники пресс-службы МВД напрочь отказывались подтвердить или опровергнуть.

Правда, корреспонденту еще одной популярной газетки — «Место встречи» удалось взять коротенькое интервью у генерал-полковника Урусова. Ответственный работник МВД подтвердил, что по линии министерства продолжаются поиски исчезнувшего Владислава Игнатова, хотя они и не привели пока к каким-либо обнадеживающим результатам. Отвечая же на вопрос, что происходит в «Госснабвооружении», Урусов вдруг пустился в пространные объяснения о том, что в этой компании давно уже «не все в порядке» и что «у правоохранительных органов имеется ряд претензий к ее службе безопасности, которая якобы занималась несанкционированным сбором информации о частной жизни и профессиональной деятельности многих известных лиц». И что руководитель этой службы безопасности некий Чижевский тоже пропал, причем бежал буквально из-под носа наряда милиции, высланного для его задержания по месту жительства. И что ему, генералу Урусову, пришлось лично отдать распоряжение задержать некоторых работников «Госснабвооружения» на предмет выяснения у них всех подробностей работы отдела господина Чижевского...

Николай Валерьянович, регулярно получавший из Москвы толстые пачки газетных вырезок на «криминальную» тему, внимательно прочитал «Место встречи» и взял на заметку слова милицейского генерала. Ему вдруг пришла в голову смелая мысль: если Урусов так бойко рассказывает о деятельности службы безопасности «Госснабвооружения», может быть, он в курсе того, куда пропала Лена Сорокина. И вполне вероятно, он также в курсе, кто совершил стремительный налет на дачу на Никитиной Горе...

Чижевский вернулся в столицу только в середине января, когда счел, что недавние политические события в жизни России — затянувшаяся чеченская война и близящиеся досрочные выборы нового президента — несколько отвлекли всеобщее внимание (самое главное — внимание милиции и спецслужб) от персоны руководителя разгромленной службы безопасности разоренного концерна «Госснабвооружение».

Он прибыл вовремя. Гепарду незадолго до его возвращения удалось «пустить жуков» к двум крупным законным из тех, кто присутствовали на большом сходняке. С помощью верного Толика Бунина Гепард установил «прослушку» сначала в джипе Вити Тульского. а потом и в офисе Тимы Подольского. Причем первые две попытки, предпринятые сразу после Нового года, чуть было не закончились плачевно: Гепарда и Толика, ночью проникших в головной офис охранной фирмы «Калибр», которой руководил Тима, по чистой случайности не засекли охранники. На второй попытке они тоже чуть не облажались, по ошибке подключив «слухач» не к тому телефону. Короче говоря, только к концу января все было готово. После трехнедельных «сеансов связи» установили: Тима точно знает, что Варяг жив, что его «заховали» по решению трех основных «тяжеловесов» большого сходняка — Шоты Черноморского, Дяди Толи и Паши.

Но ни Тима, ни Витя явно не знали, где укрывают Владислава его похитители. И с какой целью. Одно можно было считать удачей: известие, что Владислав Игнатов жив и что он, вероятно, где-то в Москве.

Теперь Чижевский решил действовать решительно и наверняка. Он вернулся на «явку» в Сокольники, вызвал свою «тройку нападения» — Абрамова, Лебедева и Усманова — и поручил им начать плотную слежку за генерал-полковником МВД Евгением Урусовым. Сам же Николай Валерьянович вместе с Сержантом, Гепардом и его напарником Толей Буниным — он в шутку называл их «тройка Сержанта» — продолжил поиски Игнатова.

Им надо было любой ценой найти человека сидевшего за рулем того джипа, в котором Владислава Игнатова увезли из ресторана «Золотая нива»

※ ※ ※

Три дня назад Николай Валерьянович нашел по объявлению небольшую транспортную фирму и за хорошие бабки арендовал там на неделю крытую «газель». На кузове «газели» красовалась дурацкая надпись: «Доставка бытовой техники», но для задумки Николая Валерьяновича это было как раз то, что надо. Купив на Тушинском рынке пять одинаковых комплектов рабочих комбинезонов, Чижевский для пущего правдоподобия налепил на бутафорские комбинезоны наклейки с надписью «Фирма «Орбита-плюс». Теперь все было готово к спецоперации...

Перво-наперво Чижевский отправился на Дмитровское шоссе проведать метрдотеля Филимонова. На операцию он поехал вместе со своей «тройкой нападения», прихватив на всякий случай еще и Гепарда. Оставив «газель» с тремя бойцами на Дмитровском шоссе, Чижевский с Абрамовым незаметно прокрались во внутренний двор ресторана «Золотая нива».

На парковке за рестораном стоял уже знакомый им обоим черный джип.

— Николай Валерьяныч! — шепнул Абрамов. — Уж не хозяина ли этого джипа мы ищем?

— Очень может быть, — задумчиво протянул Чижевский.

Они проникли через служебный выход в здание и, немного поплутав по коридорам, нашли дверь с табличкой «Дирекция». В кабинете сидела пышнотелая миловидная дама лет тридцати пяти с копной мелированных в три оттенка волос.

— Здравствуйте, — приветливо улыбаясь, произнес Чижевский. — А вы, наверное, директор... Светлана Михайловна? Мы из «Орбиты». Привезли вам два холодильника бытовых.

Дама непонимающе нахмурилась.

— Наталья Алексеевна, — проворковала она обиженным тоном. — Каких таких холодильников? Ничего не понимаю. Мы не заказывали никаких холодильников.

— Да? — озадаченно пробормотал Чижевский и почесал в затылке. — А как же ваш завхоз или кто он... Ну, чей джип там на улице стоит... Он нам сказал...

— Джип? Это не завхоз, а главный бухгалтер, — красивое лицо Натальи Алексеевны вспыхнуло. Она почему-то заволновалась. — Южанов Антон. Ну не знаю, не знаю. Если он что-то там у вас заказывал, пусть сам и разбирается.

— Ну да, точно! Антон Южанов! — расплылся в довольной улыбке Чижевский. — С ним и договаривались. А где его сейчас можно найти?

— Ох, вот проказник! — надула накрашенные губки Наталья Алексеевна. — Он должен быть в гараже.

— У вас и гараж есть? — невольно вырвалось у Абрамова.

Директриса перевела взгляд томных глаз на второго посетителя и кивнула:

— Да, на той стороне шоссе. Рядом со строящимся домом.

— Знаю, знаю, — буркнул Абрамов, вспоминая события почти четырехмесячной давности.

— Спасибо вам, — откланялся Чижевский и, выйдя за дверь, произнес: — Итак, Антон Южанов.

— Чует мое сердце-вещун — мы на верном пути! — убежденно воскликнул Абрамов.

Они вышли из ресторана на задний двор и увидели, что дверца черного джипа раскрыта.

На водительском месте сидел худощавый парень лет тридцати, с оттопыренными ушами. Он уже включил зажигание.

— Минуточку, господин Южанов! Не уезжайте! Мы из фирмы «Орбита-плюс»...

Антон Южанов явно был ошарашен.

— Ну и что? Орбита-ху...та... Мне-то что за дело? Моя тачка в ремонте не нуждается, страховка мне не нужна.

— Смотри, парень, как бы ты сам в ремонте не стал нуждаться! — грозно прошипел Абрамов, вытащив из кармана комбинезона черный ПМ и приставив ствол к переносице главного бухгалтера. Лицо парня сразу исказилось гримасой ужаса.

— У нас к тебе два коротких вопроса, на которые мы надеемся получить два коротких ответа, — продолжал так же грозно майор-отставник. — Первый. Кого ты увез отсюда вечером пятнадцатого ноября прошлого года?

Антон Южанов побледнел как полотно, и его губы мелко задрожали.

— Я... я... никого не вез... Я только тачку дал... Я за рулем не сидел.

Чижевский удовлетворенно кивнул:

— Так, Антон, молодец. И второй вопрос. Ты куда его увез?

— Я не знаю, кто там был — в багажнике. Богом клянусь, вот вам крест, не знаю, кого там положили. — Он перешел на визг.

— Дурашка, — поморщился Чижевский. — Я же не спрашиваю — кого. Я спрашиваю — куда.

Главного бухгалтера ресторана «Золотая нива» била крупная дрожь.

— Не знаю, ничего не знаю, пацаны... Темно было. Сначала поехали по кольцевой, потом в Строгино заехали, там плутали, потом опять на кольцевую выехали... Потом в Черемушки, потом опять по кольцу, доехали до Щелковской, а там куда-то на Парковую свернули. Я уже не помню... Мне дорогу показывали. Я ехал...

— Кто показывал? — перебил его Чижевский.

Антон Южанов облизал пересохшие губы.

— Это... не знаю, как его...

— Тима? Витя? Паша? — стал помогать ему Абрамов. — Они ведь тоже были в ресторане...

— Не знаю, не знаю, — энергично замотал головой Антон. — Там в зале Филимон работал в тот вечер. Он всех видел. Я никого не видел. Никого не знаю. Меня посадили за руль, велели гнать. Полтора часа ездили, потом свернули на Парковые, где-то возле Измайловского метро, потом рванули на шоссе Энтузиастов, там на какую-то стройку заехали. Все, больше ничего не знаю...

Он всхлипнул.

— Ладно, Антоша, сейчас с нами поедешь — дорогу покажешь, — твердо сказал как отрезал Чижевский. — Будешь хорошо себя вести — отпустим. Заартачишься — мошонку на лоб натянем.

И, решительно вытолкнув Южанова из джипа, Чижевский зашагал в сторону Дмитровского шоссе. Абрамов, подталкивая перед собой главбуха, двинулся следом.

Глава 31

Он осторожно, точно не веря в удачу, отворил дверь, и в лицо сразу пахнуло свежим морозным воздухом. За дверью было довольно просторное и высокое, в человеческий рост, помещение, что-то вроде подсобки. У стенки стояла лавка, стул, на стуле лежало какое-то барахло и спички. Он схватил коробок в руку, машинально потряс, проверяя наличие в нем содержимого, и опустил коробок в карман ватника. В полумраке на дальней стенке он сразу различил металлическую лесенку, вмурованную в кирпичи. Лесенка вела вверх. Он глянул на потолок и увидел люк. Крышка люка была чуть приоткрыта. Владислав вцепился обеими руками в лесенку, подтянулся и стал медленно карабкаться вверх. Добравшись до верхней ступеньки, он надавил правой рукой на крышку люка, и та легко сдвинулась в сторону. Тогда он резко откинул стальную крышку и высунул голову наружу.

Вокруг расстилалась индустриальная пустыня: вдали виднелся пятиэтажный корпус с выбитыми окнами какого-то заброшенного завода. Территория вокруг завода была заставлена ржавыми останками древних механизмов с вырванными внутренностями. Людей не было видно. Владислав вылез, сдвинул крышку люка на место и, опасливо озираясь, направился к заводскому корпусу. Он не переставал удивляться отсутствию здесь людей. Может быть, сегодня воскресенье?

Варяг вошел в здание под гигантской аркой и по бетонному холодному полу пустых цехов двинулся вперед, на шум уличного транспорта. Только сейчас он ощутил смертельную усталость, сковавшую все его тело, — усталость, накопившуюся за все эти три или четыре месяца полуголодного прозябания в темном каменном мешке. Только бы не упасть, не потерять сознание...

— Эй, работяга! — услышал он голос за спиной.

Обернулся — и увидел двух ментов в лейтенантских погонах. Они быстро приближались к нему.

— Ты откуда такой красивый, а? — насмешливо поинтересовался один из ментов. — Работаешь тут?

— Сторож я, — глухо ответил Варяг, произнеся первые пришедшие в голову слова. — Сегодня моя смена.

— А, — кивнул лейтенант. — Новенький, что ль? А Михеич-то совсем спился? Михеич же всегда по выходным выходит... — Он повернулся к своему напарнику, второму лейтенанту. — А то я Михеича с самого конца февраля не видел. Не знаешь, что с ним? — Этот вопрос был обращен к Варягу.

Владислав пожал плечами. Он понял, что появление этих двух ментов пока не предвещало никакой беды, и приказал себе держаться с ними как можно спокойнее, не нервничать. Если они заподозрят что-то неладное — сразу возьмут за задницу... А коли, не дай бог, потребуют предъявить документы — все, пиши пропало. Одно он выяснил: сегодня суббота или воскресенье. Уже что-то...

— Да хрен его... Я только на прошлой неделе сюда устроился. Вроде и впрямь тут был какой-то ночной сторож, да он то ль заболел, то ль уволился. Не знаю...

Менты озабоченно переглянулись.

— А в бытовке кто есть сейчас? — осторожно спросил второй лейтенант.

«Что еще за бытовка?» — мелькнуло у Варяга в голове. Тут главное не сболтнуть лишнего.

— Да с утра был там старшой... — Он сделал паузу, как будто припоминал имя. — То ли Василий Евгеньевич, то ли Евгений Васильевич...

— Василий Васильевич! — поправил первый лейтенант и удивленно добавил: — Чой-то прорабу тут в воскресенье делать? Ну-ка, Петя, пойдем проведаем. Может, у него сохранилось что-нибудь...

И менты быстро направились в глубь заводского двора. Варяг с трудом скрыл улыбку. Кажется, пронесло. И вдруг он крикнул ментам вслед:

— Ребята, сколько времени, не скажете?

Первый лейтенант взглянул на левое запястье и обернулся:

— Полпервого!

«Сторож» благодарственно махнул ему рукой и быстро пошел в сторону улицы, к длинной веренице торговых палаток.

Он вышел из-за палатки на тротуар и немного опешил: он отвык от такого многолюдья и многоголосья. «С конца февраля...» — вспомнились ему слова мента. Выходит, сейчас уже март. И, значит, он с ноября просидел в той яме четыре месяца! Владислав потрогал заросшую бородой щеку. «Да, представляю, какой у меня видок».

Перед его глазами возникла стеклянная красная буква М на высокой штанге. Метро! Только в метро его не пустят — в таком виде, без копейки денег. Он прочитал название станции: «Рязанский проспект».

Так, значит, если учесть, что он прошел по подземному туннелю километра четыре-пять, держали его где-то в районе Перово, или шоссе Энтузиастов, или у кольцевой автодороги... Первое, что надо сделать, — это позвонить. Он нашел телефоны-автоматы, но, к его несчастью, все это были синие карточные таксофоны — с такого просто так не позвонишь. Но тут Владислав вспомнил, что недалеко от «Рязанского проспекта» ходит электричка. Надо добраться до станции — там легко смешаться с толпой, там есть телефон-автомат, там можно что-нибудь перехватить пожрать...

Переулками, сторонясь людей и опасаясь нарваться на милицейский патруль, Варяг дошел до станции «Вешняки». Пройдя вдоль платформы, приметил несколько стареньких автоматов у павильона «Продукты». Встав в дальнюю будку, снял трубку и набрал номер Чижевского. Когда после второго или третьего звонка на том конце сняли трубку, он сильно ударил по металлическому корпусу автомата — теперь жетоноприемник сработает и соединение установится. И точно: в трубке раздался молодой мужской голос:

— Алло! Говорите!

Варяг быстро повесил трубку на рычаг. Странно. Голос был незнакомый. Явно не Валерьяныча. И не его джигитов, чьи голоса Владислав знал отлично. Так кто же там? Он снова снял трубку и набрал номер дачи академика Нестеренко на Никитиной Горе. В трубке звучали длинные гудки — никто не отвечал.

Его охватила тревога. Он не знал, что могло случиться за три... да какие три... четыре месяца! Но понял, что случилось что-то плохое, что-то страшное. В воскресенье днем на Никитиной Горе кто-то обязательно должен быть. Либо Лена. Либо домработница Валя. Либо, на худой конец, охрана. Он же перед тем, как поехать на большой сходняк, попросил Чижевского поставить в доме охрану. Не выполнить приказа Чижевский не мог.

Но на даче никого нет. В квартире у Чижевского к телефону подошел какой-то незнакомый хмырь. Значит, что-то произошло. Что?

Он вспомнил, что Чижевский говорил ему о существовании какой-то тайной квартирки в Сокольниках, которую Николай Валерьяныч держал просто так, на всякий случай. Но тамошнего телефона Варяг не знал.

Что же теперь делать? Позвонить кому-то из воров? Но кому? Воры подло сдали его. Разве что Михалычу... Ну да. В Серебряный Бор — Михалычу.

Но и тут его ждало разочарование. Какой-то незнакомый парень сообщил ему, что старик уж четыре месяца как помер и дом сдан. Кому?

— А вам-то какое дело! — грубо ответил парень и бросил трубку.

И тут Варяг снова посмотрел на табличку с названием станции электрички, и его осенило: «Вешняки» — это же рядом с Кусковским парком. А там, в глухой неприметной глуши, стоит дом Медведя. Насколько Варяг знал, после смерти старейшего воровского авторитета его дом, в котором традиционно собирались большие сходы, так и остался без хозяина: никто из «законных» не осмелился в открытую претендовать на него, дабы не осквернять память славного вора. И теперь «берлога» Медведя стала чем-то вроде дома-музея воровской славы... Но дом не пустовал. Там на вечное поселение оставили верного человека Медведя.

Больше Варягу идти было некуда.

Глава 32

Автофургон «газель» с веселой желтой надписью «Доставка бытовой техники» на борту свернул с шоссе Энтузиастов и въехал на аллею Измайловского лесопарка. В считанные минуты «газель» растворилась в густых зарослях леса, и редкие в этот мартовский воскресный день гуляющие могли только подивиться, какую такую бытовую технику можно доставлять в заброшенный уголок Москвы.

Они бы удивились еще больше, если бы смогли заглянуть в крытый кузов фургона: они бы не нашли там ни холодильников, ни стиральных машин. В фургоне сидели трое мужчин в синей форменной одежде фирмы «Орбита-плюс». Они молча и сосредоточенно вглядывались в узкие окошечки-бойницы фургона, пытаясь определить маршрут движения. В руках у всех троих были небольшие чемоданчики — видимо, с инструментами.

— Скоро? — тихо спросил один, плотный коренастый здоровяк, не обращая свой вопрос ни к кому конкретно.

— Устал, Фаридик? — с добродушной укоризной отозвался высокий парень с обветренным худощавым лицом — такие лица бывают у альпинистов или спецназовцев.

— Да нет, Гепард, просто зад отсидел — размять хочу! — усмехнулся Фарид Усманов.

Гепард повернулся к третьему пассажиру:

— Ну что, Ваня, долго нам еще тут трястись?

Ваня Лебедев пожал плечами и поднял свой чемоданчик — подлиннее и поуже, чем у остальных.

— Чижевский сказал, это где-то около шоссе Энтузиастов. Только непонятно какого — то ли самого шоссе, то ли станции метро. Одним словом, где-то в парке. Так что, наверное, придется нам поколесить по весеннему лесу.

— А этот хмырь, — Гепард мотнул головой в сторону кабины, — ничего не напутал?

— Ему путать не с руки, — грозно буркнул Лебедев. — Если память подвела — мы ее быстро исправим, — и он угрожающе махнул в воздухе своим по виду тяжелым чемоданчиком.

Гепард подмигнул и бросил на чемоданчик многозначительный взгляд.

— Там то, о чем я подумал?

— То самое, — кивнул Лебедев, понимая, что Гепард имеет в виду: в чемоданчике лежала в разобранном виде снайперская винтовка с мощным оптическим прицелом ночного видения. — Так что будем ждать. В нашем деле главное — терпение и упорство...

Тем временем в кабине «газели» нервное напряжение усиливалось. За рулем сидел в такой же синей униформе отставной майор разведчик Сергей Абрамов. Рядом с ним худой парень лет тридцати с плохо выбритым бледным лицом и красными глазами. У двери расположился Николай Валерьянович Чижевский, тоже в синем комбинезоне фирмы «Орбита-плюс», и размышлял о предстоящей операции, которая обещала быть очень и очень непростой.

— Ты, Антоша, не ошибся? — пробормотал сквозь зубы Абрамов. — А то уже битый час колесим вокруг парка, да все без толку.

— Не-а, — дрожащим голосом отозвался Антоша. — Я же только знаю, что где-то в районе шоссе Энтузиастов, в парке, на стройке. Там фундамент стоит... подвал... колодец ведет к коммуникациям...

— Это мы уж слышали, — оборвал его Чижевский. — Ладно, сиди смирно. Найдем!

Николая Валерьяновича тревожило не то, что они и впрямь уже больше часа катаются по Измайлово, а что, найдя нужный адрес, не смогут осуществить задуманное...

***

...«Газель» кружила по аллеям Измайловского парка уже полтора часа. Наконец грузовичок сбавил ход и остановился. Сидящие в крытом кузове затихли и прислушались.

— Ну что, прибыли? — нетерпеливо спросил Усманов.

Гепард осторожно выглянул в узкое окошко под потолком.

— Какая-то стройка. Мертвая, — неуверенно заметил он. — Никого не видать.

Двойные дверцы фургона распахнулись.

— Ну, бытовые техники! На выход! — весело скомандовал майор Абрамов.

Когда все вышли, майор хлопнул Антона Южанова по плечу:

— Полезай внутрь. И не советую отсюда линять. Найдем ведь все равно — по номеру твоего джипа вычислим!

Главный бухгалтер повиновался и молча залез в фургон.

Чижевский оглядел своих бойцов.

— Ну что, ребята. Будем надеяться, что нам предстоит последний и решающий бой. Значит, так. Этот главный бухгалтер... — Николай Валерьянович мотнул головой в сторону фургона, — уверяет, что где-то здесь, на территории этой стройки, и надо искать... — Он обвел взглядом гигантский котлован с торчащими из грунта бетонными сваями, по краю которого стояли бытовки строителей. На дальнем окоеме котлована виднелось недостроенное кирпичное строение непонятного назначения. — Может быть, там. Он говорит, там был фундамент положен, в фундаменте какие-то подвальные помещения, из которых есть прямой выход к подземным коммуникациям. Словом, пошли туда, не разбредаться, оружием без надобности не светить — мало ли что... В любом случае, мы доставляем бытовую технику.

Группа двинулась к кирпичному сооружению. Подойдя поближе, они увидели, что площадка перед кирпичным монстром хорошо укатана шинами и от площадки в парк идет грунтовая дорога. Видно, сюда регулярно и часто подъезжали машины. Причем учитывая, что грунт не был изрыт могучими покрышками большегрузных самосвалов, можно было сделать вывод, что ездили тут в основном легковые автомобили.

Как только пятеро «орбитовцев» подошли к зданию, из него вылез рослый толстяк с бритой под ноль башкой. На толстяке были заляпанные грязью джинсы и вымазанная грязью куртка нараспашку. В руке пацан держал пистолет.

— Наверное, водяной, — тихо пошутил Ваня Лебедев. — Мальчик решил побаловаться.

— Угу, — отозвался Гепард, — и у того тоже водяной.

Из недостроенного здания вышел такой же амбал — в таких же джинсах, в такой же куртке. И с таким же пистолетом.

— Здорово, пацаны! — весело крикнул Гепард. — Опустите пушки! Мы свои! Нас Антон Южанов прислал. Вы не зна...

Бритый поднял пистолет и молча выстрелил в Гепарда два раза. Пули просвистели у него над головой. Но бывший спецназовец не стал дожидаться дальнейшего развития событий. Он почти незаметным движением выхватил из нагрудного кармана короткий нож и метнул его в бритого — в следующую секунду тот закашлялся, захрипел и, вцепившись себе в шею обеими руками, повалился на землю.

Второй тут же ретировался в кирпичное укрытие, и оттуда донесся его истошный вопль:

— Братва! Шухер! Слепня замочили!

— Ну теперь уже делать нечего! — жестко процедил Лебедев, точно только и ждал, когда начнется веселая заварушка. Он стремительно распахнул свой чемоданчик, который все это время не выпускал из рук, и стал быстро доставать из него металлические детали. В мгновение ока железки превратились в небольшую тонкоствольную винтовку с оптическим прицелом. Бывший военный разведчик, привычно пригнувшись, рысцой бросился к углу здания, чтобы занять там удобную позицию.

Остальные члены группы захвата рассыпались вокруг здания и достали оружие. Чижевский бросился к дверному проему, в котором исчез второй толстяк, и, присев на корточки, жестом приказал Абрамову прикрыть его. Майор вытащил свой заслуженный ПМ и произвел пять или шесть выстрелов по пустым окнам дома. Чижевский тут же кувырком вперед влетел внутрь. За ним — Абрамов.

— Никого! — крикнул он, осмотревшись.

В помещении, заваленном щебенкой и строительным мусором, было пусто.

Абрамов поднес палец к губам и прислушался. Где-то в глубине строения слышались голоса.

— Сколько? — театральным шепотом спросил Гепард.

Майор пожал плечами:

— Двое — точно, а может, и трое.

— Дилетанты! — скроив презрительную мину, бросил Гепард.

— Дилетанты — да, но такие щенки могут на дурачка нас всех тут положить, — возразил опытный военный разведчик. — Так что на рожон не лезь. Пошли!

Абрамов медленно пошел в соседнее помещение. За ним потянулись Гепард, Усманов и Чижевский. Лебедев со снайперской винтовкой остался снаружи — подстраховать их.

Едва Абрамов вошел в дверной проем, как его встретил шквал огня из подвала. Он бросился на пол, отчаянно матерясь.

— Ну я же говорил, что на дурачка всех тут нас угрохают! Ну-ка, Фаридик, доставай свою бронебойную!

Усманов кряхтя вытащил из-под комбинезона автомат «узи» и передернул затвор. Потом подполз к порогу и, подняв ствол автомата, щедро полил огненным душем соседнюю комнату. Раздался негромкий вскрик: видно, попал в кого-то.

Теперь можно было, воспользовавшись секундным замешательством неприятеля, осуществить еще одну попытку прорыва. Все четверо, открыв беспорядочный огонь, с криками побежали вперед.

В этой комнате пола не было. Посреди помещения зиял огромный квадратный провал с голой кирпичной кладкой фундамента. Посреди провала, в земле, был люк с наглухо задраенной решетчатой крышкой. В стене фундамента зиял прямоугольный проем, через который, видимо, и ушли уцелевшие защитники этой безымянной крепости.

— Ну что, Егор, берем штурмом? — усмехнулся Фарид Усманов.

Егор по кличке Гепард покачал головой:

— Дуриком могут нас замочить. А этого не хотелось бы.

В это мгновение с улицы раздался одиночный выстрел.

— Лебедев стрелял! — определил по звуку Гепард. — Значит, еще минус один. Сколько же их было?.. Неужели больше трех?

Наступила гнетущая тишина. Из люка не доносилось ни звука.

— Раз Ваня там кого-то подстрелил, выходит, отсюда есть какой-то выход на улицу? — рассуждал вслух Гепард. — А что это нам дает? — И сам себе ответил: — А ничего!

И, резко встав на ноги, решительно шагнул к люку.

— Егор! Куда? — прошипел Абрамов.

— Поглядеть хочу, что там. Может, там еще взвод дуриков сидит и думает: ну какого хрена они телятся!

Он подергал стальную крышку, потом с трудом отодвинул тяжелую стальную щеколду, откинул крышку и стал всматриваться во тьму.

— Ни хрена не видно. Тут колодец глубиной метров пять. Какое-то ведро там валяется. И вроде виднеется в полу пробоина. Надо бы слазить поглядеть. Кто-нибудь прикройте меня!

Гепард огляделся, заметил длинную веревку, конец которой был накрепко привязан к крышке люка.

— Странная история, — пробормотал он, разглядывая веревку. — Ну-ка, Фарид, подержи эту веревочку — как бы я не грохнулся вниз.

Усманов вцепился в веревку, а Егор медленно стал сползать по ней в колодец. Через минуту снизу донесся его крик:

— Порядок!

Группа захвата столпилась над разверстым люком, по очереди заглядывая в глубокий колодец.

И еще через минуту Гепард заорал благим матом:

— Тут Варяг был! Точно говорю — тут!

— Откуда ты знаешь? — тревожно спросил Чижевский.

— Да тут на стене надпись есть. Игнатов Влад. И рядом царапины. Штук сто, а может, и двести.

— Еще что? — нетерпеливо крикнул Николай Валерьянович, с горечью понимая, что эта операция ни к чему не привела.

— Еще тут в полу решетка выдрана. А под решеткой какая-то труба огроменная и вода журчит. — И Гепард, хохотнув, добавил: — Похоже, опять Варяг в бега подался!

Глава 33

Он увидел вдалеке высокий дощатый забор, выкрашенный зеленой краской. За забором виднелась крыша неприметного дома, почти целиком спрятанного за высокими деревьями, еще покрытыми пушистыми шапками мартовского снега. «Здесь мало что изменилось», — подумал Варяг и поглядел на ворота — туда, где, он знал, должна быть установлена зоркая телекамера наружного наблюдения. Странно: телекамеры не было. На ее месте торчал заржавленный кронштейн... Видно, некого теперь разглядывать из-за толстых каменных стен, да и незачем — ведь хозяина давно уж нет в живых, а значит, и интерес непрошеных гостей к этому дому поубавился.

Это была дача Медведя — старейшего законного вора, умершего несколько лет назад. Медведь дал ему, Варягу, путевку в жизнь, благословил на крупные дела. И вот сейчас Варяг пришел сюда, чтобы затаиться на время, зная, что в отсутствие интереса воров и спецслужб к этому тихому потаенному месту ему тут будет спокойно и бестревожно.

За высоким дощатым забором стоял другой забор — хоть и пониже, но понадежнее, каменный, с бегущей поверху колючей проволокой. Только снаружи этого второго забора не было видно.

Он осторожно подошел к калитке, нашел кнопку звонка, нажал коротко и стал ждать.

Ему вспомнился тот далекий уже день первого в его жизни большого сходняка, который состоялся как раз в этом доме. Его привезли сюда Ангел и Алек в «Волге», которая не таясь промчалась по всей Москве, а потом, вырвавшись на простор шоссе, в пять минут домчала их сюда, в этот мирный зеленый уголок московской восточной окраины. Тогда над входом хищно шарила лупоглазая телекамера, а за двойным забором по двору расхаживали здоровенные быки с «калашниковыми».

За забором послышался низкий грозный лай. Изнутри в калитку глухо ткнулись собачьи лапы — пес лаял злобно и совсем близко. «Только еще не хватало, чтоб собака порвала», — невесело подумал Варяг и приготовился отразить нападение мохнатого охранника. Раздалась тихая отрывистая команда. Лай тотчас стих. Лязгнул замок, и тяжелая калитка со скрипом отворилась. Варяг сразу узнал сильно постаревшего дядю Сему — бессменного сторожа дачи Медведя.

— Тебе чего? — нелюбезно спросил старик, с подозрением оглядывая чумазого незнакомца с давно не мытой нечесаной головой и косматой бородой.

— Неужели не признал, дядя Сема? — тихо спросил Варяг.

Старик, услышав свое имя, удивился и, немного успокоившись, с некоторым любопытством стал рассматривать диковинного гостя. Потом покачал головой.

— Что-то не признаю... Ты кто же будешь?

— Владислав я, — усмехнулся Варяг. — Владислав Игнатов. Ну, теперь-то признал, а, дядя Сема?

Старик вытаращил глаза и хлопнул себя руками по бокам.

— Боже ты мой, Владислав Геннадьич! Что же это с вами сделалось-то? Откуда ж вы это такой?

Варяг подумал, что и впрямь производит, мягко говоря, странное впечатление: длинные волосья до плеч, всклокоченная бородища, немытая рожа, да и одежда не по сезону... Ну в общем хорош, нечего сказать, смотрящий России. Да какой он, на хрен, смотрящий!

— Да вы проходите, Владислав Геннадьич, проходите, чего в калитке стоять! — захлопотал старик и знаком приказал псу посторониться. Здоровенный «кавказец», тихо урча, нехотя отошел с тропинки на траву.

Но Варяг тронул дядю Сему за локоть и, понизив голос, поинтересовался:

— Кто в доме есть?

Дядя Сема покачал головой.

— Да никого нет. Один я, да вот Шамиль еще.

Варяг кивнул, миролюбиво поглядел на пса и, затворив за собой калитку, быстро потопал по знакомой тропинке к дому. В этом на первый взгляд неказистом и давно не крашенном доме многие десятки лет вершились судьбы людей, денег, власти и даже всей страны, учитывая, какие влиятельные особы бывали тут и сколь серьезные проблемы они обсуждали с хозяином дома и друг с другом.

В отличие от более чем скромного внешнего вида, внутри дом поражал своим изысканным великолепием. Длинные коридоры трехэтажной постройки были устланы ворсистыми коврами, многочисленные комнаты с картинами по стенам напоминали музейные залы, выполненная на заказ мебель идеально гармонировала с дорогими безделушками — французскими бронзовыми часами, китайскими фарфоровыми вазами, непальскими костяными статуэтками, — украшавшими полки, этажерки и серванты. Тяжелые хрустальные люстры заливали мягким белым светом богатое убранство комнат. Ниже уровня земли находились самые роскошные помещения дома: стены были выложены яшмой, пол мрамором.

Побывав тут впервые много лет назад, Варяг сразу заметил огромную, во всю стену чеканку, на которой была изображена парящая в облаках мадонна с младенцем. Из-за спины мадонны выглядывали лучи креста. Над крестом парили два ангела.

Такая же картинка была теперь наколота у Варяга на груди: эта наколка была почетным воровским символом тюрьмы — родного дома.

Варяг повернулся к сторожу:

— Дядя Сема, первым делом я бы хотел помыться — привести себя в божеский вид. А потом расскажу тебе, как я дошел до жизни такой. Я же вижу, ты сгораешь от нетерпения узнать.

Старик махнул рукой:

— Да будет вам! Что мне лезть в ваши дела. — И, подумав, добавил: — Ну а коль захотите — расскажете!

Владислав блаженно улегся в горячую воду с пушистой высокой пеной. Ванна у Медведя была старинная — чугунная, на львиных лапах: похоже, старый вор увез ее из какого-то заброшенного помещичьего особняка. Он долго отмокал, закрыв глаза. Единственное, что тревожило его сейчас, — так это судьба Лизы и Лены. Он займется этим первым делом, вот только немного придет в себя, смыв многомесячный слой пота и грязь московских подземных колодцев. Подумать только — четыре месяца провести в какой-то вонючей каменной яме, есть и пить какие-то помои, испражняться, точно дикарь... Какое-то средневековье!

Он вспомнил последнее свое путешествие на зону к подполковнику Беспалому — тогда он провел в заключении не меньше полугода, но там все-таки условия жизни были более человеческие, чем теперь. Ну ничего, главное, что он умудрился сбежать оттуда. Теперь побыстрее оклематься, набраться сил и вообще понять что к чему.

Владислав вышел из ванной, обернувшись большой махровой простыней, которую ему загодя принес дядя Сема, и, миновав длинный коридор, вошел в гостиную.

Там у разожженного камина уже хлопотал старик сторож. А его верный Шамиль разлегся перед открытым очагом и лениво поглядывал на языки пламени.

— Телефон тут есть? — на всякий случай спросил Варяг. После смерти Медведя прошло уже немало лет, и он знал: всякое могло случиться за эти годы — конечно, и новоявленные законные воры тут могли похозяйничать, и правоохранители, и районные начальники, которым давно хотелось наложить алчную лапу на роскошные хоромы покойного воровского авторитета.

— Да куда ж ему деться — номер все тот же... — ответил старик и предложил: — Может, вам одежду какую подыскать — ваша-то совсем негодная. — И он с опаской глянул на грязные штаны и ватник гостя, кучкой тряпья валявшиеся на полу.

— Да уж, будь любезен, — усмехнулся Варяг, — а то я в этом долгом путешествии сильно пообносился. — И, видя, что старика разбирает любопытство, продолжал: — Что со мной приключилось, рассказывать долго, да и ни к чему. Ты не думай, я не из тюрьмы убежал. А откуда, я и сам не знаю. Но выясню. Так где телефон? И вот что, дядя Сема, сваргань чего-нибудь поесть. А то я уж забыл, когда в последний раз жевал.

Первым делом он позвонил Сержанту на мобильный. «Только бы ты был в досягаемости, Степан!» — подумал про себя Варяг. И точно — после двух звонков в трубке раздался глуховатый знакомый голос.

— Степан! — выдохнул Варяг с волнением. — Это я!

В трубке послышался возглас не то удивления, не то радости.

— Владик! Мать твою, так ты живой! Ну, бляха-муха! Где ты? Чижевский с тобой?

Непохоже на Сержанта, чуть улыбнулся Варяг, вон как рассиропился.

— Степан! Живой я, живой. Где я, скажу после. Ты мне лучше сам скажи, что происходит! Где мои? — Он осекся. По привычке, которую время еще не успело стереть из памяти, он едва не спросил: «Где мои Света и Олежка». — Что вообще делается? И при чем тут Чижевский?

— Как при чем? — не на шутку изумился Сержант. — Он же с ребятами как раз сегодня поехал тебя искать на шоссе Энтузиастов...

— На шоссе Энтузиастов? — Тут Варягу пришел черед удивляться. — А откуда он узнал? И чего же так поздно?

Сержант досадливо крякнул:

— Да как ты пропал, тут такое началось... Чижевского чуть не повязали, он месяц-полтора скрывался, из Москвы даже уехал. Я ему ксиву справил — и он залег на дно в Финляндии. А как вернулся, так начал поиски. И вот только сегодня установил, где тебя держат, — поехал туда... А я, ей-богу, думал, что это он тебя оттуда выковырял.

— Да нет, Степа, это я сам себя выковырял... — рассеянно заметил Варяг и настойчиво повторил вопрос: — Так как там мои — Лиза, Лена?..

— Плохи дела, Владик, — упавшим голосом ответил Сержант. — Совсем плохи. Как только ты пропал... Сколько же прошло месяцев?..

— Четыре месяца, Сержант! — перебил его Варяг. — Да ты говори, не тяни!

— В тот же вечер, как ты погорел на сходняке, менты налетели на «Госснабвооружение», устроили там грандиозный шмон и Лену твою арестовали.

— Как «арестовали»? — закричал Варяг, вскочив из теплого кресла, и едва не выронил телефонную трубку из руки. — Кто ее арестовал? За что?

— А то ты сам не знаешь, как у нас арестовывают. И за что, — горько заметил Сержант. — По некоторым сведениям, Лену отправили в какое-то хитрое СИЗО под Волоколамск. А где дочка твоя, вообще неизвестно. На Никитину Гору тоже в тот вечер наехали — люди Чижевского, их там двое было всего, полегли. Перебили их, и Лиза твоя пропала. И хуже всего, Владислав, что я тебе не могу сказать, куда она делась. Чижевский не знает... Никто не знает. Похоже, наезд на тебя был организован с размахом и загодя. И вряд ли сами воры до такого могли додуматься. Видно, опять твои друзья в погонах принялись тебя лечить...

Варяга охватило отчаяние. Он уронил руку с зажатой телефонной трубкой и бессильно сел в кресло. Неужели и этих двоих у него отнимает злая судьба? Неужели опять ему предстоит испытать жестокую тоску утраты? Мало им Светланы и Олежки, мало им отца Потапа и его племянницы Елены — теперь и этих двух овечек решили у него отнять... Что за сучья жизнь!!

В трубке слышался слабый голос Сержанта, который безуспешно просил его отозваться.

— Я здесь, — глухо проговорил Варяг, поднося трубку к уху. — Дальше что. Что с конторой?

— В «Госснабвооружении» теперь новые хозяева.

— Воры? — жестко бросил Варяг.

— Нет, государевы люди. Платонов, гендиректор, взял себе в заместители... на твое, стало быть, место... какого-то хмыря в синей фуражке. Отставной генерал ФСБ. Он теперь там все колеса крутит. Сейчас вообще синепогонные многие дела крутят... Ну да ладно, увидимся, расскажу...

— Ладно, — перебил Варяг. — Чижевский где?

— Так он поехал тебя вызволять из каменного мешка, — впервые за все время разговора усмехнулся Сержант. — Он и его великолепная тройка: Абрамов — Усманов — Лебедев.

— Ага, это те самые, которые меня на Дмитровском тогда проворонили! — злобно отреагировал Варяг.

— Напрасно ты, Владислав! Ребят в тот вечер тоже едва не взяли за жабры. Они еле ноги унесли. Их выследили еще до того, как ты туда подъехал...

Варяг молчал, размышляя, что предпринять. Действовать надо было стремительно и решительно. Прошло четыре месяца со дня его «задержания», и за эти месяцы, конечно, многое могло произойти.

— Вот что, Степа, свяжись срочно с Валерьянычем, пускай он тебя заберет — и приезжайте немедленно сюда вдвоем... — Варяг подумал, стоит ли по телефону называть свое местонахождение, — эта линия могла стоять на «прослушке» у ментуры или гэ-бэ. — Скажи ему так: надо подъехать к Перовскому парку. Там есть стадион. Пусть там ждут — к ним подойдет человек от меня.

— Когда? — задал Сержант совершенно естественный вопрос.

Варяг посмотрел на стенные часы. Было без четверти четыре. Встречу надо было назначать часов на семь, а лучше на восемь — он тогда успеет немного поспать.

— Скажи Валерьянычу, пусть он свой выигрыш в казино на Кипре в прошлом году разделит на десять и прибавит два.

Летом Варяг возил Чижевского на Кипр отдохнуть после напряженной охоты за Колей Радченко. Тогда Николай Валерьянович выиграл в казино шестьдесят кипрских фунтов и ужасно этим гордился. Шестьдесят поделить на десять плюс два — как раз восемь. Он поймет.

— Ну все, Степа. До встречи!

Глава 34

Положив трубку на рычаг, Варяг позвал дядю Сему. Тот уже принес ему серые брюки, чистую голубую рубашку и носки и теперь подал на подносике хлеб, несколько кусков корейки, сыр и огурец.

— Извините, Владислав Геннадьевич, у меня нет разносолов. Сам я к этому делу равнодушен, вот разве что Шамильку балую...

— Спасибо, дядя Сема. Мне и это будет съесть в охотку. Я прошу тебя об одолжении. — Варяг встал и переоделся. Рубашка едва сошлась на его широкой груди, брюки тоже застегнулись с трудом. Верно, это была какая-то старая одежда покойного Медведя. — Ко мне должны приехать мои люди. Они будут к восьми в Перовском парке. Там есть стадиончик. Отправляйся туда со своим Шамилем — ну, как будто собаку выгуливаешь. А как их увидишь, подойдешь, скажешь заветное слово и попросишь идти за тобой следом. Да скажи им, пусть хвост не приведут!

— И что за заветное слово? — глаза старика засветились: видно, ему была в кайф эта игра в казаки-разбойники.

— Скажи: «Варяг передает привет из казино «Кипрская рулетка».

— Лады. — Дядя Сема постоял, помялся и вдруг, понизив голос, сообщил:

— Да, знаете, Владислав Геннадьевич, какое дело... Ведь эта дача — ваша!

— Как то есть моя? — не понял Варяг.

— Да ведь Георгий Иванович, когда умирал, царствие ему небесное, составил завещание и вам, Владислав Геннадьевич, отписал этот дом и участок. Завещание у меня есть.

Варяг был поражен. Вот это дал Медведь!

— А что ж я раньше об этом не знал?

Дядя Сема хитро подмигнул:

— Так в том завещании есть приписочка: если, мол, Игнатов Владислав Геннадьевич захочет остаться на жительство в этом доме, то тогда он может его на себя оформить. А если жить не будет, то пускай дом стоит под охраной.

«Под охраной» значило под неусыпной защитой воров, которые обязаны были не допустить проживания тут посторонних. Тут дозволялось только проводить большие сходняки — наподобие тех, что собирал сам Медведь и в которых участвовал молодой Варяг.

— Это хорошая новость, старик, — искренне порадовался Владислав. — Теперь у меня есть хоть одна легальная крыша.

И усмехнулся: хороший каламбур получился.

Он проснулся в четверть девятого. Прислушался. В доме было тихо. До этого особняка за высоким зеленым забором в самом глухом уголке Кусковского парка от Перово было ходу минут двадцать-двадцать пять, если быстрым шагом. Но, конечно, дядя Сема быстро идти не мог, и, если встреча прошла успешно, он приведет гостей не раньше девяти.

Но Варяг ошибся. Без двадцати девять он услышал за окном собачий лай. Лаял Шамиль. Наверное, дядя Сема специально дал псу команду подать голос, чтобы предупредить Варяга. Он быстро встал с дивана и на всякий случай подошел к потайной дверце за большой французской картиной, которая, как он знал, вела в подвал. В большую гостиную влетел Шамиль и, приветливо виляя хвостом, бросился к новому хозяину дома. «Ну, раз собака не волнуется, — подумал Варяг, — значит, все в порядке».

В комнату вошел дядя Сема, за ним Сержант и Чижевский. Сначала оба как вкопанные остановились в дверях, словно не веря своим глазам: этот исхудавший, небритый и обросший человек мало походил на прежнего Варяга.

— Что, не признали, Николай Валерьянович? — без особого радушия поинтересовался Владислав. — Тем не менее это я. — Он повернулся к дяде Семе. — Без приключений?

Старик кивнул и спросил:

— Ну что, может, сообразить что-нибудь на стол?

— Давай, старик! — Варяг обнял по очереди Сержанта и Николая Валерьяновича, похлопал обоих по спине и сказал хмуро: — Ну, рассказывайте...

Чижевский выглядел несколько смущенным.

— Знаете, Владислав Геннадьевич, — начал он виновато, — вы нас опередили на несколько часов — мы же были сегодня утром в том колодце на шоссе Энтузиастов. Видели яму, в которой вас держали, даже видели вырванную решетку...

— Долго же вы меня искали, Николай Валерьяныч! — с укоризной заметил Варяг. — Я там за эти месяцы совсем стух... Ну ладно, к делу!

Чижевский обстоятельно рассказал Варягу все, что произошло за последние полгода. И о разгроме оружейного бизнеса, и об исчезновении Лены Сорокиной и Лизы, и о налете на дачу академика Нестеренко... Тут в разговор встрял Сержант и поведал о своем посещении дачи на Никитиной Горе.

— Там явно что-то искали, Владислав. Я там нашел сарайчик...

— Сарайчик! — встрепенулся Варяг.

Сержант заметил, как на его глаза набежала тень тревоги.

— Ну да, сарайчик на участке стоит, за домом, — продолжал Сержант. — Так там вообще все было перевернуто вверх дном. И еще там был огромный кованый сундук — без дна. Такое впечатление, что из-под него, из-под земли, вырыли что-то тяжелое...

Взгляд Варяга потемнел.

— Все-таки нашли, суки! — проскрипел он. — Ну что ж, судьба, значит... Ладно. Дальше что?

— Дальше ничего. Дальше я тебе уже рассказывал. Николай Валерьяныч отсиживался в стране Суоми. Его джигиты тоже рассыпались кто куда. Мы вообще-то ждали крупного шмона. Но удивительное дело, после того, как ты исчез, все как-то сразу успокоилось. В «Госснабвооружении» даже рядовых сотрудников не уволили. Более того, многих ребят из службы безопасности оставили...

Варяг вопросительно посмотрел на Чижевского. Тот слабо улыбнулся и покачал головой:

— Нет-нет, это не то, что вы думаете, Владислав Геннадьевич. Это мои проверенные ребята. Я им всем такие легенды заготовил, что их и после тройной проверки не в чем заподозрить. Конечно, их проверяли, и не раз, но ничего не нашли. У всех анкеты чистые. А то, что они остались там на службе, помогло мне вести поиски. В частности, нам удалось выяснить, кто руководил операцией захвата «Госснабвооружения» в тот вечер, когда вы отправились на Дмитровское шоссе...

— И кто же? — насторожился Варяг.

— Генерал-полковник МВД Евгений Урусов. Нам удалось раздобыть его фотографию. И мой человек — есть у меня такой паренек Андрюша Пронин — его узнал. Этот Урусов время от времени любит наведываться в ресторан Северного Речного вокзала. Причем в сопровождении одного из тех мордоворотов, которые на Дмитровском в тот злополучный вечер едва не повязали Абрамова, Усманова и Пронина. Словом, интересная получается картина...

— Да уж сам вижу, — мрачно прокомментировал Варяг.

Итак, значит, воры пригласили его на большой сходняк, а сами выставили ментовский заслон. То есть законные вступили в заговор с ментурой против смотрящего России. Неслыханное дело! И похоже, что шмон на Никитиной Горе устроили тоже менты и его тайный общаковский сейф они же и утащили. И всем этим руководил генерал Урусов. Ну что ж, теперь хотя бы понятно, как надо действовать. Найти этого Урусова и хорошенько его тряхануть. Чтобы рассказал, куда дел общаковский сейф и куда спрятал Лену и Лизу.

Вошел дядя Сема. Он катил перед собой деревянный сервировочный столик. На нижней полке стояла бутылка водки, рюмки и тарелки, на верхней — хлеб, масло, нарезанная корейка, сыр, огурцы и только что открытая банка красной икры.

— Степан, — обратился Варяг к Сержанту. — Ты знаешь, в Питере у меня есть кореш, Филат. Его надо бы разыскать. Пока мне не понятно, кто из воров был замешан в этом деле, но то, что Филат не замаран, — это я знаю наверняка. Еще Саша Турок есть, здесь, в Москве. Но с ним я сам свяжусь. Еще кое-кто есть. Сам я пока вынужден тут сидеть тихо, как мышка. Во всяком случае, в первые два-три дня не могу светиться. Уж наверняка люди, которые меня в тот подвал засунули, тревогу подняли и объявили план «Сирена-перехват»... Я не то что ехать в Питер — по телефону позвонить не могу. А связаться с ним надо как можно скорее — и лучше не по телефону, а лично. Ты мог бы туда сгонять, найти его?

Сержант пожал плечами:

— Да отчего же... Я люблю город на Неве. Но как я его там отыщу? Времени же в обрез, как я понимаю. А местный криминал меня не знает — не пойду же я к пацанам в сауну в «Асторию» — мол, здорово, братва, отведите меня к вашему смотрящему... Этак и перо можно схлопотать под ребро!

Варяг усмехнулся:

— На Филата тебя мог бы вывести Михалыч. Ты же, Степан, был с ним знаком. — Да вот нет больше Михалыча, — печально буркнул он. — Помер старик. Помер... Да, жаль. Перед смертью я с ним не повидался. — Он взял бутылку водки, разлил по рюмкам и просто сказал: — Помянем старика. Светлый был человек. Я ему многим обязан. — Потом подумал и добавил: — И Медведю я тоже многим обязан. Так уж получилось в моей жизни, что при всех гримасах фортуны всегда находились люди, которые помогали мне не оступиться, которые протягивали мне руку помощи. Медведь, Егор Нестеренко, Михалыч. Давайте за всех троих.

Они молча выпили не чокаясь.

— Значит, как говорит Николай Валерьянович, объект нашего пристального внимания — генерал-полковник Урусов. Что ж, первым делом надо проверить его на вшивость. Николай Валерьянович, надо срочно разузнать его домашний адрес.

Глава 35

Раздалось гудение разблокированного электрического замка, железная калитка в невысоком бетонном заборе дернулась и приоткрылась. Гепард толкнул массивную панель и вошел за забор. За ним неторопливо двинулся Сержант со своим неизменным холщовым саквояжем, в котором в ворохе грязных рубашек и старых журналов покоилась в разобранном виде знаменитая винтовка-«ижевка» с оптическим прицелом.

Из дома к ним навстречу вышли трое молодцов, по-видимому охрана. Через минуту на кирпичном крыльце появился четвертый — невысокий плотный мужчина лет шестидесяти, явно хозяин.

Один из охранников посмотрел поверх забора на аллею — там виднелся заляпанный весенней грязью черный джип «мерседес», на котором приехали на Никитину Гору Гепард и Сержант.

— Мы от Владислава Геннадьевича! — объявил Гепард. — А вы Федор Федорович? Мы вам звонили вчера вечером.

Мужчина кивнул и сделал почти незаметную отмашку своим гвардейцам: мол, все в порядке. Но в дом гостей приглашать не стал. Они аккуратно протиснулись сквозь троицу и прямиком двинулись к крыльцу.

— У меня мало времени, любезный! — пророкотал Федор Федорович густым низким басом. — А что сам Владислав не позвонил?

Бывший спецназовец с недоумением поглядел на Сержанта, молча стоящего у него за спиной.

— А вы разве не знаете? Его не было... в Москве...

Федор Федорович усмехнулся:

— Знать-то знал. Он ведь частенько из Москвы исчезает. Но обычно возвращается. Я к этим исчезновениям уже давно привык. — Он помолчал. — Ладно, не будем развивать эту тему. Итак, что вас интересует?

— Нас интересуют события четырехмесячной давности, Федор Федорович. На даче Егора Сергеевича Нестеренко происходили...

— Да, да, понятно, — строго перебил его Федор Федорович. — Вот Гришенька все видел. Расскажи, Гриша! — обратился он к одному из охранников — высокому брюнету с мрачным лицом то ли боксера, то ли участкового оперуполномоченного.

— Дело было двадцать пятого ноября, — четко, по-военному начал рапортовать Гриша. — Я как раз только в смену заступил... Ну, в охрану, — сделал он необязательное пояснение: и так все было с ним ясно. — Сначала я не придал этому значения — подъехал туда «джипарь» темный. А я как раз ушел в подсобку... И что там дальше было, не видел.

— Что за джип? Номер не запомнил? — встрял в беседу Сержант, который не пропускал ни слова.

Гриша перевел хмурый взгляд на плотного блондина с длинной холщовой сумкой в руке.

— Номер не запомнил. И что за джип, не рассмотрел. Я же говорю: сначала я не присматривался. Не будешь же писать номера всех тачек, которые на аллее останавливаются. А вот через полчаса после того джипа подкатывает к нестеренковской даче крытый ГАЗ-51 и с ним черная «ауди» с «синяками».

— С чем, с чем? — не понял Сержант.

— С синими мигалками, — на губах у Гриши впервые появилось жалкое подобие улыбки. — Тут уж я пригляделся. Из кузова выпрыгнуло человек пять-шесть в камуфляже, в масках. «Ауди»... — тут Гриша полез в карман, достал толстый черный органайзер и быстро нашел нужную страницу, — государственный номер 68-68 СС.

— Спецномер... — задумчиво пробормотал Сержант и, показав пальцем на листок, поинтересовался: — А это что — журнал посещений?

— Мои ребята ведут своего рода бортовой журнал, — невозмутимо пробасил Федор Федорович, — чтобы в случае чего... как в вашем случае... сразу была под рукой вся информация.

— Полезная привычка, — уважительно заметил Сержант, окинув взглядом хозяина. — И что же дальше? — обратился он к охраннику Грише.

— Они пробыли в доме минут тридцать. Все было тихо. Потом вывели из дома двоих парней... Я их, кстати, в то утро там на участке видел... Наверно, охрана... Ну вот, все уехали — и «ауди», и ГАЗ. Да, а в ГАЗ они погрузили какой-то тяжелый массивный предмет...

— Лопат у них не было? — спросил вдруг Сержант. Все с удивлением воззрились на него — особенно Гриша, который энергично закивал:

— Ну да, были у них лопаты — саперные лопатки. А как только эти уехали, минут через пятнадцать подвалила «хонда». Из нее вышел мужик, вбежал в дом, пробыл там минут пятнадцать-двадцать и уехал... Пустой уехал. Он один был, плотный такой мужик, со светлыми воло... — И тут Гриша с совершенно ошалелым видом ввинтил взгляд в Сержанта. — Ну вот вроде на вас похож...

Сержант скривился и махнул рукой:

— Так, ладно, с «хондой» ясно. Дальше что?

— Дальше синий «москвичок» приехал — явно ментовский.

— Это почему ментовский? — настала пора удивляться Гепарду.

— Номер МКЖ 00-67, — отчеканил Гриша, сверившись со своими записями. — Точно ментовский. Оттуда вышли два мужика, сходили в дом, и все.

— Спасибо, вы нам очень помогли, — Сержант вспомнил стандартную фразу из американских полицейских кинобоевиков и иронически отсалютовал Грише. — И вам большое спасибо, Федор Федорович.

— Владику привет передайте, когда увидите, — прогудел тот. — Как он?

— Жив, — неопределенно ответил Сержант и, развернувшись, потопал по тропинке к железной калитке.

— Это самое... Так это вы, что ль, тогда на «хонде» тут были? — вдруг догадался прозорливый Гриша.

Сержант ускорил шаг и, ничего не ответив, помахал ему на прощанье.

**

Когда они выехали на шоссе и помчались в сторону Москвы, Гепард хохотнул:

— Молоток этот Гриша. Все записывает. Все видит. Все запоминает. И тебя, Степан, сфотографировал.

Степан Юрьев равнодушно помотал головой:

— Это не Гриша молоток, а Федор Федорович. Если бы он так не надрючил своих амбалов, хрен бы этот Гриша что заметил. Ты что, не понял: этому бы только пивка насосаться да по видаку порнушку поглядеть. Нет, Федор Федорович — вот это молоток. Интересно, он меня не узнал или просто вида не подал?

— А с чего это ему тебя узнавать? — изумился Гепард. — Вы что, раньше были знакомы?

Сержант, сняв левую руку с руля, полез в карман, достал пачку «Честерфилда», закурил и задумчиво улыбнулся.

— Ты знаешь, кто такой Федор Федорович? Это же Ферапонтов, кадровый разведчик, виртуоз своего дела. Кликан Трефа — что значит: «три эф» — Федор Федорыч

Ферапонтов. Работал на трех континентах под крышей ГКНТ — был такой раньше в «совке» Госкомитет по науке и технике. Они якобы помогали странам «третьего мира» плотины строить, заводы там всякие... А на самом деле собирали информацию об американцах, англичанах, французах, которые в тех же странах работали. Вот этим Федор Федорович и занимался всю жизнь. Отсюда у него, между прочим, эта привычка и возникла — все брать на карандаш и хранить в личном архиве. Не удивлюсь, если он каждый свой телефонный разговор записывает на магнитофон — авось когда-нибудь пригодится...

— А потом за хорошие бабки продает эти кассеты московским журналюгам... — закивал Гепард.

— Не исключаю. Ну так вот, а когда грянула перестройка, его бросили на финансовый фронт. И стал Трефа за границей открывать фирмы и фирмочки, куда партийный общак потом сливали. Вот тогда-то наши пути-дорожки пересеклись. Но это дело давнее — вспоминать неохота.

— Партийный общак? — не понял Гепард. — Это еще что за хрень? Воровской общак — это я знаю. А партийный?

Впереди показалась стеклянная коробка дорожно-постовой службы, и Сержант резко притормозил. Не хватало сейчас напороться на ментов: начнут шмонать, обнаружат разобранную винтовку — тогда пиши пропало...

Благополучно миновав пост, Сержант прибавил газу.

— Партийный общак — значит черная партийная касса, Гепардик. Ну да ладно, не будем отвлекаться. Вернемся к нашим баранам. Если славный Гриша не ошибся и «москвичок» был ментовский, то скорее всего тех ментов послал генерал Урусов. Но проверить все же надо будет. А вот армейский ГАЗ и черную «ауди» точно надо найти. Какой там номер — 68-68 СС? Сейчас... —

Сержант достал сотовый телефон и, набрав номер, приложил серебристую трубочку к уху. — Николай Валерьяныч! Привет! А? Да, есть улов. Надо проверить черную «ауди» с госномером 68-68 СС. Да. И еще есть «Москвич» синий МКЖ 00-67. Ага, Федор Федорыч помог. Вернее, его джигиты. Похоже, ваших ребят, тех двоих, солдаты угрохали. Угу... Ладно. До связи.

Через семь минут Чижевский перезвонил Сержанту на сотовый и сообщил, что черная «ауди» зарегистрирована за неким строительным управлением, которое, в свою очередь, каким-то боком относится к управлению делами Президента, а что касается армейского ГАЗа, то о нем сведений нет.

— Управление делами? — переспросил Сержант озабоченно. — А поточнее нет ничего?

— Есть! — довольно прорезался голос Чижевского сквозь шум радиопомех. — Фамилия водителя «ауди» — Ухин. Виктор Ухин. Шипиловская, 28, квартира 56. Он шофер в этом самом строительном управлении.

— Порядок! — Сержант удовлетворенно крякнул. — Ну, теперь осталось только разыскать и раскрутить Витю Ухина...

* * *

В седьмом часу утра черный джип «мерседес» припарковался на Шипиловской улице напротив четырнадцатиэтажного дома номер 28. В джипе сидели двое мужчин — один за рулем, второй рядом с ним. Они о чем-то лениво разговаривали и посматривали на единственный подъезд. Перед подъездом на парковке стояло четыре автомобиля, и среди них черная «ауди» с двумя синими мигалками на крыше.

— Если бы этот козел ставил свою тачку в госгараж, — проговорил Гепард, жуя припасенный с вечера бутерброд с докторской колбасой, — то, похоже, пришлось бы его в квартире брать.

Степан вспомнил свое давнее приключение в Питере, когда перед дверью в его собственную квартиру на него напал толстый бугай, но неудачно, и бугаю несказанно повезло, что Сержант всего лишь сломал ему нос, а не шею.

— Нет, Гепардик, в квартире его брать не стоит. Мало ли что у него там имеется: может, три сына богатыря, а может, ведро с кислотой подвешено над входной дверью. Зачем рисковать? Спокойно дождемся, когда клиент выйдет, а там уж мы его возьмем тепленьким.

Гепард кивнул и стал внимательно изучать стоящий у подъезда черный автомобиль.

Минут через двадцать тяжелая входная дверь с электронным кодовым замком распахнулась, и из нее показался невысокий, средних лет мужчина в кепке. Он уверенно двинулся к «ауди», на ходу вытащив из кармана связку ключей.

— Готовность номер один, — пробормотал Сержант и спокойно включил зажигание.

«Ауди» медленно выехала на улицу и, резко набрав скорость, полетела в сторону кольцевой автодороги. Черный джип сел ей на хвост и, сохраняя дистанцию в пятьдесят метров, устремился в погоню.

— Смотри-ка! — вдруг воскликнул Гепард. — Антенна вылезла!

Сержант пригляделся — и точно: сзади, с левого бока, возникла тонкая струна антенны.

— Эх, жалко, не прихватил я слухача! — огорчился Гепард. — Мы бы сейчас послушали, с кем это он там воркует.

— А я тебе и так скажу, — рассудительно заметил Сержант. — Либо с начальством, либо с любовницей.

— Это почему? — не врубился Гепард.

— Не знаю. Интуиция, — отмахнулся Сержант, которому было лень вступать в дальнейшие рассуждения. —

Ты мне лучше скажи, чего это он попер не в центр, а к МКАД?

«Ауди» резво выехала на эстакаду и через несколько секунд влилась в тощий поток транспорта на кольцевой.

— Да, странно, — протянул Гепард, — вроде ему положено ехать совсем в другую сторону. Ну ладно, поглядим...

***

Виктор Иванович Ухин лет двадцать оттрубил на кремлевской автобазе. Сначала он ездил на черной «волжанке» и возил мелких чиновников по разным поручениям. С начала 90-х его перевели в гараж управления президента и приписали к новенькому «опелю», в котором ездил замначальника управления делами. «Опель» был не чета «Волге»: рулевая тяга, педали сцепления и тормоза, не говоря уж об акселераторе, да и сам движок — все было отменное, фантастическое прямо. Ему даже не верилось, что он управляет такой чудесной тачкой. Он проездил на ней четыре года. Потом какой-то молодой вице-премьер вдруг решил пересадить руководство на «Волги», и Виктор Иванович чуть не плача представлял себе, как он сменит это произведение механического искусства на позорную колымагу Горьковского автозавода... К счастью, это была самая скоротечная кампания: дурацкую инициативу молодого реформатора замотали — и все осталось по-прежнему. Впрочем, для Виктора Ивановича — не совсем. Его перевели в стройуправление и пересадили на эту «ауди» серии А-8. И все бы ничего, но Ухина смущали новые хозяева этой машины. Точнее, постоянного хозяина у него не было. Машина считалась приписанной к стройуправлению, и его отправляли в рейсы обслуживать разных людей. Правда, последние полгода с ним ездил в основном только Николай Иванович... И вот это Ухину совсем не нравилось.

Потому что Николай Иванович никакого отношения к стройуправлению не имел, и, каким образом он пользовался «ауди», было неясно. Ухин не мог понять, что он за птица, но по повадкам было ясно, что высокого полета, скорее всего, из «органов». Николай Иванович был молодой еще мужик, лет сорока, а то и меньше, и возил его Ухин по странным маршрутам — все больше не по Москве, а по загороду: то в Барвиху, то в Жуковку... Но эти-то места старый кремлевский водила знал как свои пять: сотню раз отматывал он за последние годы по привычной трассе с Кутузовского на Рублевку — и далее по проторенной... на госдачи больших людей. Но вот поездки по другим местам ближнего Подмосковья Ухину казались стремными, если не подозрительными, как та, четыре месяца назад, на Никитину Гору... Но он давно уже научился лишних вопросов не задавать: знай себе крутил баранку и помалкивал. Иногда Николай Иванович отдавал машину «в аренду», как он сам шутил, своему приятелю и тоже, видать, большой шишке — Александру Ивановичу, чья дача находилась в Жуковке-5, самом престижном поселке-новостройке под Москвой. Охрана там была ломовая — пока до главных ворот доберешься, пять раз на блокпостах проверят. Когда с ним в машине сидел сам Александр Иванович — еще ничего: Александра Ивановича охрана знала в лицо и, козыряя, пропускала «ауди» без лишних расспросов, но вот когда Ухину приходилось ездить в Жуковку-5 порожняком или с гостями — как с тем милицейским генерал-полковником однажды, — вот тогда был геморрой!

...Примерно через полчаса после того, как он отъехал от дома, Ухин вдруг заметил, что за ним неотступно следует черный джип «мерседес». Сердце тревожно сжалось от невнятного предчувствия опасности, и он поддал газу. Но и «мерседес» не отстал. Скоро должен был показаться поворот на Волоколамку, и Ухин даже подумал свернуть туда, хотя ему надо было на Ленинградку, потому что он перед выездом переговорил по сотовому с Николаем Ивановичем и тот попросил приехать за ним в парк «Дружбы» на Речном вокзале, к кафе «Парус». Это место Ухин знал отлично, потому что уже не один раз заезжал туда за своим важным пассажиром.

«Хрен с ним, — подумал водитель «ауди», — сверну на Ленинградку, а там посмотрим».

Предчувствие не обмануло его: похожий на черный воронок «мерседес» мрачной тенью проследовал за «ауди» на эстакаду. Перед голубой башенкой ДПС Ухин сбросил скорость и, вглядываясь в зеркало заднего вида, въехал на мост через канал.

Уже миновав мост и проезжая мимо коньячного завода, Ухин увидел, как «мерседес» пошел на обгон. Впереди замаячила штанга с рекламой придорожного «Макдональдса». Но сразу после троллейбусной остановки «мерседес» вдруг резко тормознул прямо перед «ауди», чем вынудил Ухина ударить по тормозу и сдать вправо, к бровке. Жалобно взвизгнули шины, впившись в асфальт. Из «мерседеса» неторопливо выбрался водитель — крепкого вида светловолосый мужчина — и решительным жестом пригласил Ухина выйти.

***

Когда «ауди» вдруг перед поворотом на Волоколамское шоссе перестроилась в правый ряд, Сержант незамедлительно повторил маневр, поняв, что преследуемая машина сейчас уйдет вправо. Но когда «ауди» продолжала нестись не снижая скорости по новенькому полотну кольцевой дороги, он даже не удивился. «Все идет как по писаному, — удовлетворенно подумал Сержант. — Клиент занервничал, хотел свернуть на Волоколамку, да передумал. Но раз он занервничал, значит, заметил погоню. А раз так, надо его брать, пока он не учудил какую-нибудь подлянку».

Перегон от моста через канал до «Макдональдса» был удобен тем, что место было пустынное, плотно заросшее придорожными деревьями и кустарником. И Сержант пошел на обгон...

Выйдя из «мерседеса», он поманил пальцем водителя «ауди», красноречиво мотнув головой. Не дождавшись ответной реакции, Сержант подошел к дверце и рванул ручку.

— Командир, выйди, будь добр, — вежливо предложил он, рассматривая водителя. Мужичок средних лет в кепке, вид простоватый, взгляд перепуганный, волосатые сухощавые руки нервно вцепились в баранку. «Разговор получится нетрудным», — сделал вывод Сержант.

— Что вам надо? — не слишком уверенно произнес водитель заблокированной «ауди».

— Мне нужно, чтобы ты кое-что вспомнил, командир. — Сержант обернулся на подошедшего Гепарда. У того была такая свирепая рожа, что ему даже захотелось тихо предостеречь бывшего десантника от слишком радикальных действий, которые могли бы нагнать страху на «командира» в кепке.

— Что вспомнил? — тихо спросил тот, скроив мученическую гримасу.

— Меня интересует твоя ездка на Никитину Гору в конце ноября. Помнишь такую? — Сержант задал вопрос с таким видом, словно предупреждал: не вспомнишь — маму родную забудешь!

— Да. Была такая ездка, — едва слышно проговорил Виктор Иванович, скосив взгляд налево: мимо двух иномарок медленно проезжал сине-желтый «жигуленок» ГИБДД. Из окна «жигуля» высунулся капитан и озабоченно крикнул:

— Что, проблемы?

Сержант махнул рукой и весело отозвался:

— Все в порядке, инспектор! Разберемся!

Виктор Иванович проводил удаляющийся «жигуль» скорбным взглядом. Не повезло! Он-то надеялся, что менты остановятся, встрянут в этот неприятный разговор и помогут избавиться от опасных собеседников.

— Ну и что было? — невозмутимо поинтересовался светловолосый крепыш.

Ухин прекрасно помнил эту страшную поездку. Рано утром ему позвонил Николай Иванович и предупредил, что сегодня ему предстоит долгий день. Николай Иванович назначил встречу в десять на Лубянке, около гастронома. Оттуда они поехали на Ильинку, и там Ухин простоял больше двух часов...

— Короче! — недовольно перебил его светловолосый. — Что вечером было на Никитиной Горе?

«Если это ему известно, зачем спрашивает?» — пронеслось у Ухина в мозгу, и он продолжил вслух:

— Я сопровождал ГАЗ-51 с отделением спецназа...

— Что за спецназ?

— Не знаю. ГАЗ ко мне уже за кольцевой пристроился.

— Кто участвовал в операции? — коротко поинтересовался Гепард.

Ухин вытер дрожащей рукой пот со лба.

— Спецназ вызвали, чтобы обыскать на Никитиной Горе одну дачу — ее какой-то преступник снимал, хранил там валюту, драгоценности... Краденые вещи... В тайнике...

— Это тебе кто сказал? — грозно спросил Сержант.

Ухин вздрогнул. У него заныло под ложечкой. Если он назовет имя, то... А если соврет... эти бандиты его найдут — и тогда ему несдобровать. А если сказать — кто докажет, что это он, Виктор Иванович Ухин, сдал Николая Ивановича? Нет уж, дудки, пусть сгорит этот Николай Иванович — лучше пусть он, чем я, подумал водитель «ауди» и глухо буркнул:

— Николай Иванович... Фамилию не знаю. Он там был за главного...

— Люди на даче были?

Ухин закивал:

— Да, двоих парней оттуда вывели. Со связанными руками. В кузов ГАЗа посадили и увезли.

Сержант переглянулся с Гепардом.

— Ребята Чижевского... А больше там никого не было? Например, женщины с ребенком?

— Нет, только эти двое.

— Какие-то вещи вынесли?

— Да, что-то очень тяжелое. То ли сундук, то ли чемодан... Тайник... Его тоже в кузов погрузили.

— Пока все сходится, — пробурчал Сержант себе под нос. — Значит, краденые вещи вынесли... Ну, командир, теперь давай про Николая Ивановича. Поподробнее. Чистосердечное признание смягчит наказание...

***

...Через десять минут обе машины тронулись с места. «Ауди» шла впереди, «мерседес» на приличном расстоянии сзади.

— Выходит, сейф взяли вовсе не менты, а этот самый Николай Иванович, — рассуждал вслух Сержант, не отрывая взгляда от багажника «ауди». — Что же это за фрукт? Эфэсбэшный? Интересно, зачем ему общак?

— Шутишь? — изумился Гепард. — Варяг сказал, там шесть лимонов баксов было!

— Да я не про то! — поморщился Сержант. — Зачем брали так вот, втихаря, неофициально. Не менты, не ОМОН, не прокуратура, а какие-то непонятные спецназовцы. Ведь могли же отрапортовать в прессе: мол, найдена воровская касса, то да се... Нет, брат, тут что-то нечисто. Ладно, сейчас дядя Витя подведет нас поближе к кафе «Парус», поглядим на этого Николая Ивановича. У него и поинтересуемся...

— Брать будем? — деловито поинтересовался Гепард и поиграл мускулами.

— Нет, подождем пока. Для начала познакомимся заочно. Ты надежно приладил?

Гепард развел руками:

— Обижаешь!

Во время разговора Сержанта с водителем «ауди» Гепард незаметно припечатал под багажник магнитный радиомаяк. Теперь Николая Ивановича можно было пасти по Москве без опасения быть обнаруженными.

Охота вступила в решающую фазу.

Глава 36

Из-под ноги выскользнул большой гранитный обломок и с грохотом покатился вниз с горной кручи, увлекая за собой сотни крупных и мелких камней. Он с трудом удержал равновесие и, обливаясь холодным потом, отчаянно вцепился в острый край скалы, пытаясь подтянуться вверх. Вокруг росли чахлые кустики, иссохшие под знойным кавказским солнцем, но он понимал, что эти сухие веточки ему не сулят спасения: стоит ухватиться за такой кустик, как он вырвет его с корнем и неминуемо сорвется вниз, в ужасную пропасть, разевавшую свою коварную пасть у него под ногами.

Вдруг откуда-то сверху раздался мужской голос. Голос звал его: «Урусов! Урусов!» Он поднял голову на голос и увидел лицо, искаженное гримасой ненависти. Страшное, незнакомое лицо. Мужчина лет сорока, светловолосый, с ямочкой на подбородке — что-то неуловимо знакомое было в чертах его лица, хотя Урусов мог бы поклясться, что никогда в жизни не встречался с этим человеком.

«Что, не узнал меня?» — усмехнулся мужчина и протянул ему руку. Первым инстинктивным побуждением Урусова было схватить протянутую руку и не отпускать ее до тех пор, пока он не ощутит спасительную твердую почву под ногами. Но в тот самый момент, когда он впился в запястье незнакомца и повис над пропастью, светловолосый расхохотался — и с силой стряхнул его вниз. Странное дело: хохот незнакомца перешел вдруг в злобный собачий лай. Сердце у него ушло в пятки, и во рту враз пересохло. Беспомощно кувыркаясь в воздухе, он полетел в пропасть, издавая на лету страшный протяжный вопль...

Урусов очнулся и некоторое время лежал не шевелясь. Постепенно к нему пришло осознание того, что он жив, цел и невредим и лежит в собственной постели. Он с трудом повернул голову вправо, к будильнику на прикроватной тумбочке. Пять минут седьмого. Ну и рань!

Он был весь в поту. Только сейчас ему стало ясно, что это был всего лишь сон. Чудовищный, кошмарный, но все же — сон. Евгений Николаевич тяжело поднялся, спустил ноги на пол и стиснул виски ладонями. На даче он остался один, жена и сыновья еще вчера уехали в Москву. И Евгений Николаевич был рад этому: ему не хотелось, чтобы домашние видели его в таком разобранном состоянии. Окончательно поняв, что падение со скалы ему только приснилось, Урусов слабо улыбнулся и прикрыл глаза. «Наверное, Казбек еще спит в своей будке», — подумал он, вспомнив про короткий взрыв собачьего лая.

Он не успел подумать, приснился ему лай Казбека или пес на самом деле почуял чужака, как из кухни донесся громкий металлический лязг — точно кто-то опрокинул ведро.

***

Не слишком большой, всего-то в шесть соток, участок был засажен кустами смородины и яблоневыми деревьями. Невысокая ограда из штакетника не представляла слишком трудной преграды для опытных бойцов невидимого фронта. Правда, в это раннее мартовское утро войти незаметно на насквозь просматриваемую территорию дачи генерал-полковника Урусова было не так-то просто, тем более что высланный в дозор Фарид Усманов сразу зафиксировал перед домом собачью будку с дремлющим перед ней огромным лохматым кавказцем.

— Ну что будем делать? — шепотом спросил он у Абрамова, тихо подкравшегося к нему со спины. Абрамов был в старенькой десантной куртке и с саквояжем в руке.

— А что? — не сразу понял бывший военный разведчик.

— Да вон какая горилла валяется! — Фарид мотнул головой в сторону будки.

Придирчиво оглядев спящего зверя, Абрамов вздохнул:

— Куска парной телятины у меня не припасено. Сексапильной суки с трехдневной течкой тоже что-то не видно — придется усыплять. — И с этими словами он полез в нагрудный карман своей выцветшей куртки. Порывшись в глубине оттопыренного кармана, он извлек небольшую пластиковую ампулу в виде патрона.

— Это еще что? — удивился Усманов. За многие годы совместной работы с Сережей Абрамовым он не уставал дивиться непредсказуемым поступкам своего напарника.

— Снотворное. За пятнадцать секунд может усыпить тигра, за минуту — слона, ну а этот спящий красавец, я думаю, впадет в летаргию, не приходя в сознание.

Абрамов достал из саквояжа напоминающий ракетницу пистолет с толстым коротким стволом и, переломив ствол, зарядил его ампулой. Потом поднялся во весь рост, прильнув к штакетнику, тщательно прицелился и выстрелил. Пистолет издал негромкий хлопок, и в ту секунду кавказец дернулся всем телом, вскочил на мощные лапы и злобно залаял, но уже в следующий момент пес умолк и обессиленно повалился на бок.

— Готов, — удовлетворенно шепнул Абрамов и посмотрел на часы. Было пять минут седьмого. — Теперь посидим тихо, переждем: не дай бог, этот горластый хозяев разбудил...

«Тройка нападения» приехала в подмосковное Переделкино накануне вечером. Маршрут группе захвата был отлично известен. Еще под Новый год, три месяца назад, они не раз курсировали на синем «жигуленке» мимо дачи генерал-полковника Урусова — правда, тогда без всякой очевидной цели. Но информация, собранная ими в декабре, пригодилась сейчас, когда Варяг приказал по-тихому взять Урусова.

Им было известно, что генерал обычно приезжал сюда с вечера пятницы или рано утром в субботу и оставался до утра понедельника — как правило, со всем своим семейством. Но сегодня им здорово повезло: объект находился в доме один, не считая, разумеется, охраны — двух лбов, которых они раньше тут не видели. Похоже, генерал сменил телохранителей...

Что обстоятельства складываются как нельзя удачно, им стало ясно уже вчера, когда они в сумерках на черном джипе «мерседес» проехались по извилистым улицам, имевшим одинаковое название — Новые Сады и различавшимся только по номерам. Идея приехать на задание на дорогом джипе принадлежала Абрамову. Во-первых, синий «жигуль» уже явно тут примелькался, и Урусов мог бы заподозрить что-то неладное, заметив у себя под окнами знакомую колымагу. Во-вторых и в-главных, появление понтовой тачки в этом районе поселка, как ни странно, никого из здешних жителей не удивило бы и не привлекло бы ничьего внимания. Тут уже лет пять как селились преимущественно капитаны московского теневого «бизнеса» — так называемые консультанты и инвесторы, непонятно кого консультирующие и неясно куда инвестирующие, на деле являвшиеся владельцами столичных казино и оптовых рынков, магазинов автомобильных запчастей и ювелирных изделий, гостиниц и фитнесс-центров. Шумные обитатели Новых Садов, разумеется, знали, с кем они соседствуют, но близость дачи ответственного работника Министерства внутренних дел их отнюдь не смущала. Все они были, так сказать, «в законе» — не в смысле воровской иерархии, а по существу. Потому что все они вели вполне легальный, законный бизнес, с которого имели скромный доход, исправно платили скромные налоги, исчислявшиеся из официально представляемой бухгалтерской документации, и сам черт был им не брат. Одному из ближайших соседей генерал-полковника Урусова — Валентину Степановичу Цыганкову, известному в определенных кругах под кликухой Цыган, — даже удалось засудить три респектабельные московские газеты, назвавшие его «крестным отцом переделкинской мафии», и получить немалую компенсацию за «моральный вред».

Знали о достославных соседях Урусова и люди полковника Чижевского. Поэтому действовать им надо было с предельной осторожностью, чтобы не потревожить чуткий сон «гладиаторов» переделкинских криминальных баронов.

Оставив черный джип около АЗС на перекрестке, в который упиралась 7-я улица Новые Сады, троица диверсантов устремилась вовсе не к даче Урусова, а в прямо противоположную сторону, к рощице. Оттуда кружным путем они прокрались к забору из штакетника и расположились за стайкой низких густых елочек, расстелив на холодной земле видавшую виды плащ-палатку. Тут им предстояло провести всю ночь, чтобы на рассвете приступить к операции захвата. Примерно в одиннадцать вечера к даче подкатила черная «ауди» в сопровождении черной «Волги». Из «ауди» вышел Урусов в генеральской форме, из «Волги» — два здоровенных бугая в штатском, явно охранники. Окна в доме зажглись и через час потухли. Только окна террасы остались освещенными. Видно, у генерала был трудный день, и хозяин быстро лег спать, а его верные охранники решили еще немного пободрствовать. Но скоро и их сморил сон.

В соседних же домах гульба шла всю ночь. Со всех сторон лилась приглушенная музыка, раздавались взрывы хохота, перемежавшиеся с женским визгом. Диверсанты завистливо посматривали то в одну, то в другую сторону, пытаясь определить на слух, каким гастрономическим и сексуальным забавам предаются полуночники на Новых Садах. Часам к трем все стихло. Поселок погрузился во мрак.

Ровно в шесть Абрамов скомандовал «готовность номер один». Группа захвата двинулась вдоль забора...

Когда стало ясно, что пес уснул накрепко, Абрамов перемахнул через штакетник и рысцой побежал к двери. За ним устремился Усманов. С другого угла дома к двери уже подбежал, по привычке пригнувшись, Лебедев.

— Где они могут быть? — прошептал Абрамов.

— Скорее всего, на террасе спят, — сразу понял вопрос Усманов. — Надо их повязать без шума.

Абрамов помотал головой:

— Погоди. Не надо их вязать. Пусть дрыхнут. Лучше пробраться к генералу в опочивальню.

— А как? По веревочной лестнице? — усмехнулся Фарид.

— По приставной, деревянной, — встрял Лебедев. — Она стоит как раз у нужного окна. На втором этаже первое слева на западном торце.

Абрамов удивленно воззрился на него.

— Да что ты! И откуда же такие точные сведения?

Ваня Лебедев помахал у него перед носом армейским биноклем.

— Засек я его вчера. Перед отходом ко сну.

Абрамов укоризненно покачал головой:

— Заглядывать в чужие окна нехорошо, Ваня. А если бы там женщина раздевалась?

— Тогда бы я тут с вами всю ночь не дрожал от холода, а грелся бы в ее жарких объятиях! — огрызнулся Лебедев. — Ну что, идем?

Но все оказалось гораздо сложнее. Окно спальни было наглухо забито изнутри — видно, после зимы. Зато рядом со спальней находилась кухня. И там была чуть приоткрыта форточка. Юркий Фарид Усманов исхитрился просунуть руку в форточку и отомкнуть шпингалет, державший оконную створку. Все трое тихо, стараясь не шуметь, залезли внутрь.

— Главное, не разбудить тех орлов на террасе, — предупредил тихо Абрамов.

— Ослов? — пошутил Усманов.

— Не зубоскальничай! — огрызнулся отставной майор. — А то не ровен час... — И в этот момент его нога несильно ткнулась в стоящее на полу около мойки пустое пластиковое ведро. Ведро стукнулось о дверцу кухонного буфета и покатилось по полу. — Тьфу ты, е-мое! — прошипел Абрамов. — Ваня! Дуй на террасу и возьми ослов на мушку.

Теперь пришлось действовать стремительно и не раздумывая. Ваня Лебедев рванул на террасу, держа на изготовку короткоствольное помповое ружье, а Абрамов с Усмановым бросились из кухни через короткий коридорчик в спальню. За их спиной раздалась приглушенная возня, тихий испуганный вскрик — потом все сразу стихло: видно, Лебедев привел в беседе с сонными охранниками убийственный — и потому очень убедительный — аргумент.

Абрамов распахнул дверь и вкатился в темную комнату. У дальней стены напротив стояла широкая кровать, у левой стены рядом с окном темнел платяной шкаф. На тумбочке около кровати стояла лампа и телефон. Усманов подскочил к тумбочке, выдернул телефонный шнур из розетки и приставил к виску проснувшегося дачника черный ствол ТТ.

— Без глупостей, генерал! — театральным шепотом предупредил Абрамов. — Хочешь жить — молчи и делай, как я скажу. Сейчас ты тихо встанешь, наденешь свою генеральскую форму и спокойно проследуешь за нами.

— Вы с ума сошли! Кто вы? Что вы делаете? — Евгений Николаевич, похоже, совсем не удивился происходящему и задал свои вопросы только по инерции. Он и так прекрасно понял, что происходит и кто эти люди... Его кошмарный сон начал сбываться...

— Генерал! Если вы надеетесь на помощь своих денщиков, то напрасно. Они обезврежены. Дом окружен! Сопротивление бесполезно! — Абрамов изрыгал стандартные предупреждения, которые в американских боевиках обычно предшествуют стремительному захвату маньяка-убийцы, забаррикадировавшегося в лесном коттедже.

Урусов медленно поднялся с постели и, не сводя глаз с направленного на него черного ствола, начал одеваться. Евгений Николаевич прокручивал в голове несколько вариантов. Вариант первый — его сдал Закир Большой, которого он тогда в ноябре сдуру вызвал сюда, в Переделкино, на разговор. Вариант второй — его сдали высокопоставленные заговорщики, которые решили таким образом избавиться от неудобного и опасного подельника. Неужели они не боятся, что он их расколет? Да нет, чего им бояться — кто ж ему поверит, что кремлевские чиновники задумали выкрасть смотрящего России и воровской общак и прибрать к своим рукам доходный концерн «Госснабвооружение». Вариант третий... Но обдумать его времени не хватило.

Моложавый парень со среднеазиатскими чертами лица — не то узбек, не то туркмен — грозно махнул у него перед носом «тэтэшкой» и шепнул:

— Побыстрее, генерал, у нас мало времени!

— Чего вы от меня хотите? — сквозь зубы пробурчал Урусов, облачившись в генеральский мундир.

— Мы отвезем вас в одно место — там с вами поговорят! — отрезал «узбек».

Они вышли из спальни и по лестнице спустились на террасу. Урусов понял, что сопротивление и впрямь бесполезно: единственное, что внушало ему надежду, так это мысль, что они — кто бы это ни был — не решатся убить генерал-полковника МВД. Бросив взгляд на стол с остатками вчерашнего пира, Урусов подумал, что надо было все-таки взять с собой Никиту Левкина, а не доверять свою безопасность бестолковым сержантам из второго управления... Наверное, этих щенков взяли за жабры во сне — они, суки, после вчерашней попойки храпели где-нибудь в подвале без задних ног.

Генерал-полковнику было невдомек, что третий участник утреннего налета, Ваня Лебедев, связав его полусонных охранников и заперев их в чулане, уже успел сбегать к АЗС на перекрестке двух улиц Новые Сады и подогнать «мерседес» к самой калитке.

Выйдя во двор и не услышав привычного собачьего лая, Урусов впервые за эти несколько минут испытал страх: а что, если это не воры и не кремлевские? А что, если это северокавказские дела? Вдруг это люди Надиршаха, который пять лет ждал подходящего часа, чтобы расквитаться с Урусовым за то, что он, тогда еще полковник милиции, помог московским налоговикам поймать за руку дагестанского финансиста, замотавшего милиард «старых» бюджетных рублей?

Евгений Николаевич почувствовал, как лоб покрылся холодной испариной. Если это так, то теперь ему несдобровать и никто ему не поможет — ни спецгруппа «Альфа», ни страсбургский суд по правам человека...

Идя по дорожке к калитке, Евгений Николаевич с недоумением огляделся по сторонам и увидел, что его верный Мухтар мирно спит около будки. Вот сволочь! И этот сторож его подвел. Усевшись на заднее сиденье джипа, генерал-полковник дал завязать себе глаза черной тряпкой и погрузился в мрачные раздумья. Даже когда он служил на Северном Кавказе и сидел, можно сказать, на пороховой бочке, такое было невозможно — чтобы генерала милиции среди бела дня похитили из собственной койки. Это просто какой-то бред!

***

— Это просто какой-то бред! — громко повторил Евгений Николаевич, глядя в упор на светловолосого мужчину лет сорока с очень знакомым лицом, но, убей бог, он никак не мог вспомнить, где он его видел. Они сидели напротив друг друга за круглым столом в каком-то доме, куда Урусова привезли из Переделкино на джипе. Рядом со светловолосым за столом сидел второй мужчина — лет пятидесяти или побольше, по виду кадровый военный, с лицом совсем незнакомым. Всю дорогу Урусов просидел с завязанными глазами, но, по его расчетам, ехали всего минут двадцать или тридцать, значит, это место находится либо на окраине Москвы, либо в ближнем Подмосковье. На столе была расстелена мятая газета. — Я совершенно не в курсе! Единственное, что мне известно, так это то, что депутата Шелехова «заказали» очень большие люди, — тут Евгений Николаевич поднял палец вверх, — они же и осуществили всю подготовку... Но только я не пойму, с какой стати я все это вам рассказываю. Вы кто — представитель генеральной прокуратуры?

— Я не представитель генеральной прокуратуры, — медленно ответил незнакомец со знакомым лицом. — Моя фамилия Игнатов. Владислав Игнатов, может, слыхали?

Евгений Николаевич даже сам поразился собственной реакции на эти слова. Он привстал со стула, забыв, что его руки привязаны сзади к спинке, и тут же сел опять.

— Вы... Варяг? — Урусов ошалело смотрел на собеседника. Ну конечно, как же он мог забыть: это лицо он неоднократно видел и на газетных фотографиях, и в оперативных досье. — Но вас же... — Он не мог поверить, что перед ним сидит именно тот человек, на поиски которого он безуспешно потратил четыре месяца. И первое, что ему страшно захотелось у него спросить: кто же его похитил и каким образом ему удалось уйти от похитителей? Но он промолчал.

Варяг жестко посмотрел на Урусова и продолжал:
— Меня интересует несколько вопросов. Первое — кто и зачем отдал приказ о моем похищении. Второе — кто до вас побывал на даче на Никитиной Горе. Третье — куда делась моя дочь Лиза, ее няня Валентина Порохова и мой секретарь Елена Сорокина. Я жду ответов. У меня мало времени, да и у вас, генерал, времени тоже в обрез.

— Вы, Игнатов, намерены меня убить? — в присутствии легендарного воровского авторитета Евгений Николаевич почему-то обрел привычное высокомерие и бесстрашие. — Так имейте в виду, что уж убийство генерал-полковника МВД потянет на вышку и вас не спасут ваши высокие покровители!

— А где они, эти высокие покровители, хотелось бы знать? — Варяг принял шутливый тон Урусова. — С того самого момента, как мне врезали по затылку пустой бутылкой в банкетном зале ресторана «Золотая нива», и вплоть до настоящей минуты я все пребывал в раздумьях: куда же они подевались, мои высокие покровители? И уж не они ли, родимые, и затеяли всю эту кутерьму? — Взгляд Варяга потяжелел. — Но шутки в сторону! Я повторяю свой вопрос: кто? А что касается вашей персоны, то могу вас успокоить: если я решу убить вас, то ваш труп будет найден где-нибудь в глухом тупике Переделкино со следами разбойного нападения, а некоторые ценные вещи с вашей дачи окажутся в подвале соседнего дома... И загремит за ограбление с убийством ваш сосед Цыганков или как там его...

Урусов бросил на Варяга взгляд исподлобья и засопел.

— Я сказал все, что знаю. Больше мне ничего не известно. Все организовано большими людьми. А исполнителем был... — тут Урусову пришла в голову блестящая идея. — А исполнил все ваш старый знакомец, я полагаю... Шакир Буттаев.

Варяг заметил неуклюжую попытку генерала сыграть в простачка.

— Закир, — поправил он Урусова. — Так это Закир Большой все провернул? И меня в Перово отвез, и общак вынул, и моих близких похитил? И вам, генерал, ничего не известно? — И, не дав Урусову ответить, Варяг зло отчеканил: — А кто в Волоколамск гонял «воронок»?

Евгений Николаевич побледнел и резко отшатнулся, точно его ударили по лицу.

— Какой «воронок»? — Но он сразу понял, что отпираться бессмысленно. Этот Варяг что-то уж слишком много знал. — Да, это я отдал приказ о ее заключении в СИЗО, — обреченно заявил Урусов. — Мне были даны инструкции.

— Где она? — зарычал Варяг. Впервые за все время разговора он потерял над собой контроль и, перегнувшись через разделявший их стол, схватил Урусова за лацканы генеральского мундира и с силой встряхнул. — Где Елена? Где моя дочь?!

— Она в Волоколамском СИЗО. Где девочка, я не знаю. Клянусь!

— Ты завел на нее дело? Почему она оказалась в СИЗО?

— Дело заведено о злоупотреблениях в «Госснабвооружении». Поскольку вы как заместитель генерального директора исчезли, задержали вашего секретаря... — солгал Урусов. — Но это не в моей компетенции...

Варяг оттолкнул Урусова и резко сдернул со стола расстеленную газету — под ней лежал пистолет с глушителем. Урусов узнал «беретту». Варяг спокойно зажал «беретту» в правой руке и навел хищный ствол на лицо генерала.

— Мне терять нечего, генерал, — начал он тихо, но таким тоном, что у Урусова непроизвольно затряслись руки. — Потому что меня не существует. Я труп. Уже четыре месяца как труп. Варяг исчез и не найден. Может быть, кто-то и знал, где я был все эти четыре месяца. Но где я сейчас, не знает никто. А ты пока что жив. Но стоит мне нажать на спусковой крючок, как ты умрешь, генерал. Подумай, надо ли тебе умирать.

— Я скажу, где ее найти. Там и охраны-то нет. Это женское СИЗО, там вся охрана — три доходяги... — Урусов изо всех сил пытался скрыть внезапно обуявший его страх. Он даже называл этого уголовника на «вы», хотя тот ему бесцеремонно «тыкал».

— Нет, так не пойдет, Урусов, — жестко возразил Варяг. — Тебя я с собой взять не могу, чтобы ты лично приказал этим своим доходягам освободить ее. Но ты сейчас подпишешь своей рукой... подпишешь распоряжение о ее переводе... не знаю куда... в Бутырскую тюрьму, куда хочешь. Мои люди поедут в Волоколамск и заберут ее. С бумагой, подписанной твоей рукой. Понял, генерал?

— Нужен официальный бланк... — неуверенно начал Урусов.

Варяг повернулся к сидящему рядом Чижевскому.

— Николай Валерьяныч, ребята что-то привезли с собой из Переделкино?

Чижевский кивнул и достал из-под стола портфель. Урусов сразу узнал его: это был его рабочий портфель. Порывшись внутри, Николай Валерьянович вынул несколько белых листов бумаги с грифом Министерства внутренних дел РФ и протянул их Варягу.

— Пиши! По форме пиши! Чтобы без глупостей. Пока ее не привезут, ты будешь сидеть тут со мной под пушкой.

— Руки развяжи! — глухо буркнул Урусов.

Глава 37

Отправив Сержанта и Гепарда в Волоколамск, Варяг поручил Чижевскому запереть генерала Урусова в подвале и выставить надежную охрану, а сам уединился на втором этаже. С момента его побега из страшной подземной темницы прошло три дня, но Владислав еще никак не мог привыкнуть к мысли, что он свободен. Ночью ему неизменно снилось одно и то же: как он пробирается по темной и вонючей канализационной магистрали и не может найти выход... Теперь ему предстояло испытание не менее трудное и не менее опасное. Он не поверил тому, что сказал Урусов: эмвэдэшный генерал, похоже, пытался выгородить себя, свалив всю вину на неких высокопоставленных начальников и на законных воров. Но вот что касается Закира Буттаева — тут надо было проверить.

Закиру Варяг и сам не доверял — он не особенно доверял ему раньше, когда между ними пробежала черная кошка после неудачной попытки купить Балтийский торговый флот, но после того, как Закир сыграл не последнюю роль в организации того большого сходняка в ресторане, стало ясно, что он предал смотрящего России и отдал его в руки ментов. Преступления более тяжкого не существовало в воровской среде — и за это черное предательство полагалась кара страшная и безжалостная. Что ж, Закир, надо будет разобраться с тобой по воровским понятиям — с глазу на глаз.

И Владислав, послав к черту строгий запрет Чижевского выходить на связь с кем-либо из своих старых друзей и знакомых, набрал мобильный номер Буттаева.

— Я слушаю, — раздался в трубке спокойный голос дагестанского авторитета.

— Здравствуй, Закир, — так же спокойно произнес Варяг. — Ну что, узнал?

— Я сейчас в машине. — Голос Закира чуть дрогнул, и Варяг понял, что тот заволновался. Так, это хорошо. Значит, рыло в пуху. Значит, есть чего бояться бравому джигиту... — Подъезжаю к Москве по Ленинградскому шоссе. Ты откуда?

«Интересно, зачем он сообщил маршрут своего передвижения?» — подумал Варяг. Закир никогда слова лишнего не скажет, значит, у него какой-то умысел. Может быть, с ним рядом телохранители, и он им дает сигнал подготовиться к внезапному нападению? Или, наоборот, это сигнал ему, Варягу, чтобы он знал, где можно его перехватить? Владислав напрягся, не понимая пока, к чему клонит Буттаев.

— Я, Закир, с того света... — усмехнулся Варяг. — Вот хочу узнать, как тут у вас дела. Как живете, воры? Как поделили добычу, из-за которой вы все передрались и забыли про воровскую честь? Кто у вас теперь за смотрящего?..

— Если ты не можешь говорить, я сам к тебе подъеду. Скажи куда. Буду один... — Закир замолчал, ожидая ответа. Варяг напряженно размышлял. Если это не очередная западня, в которую он уже однажды попал по милости Закира... Или не Закира? Ладно, об этом потом. Если это не западня, то Закир явно не перепугался, услышав его голос, а, похоже, даже обрадовался. И хочет ему рассказать что-то важное. Ну что ж, надо рискнуть.

— Вот что, Закир, раз уж ты на колесах... Сворачивай на кольцевую и двигайся на восток. Я тебя там где-нибудь перехвачу. Ты на чем?

— Белый «линкольн»! — не без гордости сообщил Закир. — Номер ноль-ноль-семь.

Варяг чуть не рассмеялся. Ох уж эти кавказские штучки. Не могут они без этого дешевого понта!

— Ладно, Закир, тачка, значит, у тебя видная. Не ошибусь! До встречи!

В доме никого не было, кроме сторожа дяди Семы. Он спустился вниз. Старик дремал в гостиной на мягком диване, укрывшись дорогим пледом, под которым в последние месяцы жизни любил греться умирающий Медведь. Рядом с диваном дремал мохнатый пес. Он раскрыл один глаз и внимательно следил за движениями гостя. Варяг подошел к дивану и тихо позвал:

— Дядя Сема! Ты спишь?

Тот шевельнулся и поднял седую голову:

— А, чо? Вам что, Владислав Геннадьевич?

— Мне уехать надо, дядя Сема...

— Вы что, в своем ли уме? Вам же нельзя — вмиг мусора сцапают! — всполошился старик.

Варяг улыбнулся, услышав старинное словечко, — теперь так ментов никто не называл.

— Мне надо, дядя Сема. Очень важное дело. Если будет звонить Чижевский или сам приедет, скажи ему, что я уехал часа на два — буду вечером.

Старик кряхтя поднялся с дивана.

— Ну он мне шею-то намылит!

— Если уж мылить будет, то мне! — отшутился Владислав и вышел.

Оказавшись на этой даче в Кусково, он не стал ни бриться, ни стричься, а только подровнял бороду и отросшие до плеч волосы: в таком натуральном гриме ему было не страшно появиться на улице. На всякий случай он нацепил на нос узкие темные очки, которые отыскал в ящике одного из многочисленных комодов. В кармане у него лежал сотовый телефон и рублей восемьсот из тех, что ему дал Чижевский, — на сегодняшнее опасное путешествие должно хватить.

Дойдя до ближайшей улицы, он поймал серый «москвичок» и поехал в сторону кольцевой. Отпустив частника у развязки на Новоухтомское шоссе, он позвонил Закиру на мобильник и сообщил свое местонахождение. Минут через двадцать со стороны Щелковской показался белый лимузин. Но Владислав не собирался рисковать. Теперь ему надо было предпринять меры безопасности, гарантирующие стопроцентную... нет, двестипроцентную уверенность. Он снова связался с Буттаевым:

— Закир, видишь, прямо по твоему курсу рекламный щит пива «Золотая бочка»? Притормози там, шофера и своих телохранителей оставь в машине, а сам пройди метров сто от шоссе в сторону леса. Там грунтовая дорога...

Варяг стоял прямо под щитом, спиной к лимузину и рассеянно провожал взглядом проезжавшие мимо машины. Он сильно изменился внешне за эти четыре месяца и был уверен, что Закир даже не обратит внимания на бородатого хмыря в темных очках.

И точно, Закир не спеша протопал мимо него и зашагал к лесу. Удостоверившись, что за белым «линкольном» нет никакого хвоста и все пассажиры, если они были, остались в машине, Варяг двинулся следом за Закиром.

— Эй, салам-алейкум! — негромко бросил он.

Закир резко обернулся и несколько секунд с недоумением рассматривал странного пешехода.

— Варяг, ты? — с сомнением спросил он.

— Я. Что, не узнать бывшего смотрящего России? — Владислав снял темные очки и вплотную подошел к

Закиру. — У меня мало времени. Так что давай опустим официальную часть. Не хочу с тобой разбор устраивать, Закир. Это дело будущего. Меня сейчас интересуют два момента: где моя дочь и ее нянька и что с общаком? — Он пристально поглядел Закиру в глаза. — Ну и так, заодно, кто у вас теперь новый смотрящий?

— А что ж про «Госснабвооружение» не спрашиваешь заодно? — колко заметил Буттаев. — Или тебе уже нет интереса там?

— Интерес есть, Закир, — жестко отпарировал Владислав. — Но там я уж как-нибудь сам разберусь. Помощники, понимаешь ли, нашлись.

— И кто же?

— А знакомец твой хороший, генерал-полковник Урусов Евгений Николаевич. — И Варяг с удовольствием заметил, как вспыхнули тигриные желтые искорки в черных глазах горца. Искорки затаенного опасения. Ну точно, рыло в пуху. — Он мне много чего про тебя порассказал, Закир. Про ваши гешефты... — И Варяг усмехнулся. Интересно, этот невинный блеф возымеет действие? Неужели он попал не в бровь, а в глаз и гордый дагестанский вор в законе и в самом деле сидел под «крышей» генерала Урусова?

— Про какие такие гешефты? — хрипло спросил Закир. — Какие у меня могут быть гешефты с ментовским генералом?

— Но имя тебе, я вижу, знакомое?

— Что ж ты думаешь, я буду хвостом вилять, как паршивый шакал? Да, знакомое имя. Но у меня с ним никаких гешефтов не было, Варяг. Ты меня с кем-то спутал.

— С кем же?

— Не буду говорить зря. Захочешь узнать — узнаешь. Так ты спрашиваешь про общак? Нет общака. Пропал общак.

— Как так пропал? — Варяг уже знал ответ и на этот вопрос, но ему хотелось услышать версию Закира и сравнить ее с той информацией, которую ему сообщил Чижевский.

— Общак украден, Варяг. Ты его, оказывается, на даче Нестеренко хранил, — с легкой укоризной произнес Закир. — Не лучшее место... Но общак пропал — и не у воров он. А где, никто не знает. В чужие руки попал. Поэтому, кстати, и нового смотрящего пока так и не выбрали. На кассе временно сидит Тима. Для выборов, как ты знаешь, большой сход нужен. Но воры решили: пока не узнают, где общак, собираться не станут. Если менты его взяли — одно дело. Если свои умыкнули — другое.

— Тима, говоришь? — Это известие неприятно поразило Варяга. — Вот уж не подумал бы. А что ж тебя на кассу не посадили? Не доверяют? Про твои геш... связи с МВД пронюхали? — Варягу хотелось лишний раз уколоть самолюбивого дагестанца. И это ему удалось.

— Ты меня зачем вызвал, Варяг? — злобно прошипел Буттаев. — Сам спроси у Урусова, много ли он с меня поимел? Это же он твою Лену замел. И на дачу к тебе на Никитину Гору выезжал — да только шиш с маслом ему достался!

— А меня кто замел? — чуть не закричал Варяг. — Тоже Урусова рук дело? Или твоих?

Закир прищурился и ничего не ответил. Помолчав, бросил:

— Меня ты можешь упрекнуть только за то, что я не возражал. Так решили воры. И их решение было единодушным. Почти единодушным. Кое-кто был против, да им рты заткнули. И не я твою охрану там у ресторана повязал — это менты. А что тебя сходняк решил сместить, так я тогда считал это решение правильным.

— И то, что мне на голову мешок надели и затолкали в канализационный колодец, — это тоже правильно? — Варяг, поморщившись, точно проглотил горькую ягоду, махнул рукой. — Ладно, Закир, аллах тебе судья. Но ты мне не ответил, где моя дочка.

Закир ответил не сразу. Он долго смотрел на заросшее густой рыжеватой бородой лицо Варяга. Потом сунул руку в карман пальто, достал сотовый телефон и нажал несколько кнопок. Дождавшись ответа, он тихо распорядился:

— Ахмед, дай ей трубочку.

Варяг увидел, как выражение лица Закира преобразилось: суровые складки в уголках губ разгладились, глаза заулыбались.

— Привет, как у тебя дела? Все хорошо? У меня для тебя сюрприз. Сейчас... — Он протянул телефон Варягу. — На, поговори.

Владислав с недоумением взял пластиковую лодочку и поднес к уху.

— Алло?

— Кто это? — раздался в трубке звонкий девчачий голосишко.

— Лизонька! — воскликнул Варяг, не веря своим ушам. — Лиза! Это папа!

— Папочка! — радостно закричала девочка и вдруг расплакалась. Варяг стоял, прижимая к уху крошечный аппаратик, и не мог от волнения вымолвить ни слова. Наконец Лиза справилась со слезами и спросила срывающимся голоском: — Тебе дядя Закир рассказал, что я у него живу?

Владислав перевел взгляд на невозмутимого Буттаева и кивнул.

— Рассказал.

— Ты меня скоро заберешь?

— Да, скоро, — Варяг еще раз взглянул на Закира. — Сегодня же. Слушай, Лиза, а где Валя?

— Валя тут со мной у дяди Закира живет. А Лена... Представляешь, Лена пропала...

— Мы ее найдем, — глухо произнес Варяг и вдруг подумал, что ментура может прослушивать сотовый телефон Буттаева. — Ну все, дочка! Я сегодня приеду!

— Подожди! — взмолилась девочка. — Ты где был? Дядя Закир говорил: ты в командировку уехал. Ты что, уже вернулся?

— Уже вернулся.

— И больше не уедешь? — не унималась Лиза.

— Не уеду. В любом случае, если уеду, то только с тобой. Ну все, целую тебя, до встречи!

— Объясни, Закир, что это значит? — Варяг вернул телефон хозяину.

Закир вздохнул тяжело, прежде чем ответить.

— Урусов не знает, кто тебя тогда взял, Варяг. Для него твое исчезновение было полной неожиданностью. Я знаю, тебя должны были люди Паши Сибирского вывезти куда-то за Урал. Но их кто-то опередил. А Урусов явно намылился и общак прибрать к рукам, и в «Госснабвооружении» поживиться, и на всякий случай всех твоих близких подгрести под себя. Я это не сразу понял, но он, козел, мне поручил пошмонать дачу на Никитиной Горе... То есть всех, кто там есть, взять... Он хотел туда послать своих спецназовцев общак искать... Но боялся, что женщина и ребенок крик поднимут, а может, хотел их в заложники взять, как эту секретаршу твою, Лену... В общем, я туда еще до сходняка направил своих верных людей, и они вывезли оттуда Лизу и Валентину. У себя на даче в Поваровке я их спрятал. Так они у меня и жили все эти четыре месяца. Никто этого не знал — ни воры, ни менты, никто...

— Вот это неожиданность, Закир, — тихо сказал Варяг. — Вот уж чего не ожидал, так не ожидал от тебя. Признаюсь, всякую подлянку и пакость от тебя ожидал, и то, что ты на том большом сходняке вместе со всеми на меня руку поднял, — это меня не удивляет. Но вот то, что ты мою дочку спас от лап этого Урусова, меня удивляет. — Он протянул руку. — Спасибо тебе, Закир. Я твой должник теперь. А свои долги, как ты знаешь, я отдавать умею.

Они обменялись крепким и долгим рукопожатием.

— Тебе, Варяг, известно, — серьезно начал Буттаев, не выпуская из руки пятерню Варяга, — что я тебя всегда уважал, но после истории с «Балторгфлотом» у нас с тобой что-то разладилось. Но я тебе уж сказал и еще раз повторю: я был за то, чтобы тебя от общака отстранили.

— Что-то ты все в прошедшем времени говоришь: «был за». А сейчас что, против?

Закир неопределенно взмахнул рукой:

— Времена изменились, Варяг. За эти четыре месяца слишком много разных неожиданных и непонятных вещей произошло. Ты газеты давно не читал, телевизор давно не смотрел?

— В том гостиничном номере, где я провел четыре славных месяца, телевизор был сломан, а газеты там не выписывают, — невесело усмехнулся Варяг.

— Значит, ты ничего не знаешь?

— Ну кое-что знаю. Знаю, например, что выборы у нас на носу. В конце этого месяца.

— Да не в этом дело. Ты хочешь сейчас дочку забрать?

Варяг энергично кивнул.

— Я тебя отвезу. А по дороге кое-что расскажу.

Они пошли обратно к автостраде.

— Так что у тебя за проблемы с Урусовым? — осторожно задал вопрос Владислав. — А то у меня на него сейчас есть прямой выход. Может, мы твои трудности попробуем решить?

Они сели на заднее сиденье белого «линкольна», и лимузин, развернувшись на эстакаде, помчался в сторону Ленинградского шоссе.

Глава 38

В комнату вошла высокая девушка в сером халате, похожем на больничный. Девушка была страшно исхудавшая, бледная, с красными пятнами под глазами — то ли от хронического недосыпа, то ли от слез, то ли от побоев. Ее давно не мытые и не чесанные волосы походили на клочья пакли. Тонкие худые руки плетьми висели вдоль тела. Он не узнал ее.

У девушки за спиной маячил Гепард. Лицо повидавшего немало в своей жизни бывшего спецназовца выражало неподдельную жалость.

— Вот, — глухо произнес он, — привезли. Смотреть на нее было страшно. Лежала на голом топчане в штрафизоляторе. — Он помолчал. — Тетка там, начальница этой тюряги, чуть нам жопу не целовала — боялась, сука, что мы ее прямо там к стенке поставим... У меня сильное желание, надо сказать, возникло...

Варяг поднял руку, прося его помолчать. Он подошел к Лене и заглянул ей в глаза. Она смотрела на него и, похоже, не узнавала. В ее глазах, в самой серо-зеленой их глубине таился ужас.

— Леночка, это я, Владислав, — тихо сказал он, беря ее за руку. — Все позади, не бойся. Ничего не бойся. Больше тебя никто не тронет.

Гепард стоял, переминаясь с ноги на ногу.

— Свободен, что ли? — спросил он, поморщившись. — Извини, Владислав, не могу я на это смотреть.

Внутри все переворачивается. Ее там... держали в черном теле. Так это называется.

— Как фамилия тетки-начальницы? — только и спросил Варяг.

— Фамилия? А хрен ее знает! — удрученно вздохнул Гепард. — Груней ее там все зовут.

Махнув рукой: мол, иди, Варяг взял Лену за плечи и осторожно повел к старому кожаному креслу у камина. Она села, вернее сказать, бессильно упала. Он стоял рядом.

— Отдыхай, — зачем-то сказал он. — Не знаю, чем помочь тебе. Скажи, кто над тобой издевался? Назови — кто. Урусов? Кто? Я их на куски разорву.

Лена впервые очнулась от своего забытья и помотала головой:

— Нет, не надо. Бог им судья. Пусть. Не трогай их. — Она подняла на него потухший взгляд и зашептала: — И Урусова не надо. Я прошу — не трогай его.

Варяг скрипнул зубами, подавляя внезапно закипевшую в душе ярость. Он украдкой смахнул навернувшиеся на глаза слезы, обнял ее и прижал к груди.

— Успокойся, родная. Все кончено. Забудь!

— Не трогай Урусова! — опять прошептала Лена. — Не надо опускаться до его звериного уровня. Это не человек, это зверь. Там все звери. А мы люди. Мы не можем быть такими же, как они.

Варяг кивнул, проклиная себя за полное бессилие что-либо сделать. Жаль, что он не мог поехать вместе с ребятами в Волоколамск. Если бы он увидел Лену рядом с ее тюремщиками, он бы не сдержался. Он бы убил на месте и эту бабу Груню, и ее вертухаев — или там в женской тюрьме вертухайки?

— Хочешь в постель? — предложил он ласково. — Поспи. Тебе стоит поспать.

И почувствовал, как она содрогнулась под его рукой.

— В постель? Спать? Я не могу, Владик. Я не могу — в постель. Извини, я теперь долго не смогу быть... с тобой. Не смогу ложиться в постель. Они меня так там истерзали... — И она затряслась от беззвучных рыданий.

Оставив Лену одну, Варяг спустился в подвал. У запертой двери в погреб стоял на часах Андрюша Зверек. Точнее, сидел на табуретке, прислонившись спиной к стене.

— Как там? — поинтересовался Варяг хмуро.

— Все тихо. Есть не просит, — бодро отозвался Зверек, но, заметив выражение лица босса, осекся и озабоченно ляпнул: — А чо, надо выводить?

— Нет. Не надо. Отопри-ка.

Андрюша загремел большим ключом и отпер амбарный замок. Владислав, пригнув голову, вошел помещение, разглядел в темноте лесенку, ведущую в погреб, и стал осторожно спускаться вниз, опираясь рукой о кирпичную стену.

Евгений Николаевич сидел на порожней бочке и мрачно смотрел на гостя. Руки у него по-прежнему были связаны сзади. Варяг подошел вплотную к нему и молча стал разглядывать, точно какое-то диковинное исполинское насекомое.

— Сейчас сюда привезли Елену Сорокину, — процедил он сквозь зубы. — Из тюрьмы, куда ты ее отправил. Лучше бы тебе сдохнуть там, в Переделкино... Урусов!

Заложник завозился и, с трудом разлепив ссохшиеся губы, пролепетал:

— Я тут ни при чем. Я ее там не держал... Был приказ... Она проходила по уголовному делу как сви...

— Не робей, мент! — с презрением бросил Варяг и, не сдержавшись, пнул его ногой по колену, так что Урусов глухо охнул. — Она меня просила не трогать тебя. И я тебя не трону. Так что благодари ее — и Бога. Моя бы воля, я бы сунул твои яйца в мясорубку «Бош», врубил бы самый полный и подождал бы, пока тебя всего туда не засосет...

На самом деле Владислав решил подержать Урусова в этом подвале на тот случай, если тот понадобится ему для какой-нибудь важной сделки. Он понимал, что у генерала должны быть важные сообщники, которые ему пока оставались неизвестны. Когда же Варяг выяснит, кто они, — вот тогда генерал Урусов наверняка сможет оказать ему важную услугу. И ради этой возможности Владиславу пришлось усмирить свой клокочущий гнев и оставить заложника в покое.

***

— На «Каспийскнэфть» вчера вечером налоговая наехала! Вы же обэщали, что всио будэт путиом! — Шота от волнения чуть не перешел на грузинский. Но его собеседник все равно не понимал этого благородного языка, и Шоте приходилось обуздывать свой горячий норов. — Ми жэ па рукам ударили! Как так можно слово нарушать, я нэ панимаю, Владимир Алексеевич!

Он разговаривал с помощником начальника главка Министерства нефтегазовой промышленности России, курировавшим добычу черного золота на Каспийском море. С Владимиром Алексеевичем Подколзиным Шота был знаком давно — с 1989 года, когда тот, в ту пору еще мелкий чиновник со Ставрополья, приехал отдыхать в Гагру, где и познакомился с чудесным грузином, хозяином тамошних ресторанов и игорных залов. С тех пор их дружба крепла пропорционально карьерному росту Владимира Алексеевича. В последние годы, когда ставропольский чиновник сел в высокое кресло в Москве, эта дружба стала, как шутил Шота, «вечнозеленой». Понятно, что грузинский хохмач намекал вовсе не на зеленые насаждения, а на «грины», служившие надежной подпоркой любых контактов — деловых или сексуальных — в пределах московского Садового кольца. До сих пор Владимир Алексеевич неизменно оправдывал доверие своего грузинского друга. И вдруг что-то в их дружбе надломилось...

Но Владимир Алексеевич и сам толком не понимал, что происходит. После президентских выборов, еще не успели чернила высохнуть на первом указе новоизбранного президента, в стране начались странные, если не сказать тревожные, события. «Силовики» всех уровней — от федеральных спецслужб до районных налоговых полицейских, — как будто получив негласную команду «фас», точно с цепи сорвались. В ведущих компаниях страны начался повальный шмон. На официальной фене это называлось «выемкой документов при проведении проверки финансовой деятельности». На самом же деле мало у кого оставались сомнения относительно цели этих карательных рейдов: налоговый «шмон» был своего рода черной меткой крупным предпринимателям. Им предлагалось щедро «делиться» с бюджетом. Хотя чем еще могла бы поделиться, например, «Каспийскнефть», Владимир Алексеевич, убей бог, не врубался. Налоги компания платила исправно, а это были многомиллионные суммы. То есть, конечно, платили-то только с представленных документов, не «по-белому»... Так кто же сейчас «по-белому» показывает? Если все показать, то ведь придется светить не только реальные зарплаты всех работников — от генеральных директоров до уборщиц, но и реальные цены и многочисленные «откаты», падающие в карманы алчных государственных служащих. А так ведь веревочка может виться-виться и привести очень далеко — и высоко, быть может, к самим краснокирпичным стенам Кремля...

Владимир Алексеевич знал, что «Каспийскнефть» плотно держат криминальные авторитеты, то есть не в том смысле, что нефтяники платили ворам дань. Сами воры в лице Шоты (он входил в совет директоров) и были владельцами контрольного пакета акций «Каспийскнефти», и организация нефтяного бизнеса у них была налажена четко. Добытую нефть компания продавала — только на бумаге, конечно, — ростовскому нефтеперерабатывающему заводу, оттуда нефть «продавалась» далее по цепочке еще трем посредникам по смехотворной цене, с которой и платились налоги. Затем нефть «перегонялась» в Казахстан и оттуда возвращалась как «импортированная» на нефтеперегонные заводы Сибири. И за нее «платили» уже по непомерно высокой цене, а разница между заниженной ценой продажи и завышенной ценой закупки растекалась по сотням невидимых ручейков. Хитрую схему придумал Шота. И все налоговые чиновники на местах были им основательно «прикормлены» и без проволочек оформляли нужные бумаги...

Так уже лет десять работали сотни, если не тысячи предприятий по всей России, и всем было хорошо. Бюджет, получая жалкие налоговые крохи, считался одним из самых тощих в мире, и страна под этим соусом выбивала себе за границей миллиардные займы, которые, поступив на счета Центрального банка, тотчас же куда-то и утекали. Скорее всего, по тем самым ручейкам, по которым уходили реальные деньги, вырученные за продажу нефти и газа, автомобилей и стального проката...

И вот теперь незыблемая пирамида «российского бизнеса» рушилась на глазах. А вместе с ней рушились и судьбы сотен, если не тысяч, чиновников, подпиравших эту пирамиду своими плечами. И одним из этих тысяч был Владимир Алексеевич Подколзин.

— Не знаю, Шота, дорогой, не знаю, что тебе и сказать, — вздохнул Подколзин. — Ты же газеты читаешь, сам видишь, что творится. Уж если на олигархов наехали, то нам-то, бедным маленьким человечкам, что прикажешь делать?

— Ладно, Владимир Алексеевич, мы еще вэрнемся к этому разговору, — сухо закончил Шота и, не прощаясь, повесил трубку.

Шота позвонил Подколзину не случайно. Вчерашний наезд налоговой полиции на головной офис «Каспийскнефти», о чем ему сегодня утром сообщил главный бухгалтер, в панике позвонивший из Каспийска, был лишь предлогом. Воры сильно озаботились событиями последнего месяца, и спешно созванный в прошлую субботу малый сходняк наказал Шоте жестко переговорить с теми, кто еще осенью прошлого года сулил им золотые горы за содействие. Содействие было оказано — и немалое, в том числе и финансовое, но пока что никакого обещанного прикупа было не видать. Напротив... Куда ни кинь, всюду бизнес летел к чертям — предпринимателям не давали вздохнуть.

Найденные в оффшорном банке в Андорре тайные счета «Госснабвооружения» были вычищены подчистую, деньги переброшены в двенадцать банков Лихтенштейна, Швейцарии и Люксембурга, где были открыты номерные счета. Как только новый фактический руководитель оружейного концерна Леонид Аркадьевич Суриков осуществил операцию по «обратной отмывке» средств, ему дали теплое местечко в одном из сотен российских загранпредставительств в Латинской Америке и отправили через Атлантику бизнес-классом. Так «Госснабвооружение» окончательно ушло из-под контроля сходняка. Пропала и касса, хранившаяся Варягом на даче покойного академика Нестеренко. В результате многосложной игры, в которую воры дали себя завлечь, они лишились уважаемого смотрящего и практически всех своих финансовых средств. Выражаясь простым языком, их попросту «обули». И когда понимание этого простого факта дошло до сознания региональных авторитетов, в Москву полетели гневные вопросы и предупреждения. По всей России прокатилась волна ропота, и воровские объединения в Перми и Пензе, Нижнем Тагиле и Челябинске, Новосибирске и Магадане стали требовать от московских разъяснений. Обстановка стала накаляться, и было решено направить застрельщиков странной аферы с общаковскими деньгами на прямые переговоры.

Переговоры было поручено вести Шоте Черноморскому. Но первая же попытка Шоты вступить в контакт с Сапрыкиным окончилась неудачей. Александр Иванович наотрез отказался встречаться с авторитетами, пообещав в три дня прояснить ситуацию.

***

Проблем у Алика Сапрыкина хватало не только с ворами, потребовавшими в кратчайшие сроки представить, так сказать, финансовый отчет. На него покатили бочку партнеры из другого лагеря.

После президентских выборов, завершившихся, как и следовало ожидать, сокрушительной победой официального кремлевского «преемника», началась медленная, но неуклонная чистка, какой кремлевские и околокремлевские старожилы не помнили со времен отставки Хрущева. Целые кланы министерских чиновников и связанных с ними директоров крупных и мелких акционерных фирм стали жертвой безжалостной кампании «смены кадров». На места опытных прожженных бюрократов, этих тонких политиков, понаторевших в десятилетних интригах с налоговым и бюджетным законодательством, умевших идти на безопасные компромиссы и «продавливать» нужные решения, приходили неискушенные новички, сорока-сорокапятилетние люди с военной выправкой, со стальным взглядом командиров и тонкими губами упрямых исполнителей, которые умели только одно — выполнять, не рассуждая и любой ценой, полученный сверху приказ. Новобранцы, призванные новой властью в государственный строй, без сожаления решительно рушили всю пирамиду большого российского бизнеса, которая покоилась на незыблемом фундаменте взаимных договоренностей, взаимных интересов и взаимоприемлемых понятий.

Самоубийственные новшества внедрялись под сомнительным лозунгом «торжества закона». И внедряли их новые бюрократы, которые привыкли работать и мыслить по военно-полевому уставу. Как там сказал тот русский генерал? Просрали Россию! В который уже раз...

Но ведь так долго продолжаться не может, утешали себя отодвинутые и отогнанные от больших и малых кормушек. Ну полгода, ну год — и крепкие плечи, сроднившиеся с полковничьими кителями, привыкнут к мягким костюмам от Армани и Жоржа Реша, а золотые зажигалки «Данхилл» и пузатые бутылки «Реми Мартена», элегантные часы от «Бома и Мерсье» и представительские «мерседесы» произведут нужное психотерапевтическое воздействие на ум, честь и совесть новоявленных правителей. И все вернется на круги своя, как тому и положено быть на Святой Руси. Надо только набраться терпения и ждать...

Но Алик Сапрыкин не мог принять эту аргументацию. Потому что у него не было времени ждать. На него давили со всех сторон. И он не знал, кого ему следует бояться больше — московских ли воров, грозивших ему суровой разборкой, или ненадежных политических партнеров-заговорщиков, тоже суливших ему «жесткую зачистку».

У него, впрочем, оставался воровской общак — пять миллиардов долларов, в которых растворились те жалкие шесть или семь миллионов наликом, взятых спецбригадой Николая Ивановича в тайнике на Никитиной Горе. Пять миллиардов долларов, которые Владислав Игнатов, не будь дурак, держал на оффшорных счетах

«Госснабвооружения». Но ведь любому козлу понятно, что на торговле российским оружием таких сумасшедших денег не заработаешь.

Сапрыкин раскусил тайну андоррского тайника: он понял, что в Андорру Игнатов переправил деньги, которые и составляли фактически весь российский общак, а это, по самым скромным подсчетам, составляло четверть бюджета страны. Не мудрено, что после исчезновения Игнатова все так зашевелились — и воры, и ментовские генералы, и спецслужбы. Кому же не захочется сорвать столь внушительный «банк»! Но слава богу, Алик Сапрыкин их всех опередил. И теперь самое благоразумное для него было просто слинять из страны, не дожидаясь, пока, как уверяли его кремлевские и гэбэшные старожилы, «все вернется на круги своя». А вдруг ничего не вернется — тогда что? А если новый президент со своей командой министров в штатском и впрямь решит разворошить весь этот муравейник, не подозревая, что на самом деле он разворошил осиное гнездо — и тогда никто не сможет предсказать, что предпримут обезумевшие и разъяренные осы...

А он, Александр Иванович Сапрыкин, имея на руках все необходимые документы для осуществления операций по восьми счетам в неприметных европейских банках и являясь номинальным владельцем пятимиллиардного состояния, сумеет скрыться на необъятных просторах Европы или Америки...

Да, это хорошее решение. Единственно правильное на сегодняшний день решение. И Алик, взяв чистый лист бумаги, написал заявление об отпуске. Потом он позвонил знакомому директору крупного турагентства и заказал себе двухнедельный тур по Швейцарии и Австрии. «Проверну дела в Цюрихе, — решил он, — переберусь в Вену и по-тихому сгоняю в Люксембург и в Лихтенштейн».

Глава 39

«Владик, позвони Герасиму Герасимовичу Львову» — эти пять слов были нацарапаны дрожащей старческой рукой на небольшом листочке бумаги, заложенном в середине старинной книги «Кремль в Москве» Фабрициуса. Владислав знал давнюю любовь Михалыча к историческим сочинениям и поэтому, попав в опустевший дом старого вора в Серебряном Бору, первым делом тщательно осмотрел книжные полки, стараясь не пропустить ни одного тома.

И он не ошибся. В потрепанном фолианте дореволюционного издания он нашел то, что и не надеялся найти. Последнюю волю Михалыча. Старый вор обращался к нему с того света. Но кто такой Герасим Герасимович Львов? Варяг никогда не слышал от него этого имени.

Правда, что-то неуловимо знакомое в этом имени было. Что? Точно кто-то когда-то давным-давно уже упоминал при нем эти имя и отчество. Владислав напряг память и стал размышлять, машинально перебирая разложенные на письменном столе записные книжки покойного. Он раскрыл одну из них, самую толстую и замусоленную, на букве Л. «Леонид», «Леонид», «Леонид»... Сколько же их тут — семь Леонидов, помеченных разными инициалами! Видимо, фамилии. Его взгляд скользнул ниже. Львов. Так! Есть! «Львов Гер. Гер.». Варяг не сомневался, что он нашел нужный номер телефона.

Набрав семь цифр на своем сотовом, он с волнением прижал трубку к уху. Варяг не случайно воспользовался «Эрикссоном», который ему дал Чижевский: ему не хотелось, чтобы какой-нибудь ретивый «слухач», подсевший на городской телефон Михалыча, вычислил его здесь, в Серебряном Бору. А в том, что телефон старого вора стоит на прослушке у ментов, опытный вор в законе не сомневался.

— Алло! На проводе! — раздался немолодой, но по-военному четкий голос.

Кажется, попал.

— Герасим Герасимович?

— Он самый. А я с кем имею честь?

Владислав на секунду запнулся. Можно ли называть себя? Кто этот военный, он не знал. А вдруг ловушка? Но он быстро сообразил, что вполне может положиться на защиту даже покойного Михалыча.

— Я старый друг Михалыча... Владислав Игнатов.

— Владислав Геннадьевич! — Его незнакомый собеседник, похоже, даже не удивился. — Так вы уже вернулись?

Варяга этот простой вопрос поставил в тупик.

— То есть в каком смысле?

— Но ведь вас... — Тут Герасим Герасимович замолчал. — Вот что, уважаемый, давайте-ка встретимся с вами. Давно уже пора нам познакомиться. Вам про меня Михалыч рассказывал?

— В общем, да, — Варяг взглянул на записку Михалыча.

— Вы знаете, где мы с ним обычно встречались?

— Нет.

— Тогда приезжайте на Речной вокзал, в парк.

— Извините, Герасим Герасимович, я не могу отлучаться из того места, где сейчас нахожусь, — Варяг оглядел комнату, соображая, можно ли пригласить гостя сюда. — Вы не могли бы сами подъехать?

Ответом ему было молчание. Видно, столь бесцеремонное контрпредложение задело Герасима Герасимовича.

— Хорошо, — наконец соизволил согласиться тот. — Куда?

— Подъезжайте на угол Тверской улицы и Тверского бульвара, туда, где «Макдональдс», вас встретят.

— Кто? — удивился Львов.

— Тот, кто с вами уже встречался.

Варяг догадался, что если Михалыч, не шибко любивший покидать свою берлогу, ездил на встречу с этим Львовым, то наверняка в сопровождении верных телохранителей. Правда, один из них, Костя Вялый, внезапно умер вскоре после смерти Михалыча — беднягу нашли в подвале этого самого дома. Но остался еще один старый охранник — Женя Медуза, который всегда сопровождал Михалыча на «выездах». И сейчас Медуза стоял за дверью в ожидании дальнейших указаний.

— Женя! — позвал Варяг.

— Да, Владислав Геннадьевич! — Медуза словно только и ждал, когда его позовут, и сразу вошел.

Варяг убрал записку Михалыча в карман.

— Ты не знаешь случайно, кто такой Львов? С ним Михалыч должен был встречаться в городе.

Медуза кивнул:

— Да, помню. Раза два в последнее время он ездил на Тверской бульвар. И мы с ним. Они встречались в конце бульвара, на скамейке. Что за человек Львов, я не знаю, так, видел пару раз мельком. Старик. С виду — важняк.

— Следователь прокуратуры? — удивился Варяг.

— Ну нет... — Медуза засмущался. — Это я так... Фигурально. Большая шишка. Михалыч никогда не распространялся. Но вроде как большой человек.

— Из «комитета»? — предположил Владислав.

Медуза пожал плечами.

— Ладно, Женя. Поедем на Тверской сейчас. Ты меня посади на ту лавку, где Михалыч с ним сиживал, сам иди на угол, на Тверскую, а как увидишь его — ко мне приведёшь.

***

Герасим Герасимович Львов оказался статным крепким стариком с пристальными, глубоко посаженными глазами. Он шёл по бульвару уверенным шагом и попыхивал импортной тёмной сигаретой, выпуская клубы горьковатого дыма. Ещё издали завидев его, Варяг поднялся со скамейки и направился ему навстречу.

— Михалыч мне про вас много рассказывал, — без приветствия начал Львов. — Странно встречаться с вами на той самой скамейке, где мы с ним обычно виделись. — Взгляд Львова потемнел. — Жаль старика. Как-то он в одночасье отошёл...

— Да он же болел в последние годы, — заметил Варяг, внимательно рассматривая собеседника и пытаясь понять, что это за птица. Прав был Медуза: старик явно из больших шишек. Правда, их время уже давно закончилось. Но стать осталась.

— Верно. Но Михалыч был крепкий старик. Такие могут недужить десять лет и пятнадцать, — многозначительно возразил Герасим Герасимович. — А как вы на меня вышли?

— Я записку обнаружил в книгах Михалыча.

— В «Кремле» Фабрициуса? — вдруг огорошил его Львов.

— Точно! Как вы догадались?

— Не догадался. Он сам её при мне туда сунул. Я у него был за неделю до его гибели. А знаете, зачем он её написал?

Варяг вопросительно поглядел на него:

— Вы сказали: «гибели»?

Львов уныло кивнул:

— Он позвал меня посоветоваться по одному делу. Старик почуял что-то неладное... По поводу вашей персоны, кстати. — Герасим Герасимович откинулся назад и с наслаждением выпустил струйку горьковатого дыма вверх. — Как-то раз год назад, а может, и больше... не помню... мы с ним вот тут сидели и беседовали. Я ему все втолковывал, что он отстал от жизни. Что нынче в России все меняется слишком быстро. Он-то привык жить неторопливо, по десятилетиям. Как при Сталине. Или при Брежневе. А теперь все меняется по годам. Р=раз — и очередная рокировочка. Вон, видал, что «Дед» учудил — молоденького полковника во главе великой страны поставил... И сразу везде новые веяния начались — на Старой площади, в «эмвэдухе», у нас... Я старый кадровый работник госбезопасности, — покосившись на Варяга, уточнил Львов. — Ну и сразу про вас вспомнили.

Герасим Герасимович глубоко затянулся сигаретой, закряхтел и вдруг резко сменил тему.

— Я сказал «гибель», Владислав Геннадьевич, потому что Михалыч не умер. Его убили. И убийство его было прямо связано с вашим исчезновением... вернее, похищением в ноябре. И Михалыч знал, что ваши... гм... коллеги затевают против вас дело... А одновременно и против него, потому что он был единственный, кто не пошел против вас. И он знал — или догадывался, или просто интуиция ему подсказала, — кто к нему придет. Он мне все рассказал. И записку эту написал при мне, потому что понимал, что, кроме меня, никто вам не поможет.

— И кто же Михалыча убил? — глухо, с затаенной злостью спросил Варяг, нагнув голову. Сейчас он походил на разъяренного быка, готовящегося проткнуть острыми рогами назойливого матадора.

Герасим Герасимович поднял руку:

— Не торопитесь. Он назвал мне имя. И я его вам назову. Но учтите: это все-таки его догадка. Только догадка. Прежде чем начнете действовать, хочу вас кое о чем предупредить. Я об этом как-то и Михалычу говорил. Вы человек известный, в большие кабинеты были вхожи. У вас имелись высокие покровители. Но все это в прошлом. За те три или четыре месяца, что вы отсутствовали, в стране многое изменилось. Очень многое. И те, кто раньше вас разрабатывал — как генерал Тимонин, и те, кто вас прикрывал. Этих либо в отставку отправили, либо перевели на другие должности — подальше от Москвы. А в МВД вами сейчас плотно занимается один генерал-полковник, мерзопакостная, надо сказать, личность... Урусов.

— Уже не занимается! — со злорадной усмешкой перебил его Варяг. — Генерал Урусов в настоящее время проходит курс углубленной психотерапии под моим пристальным наблюдением...

Львов даже присвистнул:

— Так во-он оно что... А я-то как раз сегодня утром узнал, что Евгений Николаевич куда-то пропал пару дней назад. Ну теперь ясно... Но смею вас уверить, что он тут отнюдь не главная фигура. Вами занимались совершенно другие люди. Из другого ведомства. Урусов был только пешкой в их игре, слепым исполнителем. Потому что он и сам не понимал, что происходит и в чем его функции. Во всяком случае, как я понимаю, ваше исчезновение и появление никак с ним не связано...

— Пока мне это не известно, — покачал головой Варяг.

— Вы контролировали немалые деньги, — продолжал Герасим Герасимович. — И, собственно, весь сыр-бор разгорелся именно из-за них. Сколько там было на кону, девять или десять миллионов?

— Миллиардов, я бы сказал, — спокойно поправил его Владислав, с невольной усмешкой наблюдая за реакцией старого гэбэшника: его морщинистое лицо вытянулось, глаза вылезли из орбит.

— Миллиардов? — переспросил он шепотом. — Откуда же? Не на даче же у Егора Сергеевича...

Теперь настал черед Варяга удивляться.

— Так вы знали Нестеренко?

Львов важно кивнул:

— Мы были с ним на «ты». Умный был мужик. Жаль, таких бы людей на Руси побольше — побольше было бы порядка. Да, так вот... Я не знаю, кто всю эту заварушку задумал и провернул, но точно знаю, что не Урусов и не эмвэдэшники. У них кишка тонка.

— Я знаю, — бросил Варяг, но вдаваться в подробности не стал.

— Да что вы! Ну-ну! — Львов с уважением посмотрел на него. — Ладно, тогда про Михалыча. Он сильно подозревал одного из ваших... Тима. Есть такой?

— Тимаков! — Лицо Варяга посуровело. — Тима... Это я проверю. — Он вспомнил, что на том большом сходняке Тима Подольский базарил громче всех. Что ж, тогда все становится понятно. — Скажите, Герасим Герасимович, а не имеете ли вы какой-то информации об одном человеке... Буттаев. Закир Буттаев.

Львов посмотрел поверх плеча Владислава, всмотрелся в проходящую мимо парочку молодых людей и перевел взгляд на собеседника:

— Знакомая фамилия. А что вас интересует?

— Я бы хотел узнать, какая у него была роль в тех ноябрьских событиях.

— Видите ли, Владислав Геннадьевич, должен вам сказать, что мы с Михалычем были давние и хорошие друзья. Но деловые отношения у нас с ним складывались на... коммерческой основе. Я давно в отставке, но у меня осталось немало знакомых, которые продолжают работать в системе. Но они ведь мне информацию передают не за красивые глаза. У всех семьи, зарплата не бог весть какая...

— Я вас понял, Герасим Герасимович, — остановил его Варяг. — Сколько?

— Ну скажем... двадцать кусков! — Но, заметив, как напрягся Игнатов, Герасим Герасимович великодушно скостил гонорар. — Ладно, я понимаю, у вас сейчас не самый благополучный период... Пятнадцать. Меньше не получится. Через три дня будет готово. Звоните. Телефон вы знаете.

— По рукам, — согласился Варяг.

Он ума не мог приложить, где взять пятнадцать тысяч баксов. Но Львов ему сейчас был нужен — это просто подарок судьбы. Пока Чижевский был отрезан от своих неформальных связей в ФСБ, отставной гэбэшник и закадычный приятель Михалыча мог оказать ему огромную помощь — и грех был бы этой возможностью не воспользоваться, пускай и за непомерную плату.

Глава 40

Они сидели в уличном баре «Гренландия» в переулке недалеко от станции метро «Тверская». Это было недавно открывшееся заведение, и то ли по этой причине, то ли по неопытности менеджера цены на напитки тут были просто ломовые. Но это не смущало редких посетителей бара — в основном мужчин в дорогих костюмах, с перстнями на пальцах, сотовыми телефонами в левой руке и неизменными синими пачками «Парламента» около кофейных чашек и пузатых бокалов, возле которых лежали крохотные зажигалки «Зиппо».

Закир смаковал крепчайший кофе-эспрессо, Шота нервно вертел в тонких пальцах рюмку с коньяком.

— Надо бы тебе пагаварит с этим Алеком, — мрачно заметил Шота, отпивая глоточек. В баре не оказалось грузинских коньяков, ему предложили «Хенесси», и он пил этот знаменитый коньяк с омерзением: жидкость пахла женскими духами. — Пускай объяснит, что он дальше сабираэтся дэлат. Бабки ему атдали немалые, я уж не гавару про Варьяга... А я пока не вижу, что он что-то дэлаэт.

— Варяг, кстати, предупреждал, что все так и обернется, — разве можно верить гэбэшникам? — заметил Закир.

— Когда это он прэдупреждал? Мэниа он не прэдупреждал, — недовольно возразил Шота.

— Зато меня предупреждал, — отрезал Закир. — И Варяг был прав. Вору с гэбэшником гешефты делать не с руки. Да только где теперь Варяг?

— Луди гаварят, ему удалось бэжать, — раздумчиво бросил Шота, допив последние капли хмельной жидкости. — Но никто не знаэт, где он. Его же эти... — тут Шота многозначительно похлопал себя рукой по левому плечу, намекая на вмешательство людей в погонах, — дэржали под замком. И как на грех ближайшие люди Варьяга исчезли. Я в Питере навел справки — в ноябре Сержант спэшно выехал в Москву, потом вернулся, а потом вдруг в марте сорвался опьять в Москву... И сгинул. Был у Варьяга еще какой-то друган в Питере. У него еще такое дурацкое погоняло было, звэриное. Не то Гиппопотам, не то Леопард... Тоже ищи вэтра в поле...

— А Филат? — слукавил Закир. Он буквально позавчера имел с Владиславом долгую беседу по телефону, но ни намеком не хотел проговориться коварному Шоте о своих контактах с «пропавшим».

— Филат? — хмыкнул седовласый грузин. — Этот молчит, как Зоя Космодемьянская на допросе, хотя явно что-то знает... У мэня из головы не идет тот случай с Тимой.

— Менты говорили, что Тимакова расстреляли конкуренты по коммерческим делам, — продолжал валять дурака Закир. — Там вроде были какие-то чувихи, которые давали показания. Да только они с перепугу ничего не запомнили...

— Да, — кивнул Шота, — ани сказали, что на квартиру бил налет, что ворвалась куча киллэров — в двери, в окна... Пальбу подняли. Я только аднаво панят нэ могу: какие там окна — квартиру Тима снимал на двенадцатом этаже. Я там бивал нэ раз. Так что девки либо сафсем сбрендили, либо горбатого лепят...

Шота проводил взглядом высокую блондинку в коротком платье на тонких бретельках. Она шла покачивая крепкими широкими бедрами и бросая по сторонам полупрезрительные взгляды, всем своим видом показывая, что не прочь завязать корыстное знакомство с кем-нибудь из состоятельных посетителей этого кафе. Но Шота с первого взгляда распознал в шикарной фигуристой телке дорогую шлюху и равнодушно перевел взгляд на свою пустую рюмку.

— Ты думаешь, мне самому стоит проявить инициативу? — неохотно спросил Закир. Имея богатый опыт общения с Сапрыкиным, он понимал, что разговор ни к чему не приведет. Сапрыкин будет как всегда очень вежливо, если не сказать слащаво, кормить его недомолвками, за которыми не скрывалось ровным счетом ничего.

— А ты ему сэйчас и пазвони, договарис! — настойчиво предложил Шота.

И Закир вдруг поймал себя на догадке, что старый грузин ему не доверяет. Иначе он не стал бы просить его позвонить Сапрыкину в его присутствии. Грузинский авторитет опасался, что Закир водит его за нос. С чего бы это?

Закир Большой спокойно достал сотовый телефон и набрал номер дачи Сапрыкина. После пятого гудка он взглянул на часы. Сегодня была суббота. Шесть часов вечера. Сапрыкин обычно в это время сидел на даче и играл в бильярд.

— Никого, — с нескрываемым разочарованием заметил Буттаев, пряча телефон в карман. — Куда же мог деться Сапрыкин?

— Ну ладно, — Шота встал. Тотчас из-за соседнего столика поднялись два рослых парня с яркой кавказской внешностью. Шота чуть заметно кивнул обоим и направился к Тверской, махнув Закиру на прощанье. — Когда будут новости — звони.

Закир Большой кивнул. И снова взглянул на часы. Десять минут седьмого. Регистрация уже закончилась, и пассажиры рейса «Финнэйр» до Хельсинки уже пошли на посадку.

Самая главная новость, которую в Москве знали три или четыре человека — в том числе и он, Закир Буттаев, — и которую никогда не узнает Шота Черноморский, заключалась в том, что как раз в это время Владислав Геннадьевич Игнатов должен был вылететь в Финляндию...

***

Парк «Дружба» располагается прямо напротив буйного лесного массива Северного Речного вокзала, и москвичи, живущие в этом райском уголке большого промышленного города, и многочисленные гости, прибывающие в столицу по реке, считают этот парк естественным продолжением лесопарковой зоны. Но в действительности это не так. И аккуратные липовые аллеи и кустарники, как и живописные пруды парка «Дружба», появились тут сравнительно недавно — лет сорок назад, в результате вдохновенного труда активистов общества озеленения. Посреди парка, недалеко от симпатичного пруда, стоит стеклянное кафе «Парус», около которого всегда припаркованы два-три автомобиля иностранного производства. Спросите любого из старожилов этого микрорайона, заглядывал ли он хоть раз в это маленькое кафе, и ответ наверняка будет отрицательный. Потому что все давно знают, что это кафе закрыто для простых смертных: оно работает в режиме спецобслуживания.

Сегодня в его пустом темном зале, освещенном лишь двумя тусклыми лампами, сидели два посетителя. Они вели беседу вполголоса, так чтобы их слова не были слышны ни бармену, скучающему за стойкой, ни двум внушительного вида здоровякам-охранникам в дверях. Впрочем, при всей строгой конспирации и надежной охране этого заведения, где-нибудь в вентиляционной решетке в потолке или под столиком наверняка стоял крошечный черный микрофончик, чутко фиксировавший каждое сказанное слово, чтобы завтра на письменный стол в некоем неприметном кабинете в некоем неприметном здании в переулке старой Москвы лег листок стенограммы примерно такого содержания:

— Ну так что будем делать, Коля? Как же он мог уйти? Ты же уверял меня, что там у тебя надежная охрана, от солнцевских...

— Сам не пойму, Алик. Туда налетела целая бригада, не иначе. Двоих охранников убили. Третий получил серьезное ранение. Но странно другое. По всем признакам не они его оттуда, из подвала, вытащили. Он сам ушел. Причем до их приезда.

— Как он мог уйти из этого каменного мешка?

— Там была решетка, вмурованная в пол. Под решеткой проходили подземные коммуникации... Теплотрасса или канализация, точно не знаю. Словом, ему каким-то образом удалось решетку из пола выдрать... Он старым гвоздем расковырял швы... Ты можешь себе представить! И ушел. И только потом уж на эту стройку совершили налет.

— Ну силен мужик, ничего не скажешь... Недаром меня Шота предупреждал, что с Варягом шутки плохи. Как думаешь, что он сейчас предпримет?

— Пока затаится. Воры... ну, те, с кем я контачу, говорят, что Варяг первое время будет отсиживаться, но времени даром терять не станет, а сразу же начнет поиски. Неделю-другую будет готовиться, а потом неожиданно нанесет удар, причем сразу по всем направлениям. Это в его натуре.

— Что значит «по всем направлениям»? Что ты имеешь в виду, Коля?

— Именно это и имею в виду, Алик. Это и имею в виду. Сначала он накажет своих — предателей. Тех, кто его нам сдал на том сходняке. Но потом, а может быть одновременно, расставит сети и на нас. Это факт!

— Та-ак... Приехали. У него много людей осталось?

— Это неизвестно, Алик. Воры, дорогой мой, они же как простые люди. Помнишь басню про больного льва и осла? Когда лев в беде — его любой осел копытом пинает, но стоит льву вырваться на свободу, как все тотчас поджимают хвост, бегут к нему на поклон.

— Ты хочешь сказать, что и эти старые кавказские воры, и молодые «законные», которые...

— Я ничего не хочу сказать. Я говорю только то, что мне про него рассказывали. Предателей он уничтожит. Пособников накажет. Тех, кто молча стоял в стороне, скорее всего помилует. Но нас с тобой он уж точно не пощадит! Ты мне лучше скажи, что с деньгами, что с общаком...

— Деньги в надежном месте, Коля. В очень надежном месте. Те, что он откатывал в оффшоры, уже давно перекачаны куда нужно. И мы будем с ними работать. Нал, который ты взял у него на даче, лежит... сам знаешь где. Но его пока трогать нельзя. До поры до времени. Сейчас наша с тобой задача — найти Варяга. И опередить его. Упредить его удар.

— И как же его найти?

— Это твоя забота, Коля! С меня достаточно того, что я уже которую неделю кавказцев умасливаю. Свяжись со своими кадрами, дай им поручение... Ну, не мне тебя учить.

— Ты знаешь, что я тебе скажу, у меня такое странное ощущение, что за мной следят.

— Как это следят? Ты что, сдурел? Кто за тобой может следить? Ваш первый отдел?

— Да если бы! Нет, чужие следят. Причем ведут грамотно, аккуратно, от дома садятся на хвост и ведут через всю Москву... И здесь бывают.

— А сейчас?

— Сейчас — нет. Но не исключено, что недалеко отсюда, на какой-нибудь скамеечке у пруда сидит хмырь и читает «Московский комсомолец», а сам одним глазком на это кафе поглядывает. Не исключено.

— Хреново.

— Погоди-ка, давай вернемся к деньгам. Я, Алик, вот что тебе хочу сказать. Мне надо на некоторое время слинять. Туда, к себе, в Испанию... ну, ты понимаешь... Мне нужно три лимона. Налом. Ведь ты, насколько я понимаю, те оффшоры трогать пока не собираешься?

— Не собираюсь. А тебе зачем столько?

— Мне пора вносить последний взнос за эту виллу. Три лимона. Окончательный расчет.

— Он что, подождать не может?

— Не может. Говорит, не сегодня завтра генпрокуратура предъявит ему ордер на арест имущества. Он хочет подстраховаться. Ему нужны бабки срочно. Я его понимаю. И ты меня пойми.

— Три лимона, Коля, это очень большая сумма.

— Но я же тебе семь дал! Семь! Тем более, ты понимаешь, сейчас мне просто необходимо слинять. Раз Варяг на свободе. Он же доберется до меня. И до тебя!

— Ты что, Коля, боишься? Вот уж на тебя не похоже!

— Боюсь, Алик. Варяга боюсь. Знаешь, когда он полтора года назад убил подполковника Беспалого... А Беспалый был начальником лагеря, где Варяг сидел... ну я тебе рассказывал... Так вот, когда Варяг убил Беспалого, я по-настоящему испугался. Ведь я с этим Беспалым как-то сидел за этим самым столиком и вел с ним беседу. Вот как мы с тобой сейчас. Беспалый мне баки забивал, говорил, мол, какой он орел да как он Варяга поймает и в бараний рог скрутит... Хрен-то! Варяг его в Питере сам подкараулил и убил... Я тебе, Алик, точно говорю: коли Варяг вырвался на волю — он найдет нас с тобой. И нам тогда не поможет ни спецназ внутренних войск, ни ФСБ, ни господь бог.

— Ладно, Коля, я что-нибудь придумаю. Мне пора.
— Быстрее придумывай, Алик. Время не терпит.
— Завтра придумаю.

***

Александр Иванович Сапрыкин дочитал стенограмму до конца и положил листок на стол.

— Понятно. Я вижу, фирма работает без сбоев. И кто же ему на хвост сел, Олег?

Он сидел в кабинете Олега Александровича Сайкина, руководителя частного информационно-аналитического центра «Меркурий». Согласно своей лицензии «Меркурий» оказывал информационное содействие коммерческим организациям, но в действительности был строго засекреченной разведывательной службой, в которой работали отставные работники КГБ-ФСК-ФСБ. «Меркурий» держал под своим невидимым «колпаком» всех высокопоставленных государственных чиновников — от сотрудников администрации президента и правительства Российской Федерации до районных отделов УВД и областных прокуратур. Информация, стекавшаяся в московский офис «Меркурия», тщательно анализировалась и закладывалась в мощные базы данных, откуда ее можно было мгновенно извлечь по одному-двум ключевым словам. Алик не знал, что Сайкин записал его беседу с Николаем Ивановичем в кафе «Парус», и теперь нимало удивился, прочитав стенограмму. Однако, когда он дочитал текст до конца, у него в голове уже сложился план действий.

— На хвост ему сели явно не кремлевские, — степенно заметил Олег Александрович, — явно не эмвэдэшники и не эфэсбэшники. Скорее всего, криминальные. А кто такой Варяг?

— Так, один общий знакомый, — неопределенно взмахнув рукой, ответил Сапрыкин и быстро перевел разговор на другую тему. — Еще что-нибудь на Колю у вас есть?

Олег Александрович хитро сощурился:

— Наверняка. Мы его взяли в разработку два года назад. За это время должно было накопиться немало. А что тебя интересует?

— Меня интересует, не готовит ли Коля себе отходные пути. Три миллиона — деньги немалые. Дашь ему — а он и сгинет...

— А ты не давай!

— Так тоже нельзя. Мы же связаны...

— Связаны-повязаны. — Олег Александрович встал из-за стола и с хрустом потянулся. — Ну не знаю. Я бы на твоем месте не стал с ним продолжать...

— Что ты имеешь в виду? — удивился Сапрыкин и тоже встал.

— Напуган твой Коля. Сильно напуган. Я это по его голосу почувствовал. Вчера весь вечер сидел за машиной, протягивал запись через психополиграф... Есть у нас такая машинка японская... Так вот, в том месте, где он про Варяга говорил... его прямо дрожь разобрала... Пульс подскочил до ста пятидесяти—ста семидесяти, не меньше...

— Ты говоришь, напуган? — задумчиво переспросил Сапрыкин. — Ладно, я подумаю.

— Лучше всего самоубийство, — вдруг тихо произнес Сайкин. — На рабочем месте. Или на даче. Чтобы в полном одиночестве. И записка: мол, простите все, больше не могу...

Алик даже вздрогнул: Сайкин словно прочитал его мысли. Он с ужасом подумал, уж не держит ли в своем кабинете хитрый хозяин «Меркурия» какую-нибудь очередную японскую диковинку, умеющую стенографировать мозговую деятельность...

— Самоубийство? — пробормотал он, стараясь не выдать своего волнения. — Может, убийство на семейной почве?

— Вам виднее, вам виднее, — усмехнулся Олег Александрович.

Когда Сапрыкин, попрощавшись, вышел из кабинета, Сайкин снял телефонную трубку и отдал короткое распоряжение:

— На Жуковке-5 срочно возобновите мониторинг!

Глава 41

Стюардесса наклонилась над ним и тихо спросила, не принести ли одеяло.

— В салоне холодновато, — пояснила она с добродушной улыбкой.

Он посмотрел на прикорнувшую у его плеча Лену, потом перевел взгляд на сопящую у иллюминатора Лизу и кивнул:

— Принесите, пожалуйста. Два. Для моих дам...

Варягу до сих пор не верилось, что все тяжелые, почти нечеловеческие испытания уже позади, что он летит вместе с ними из мирного, тихого Хельсинки в шумный, суетливый Нью-Йорк и смутная Россия осталась где-то далеко за горизонтом.

В кармане его костюма лежал паспорт на имя Ипатова Владимира Геннадьевича. Летевшие вместе с ним Лена и Лиза значились по документам как его жена Людмила Васильевна Ипатова и дочь Елизавета. Выправить новые документы помог всемогущий Герасим Герасимович Львов, водивший дружбу с замначальника одного интересного отдела ФСБ, где клонировали виртуальных граждан России — людей, существовавших только по документам, но никак не в жизни. Львов и снабдил Варяга полным комплектом нужных бумаг, от свидетельства о рождении до справок из районной поликлиники о сделанных прививках.

Поездка в Америку была вынужденной и, как он надеялся, краткой. В Западном полушарии ему нужно было вновь восстановить старые, уже почти забытые деловые контакты с итальянцами и местными русскими бизнесменами. А главное — начать поиски украденного общака. Действовать в далекой Америке ему будет куда легче, чем в России, где ему пришлось бы постоянно скрываться и жить с оглядкой.

Варяг выглянул в иллюминатор: под телом лайнера клубились густые ватные облака, плавно уносившиеся назад. Эти облака представлялись ему тяжелыми, болезненными воспоминаниями, которые точно так же отлетали назад, в прошлое, и казалось, уже ничто не могло их заставить вернуться...

Владислав укрыл спящую Лену синим одеялом и погладил ее по голове. Бедная! Сколько же страданий ей пришлось пережить из-за него. Он вспомнил другую Лену — девушку из таежной глуши... Потом прихотливая память вернула его к Вике — матери Лизы. Вика... Он поймал себя на мысли, что уже почти не помнит черт ее лица и, лишь вглядываясь порой в смешливое личико Лизы, вспоминает ее облик. Вика Нестеренко... Светлана... Олежка...

Он не заметил, как его сморил спокойный крепкий сон.

***

В Нью-Йорке они поселились в квартире на Манхэттене, которую Владислав снял заранее, еще в Москве. Первым делом Варяг позвонил домой исполнительному директору компании «Интеркоммодитис» и огорошил его:

— Привет, Лайл! Это Игнатов!

Билли Лайл чуть не скатился с кровати. Вот уж чей голос он никак не ожидал услышать, так это мистера Игнатова. Лайл как раз только что покончил с ужином, который приготовила ему Джейн — стройная мулатка-бухгалтерша «Интеркоммодитис», дважды в неделю навещавшая босса в его холостяцкой квартирке на Пятьдесят второй улице — но отнюдь не для того, чтобы отчитаться по финансовым отчетам за прошлый месяц. Вот и теперь Джейн уже проворно стащила с бедер джинсы и осталась в одних красных трусиках, призывно потрясывая перед лицом Билли тяжелыми смуглыми грудями.

Но Билли отмахнулся от темных плодов как от назойливой пчелы и покрепче прижал телефонную трубку к уху.

— Привет, Слава! Какими судьбами? А я слышал, ты пропал в Сибири...

— Пропал? — невесело усмехнулся Варяг. — Ну это у нас в России не редкость. Однако как пропал, так и нашелся. И вот я здесь. Какие у нас дела?

Он произнес «у нас» с нажимом, потому что всегда подозревал, что Билли Лайл немножко гребет под себя, а если жуликоватый америкашка и впрямь решил, будто мистер Игнатов сгинул в далекой Сибири, то он мог бы подгрести немало. Поэтому Владислав и решил его копнуть...

— У нас... — запнулся Билли. — У нас-то все о'кей. Вот только...

— Только? — напрягся Варяг.

— Одна закавыка. Я полагаю, ты в Нью-Йорке?

— В окрестностях, — на всякий случай солгал Варяг.

— Так вот, за последние шесть недель я раза четыре пытался перевести деньги в Ан... в горную республику, и мне это не удалось. Я ничего не понимаю, что там происходит. Мне сказали, что счета закрыты и ликвидированы. Ты в курсе?

Молодец, мысленно похвалил Варяг сметливого Билли Лайла за то, что управляющий не стал открытым текстом упоминать Андорру.

— Вот поэтому я тебе и звоню, Билли. В горной республике случился финансовый кризис, деньги пропали...

— Все? — с нескрываемым ужасом воскликнул Билли, вспомнив о той внушительной сумме, которая хранилась в банках горной республики, и в тот же момент он почувствовал, как теплые пухлые груди Джейн уткнулись в его спину. Волна сладкой похоти пробежала по его телу, скользнув по бедрам и промежности. Билли даже застонал.

— Все, Билли, сынок, — удрученно подтвердил Варяг. — Да не стони ты так отчаянно. Они же не сгорели. Они просто пропали. Наша задача — найти их. Одно мне известно наверняка — деньги не снимали наличными. Их просто куда-то перевели. Надо выяснить куда. Скажи мне, дружище, ты еще состоишь в теплых отношениях с той бухгалтершей из «Прайсуотерхаус»? Как ее... Соней?

Билли украдкой бросил взгляд на округлые коричневые бедра Джейн и смущенно кашлянул.

— Понимаешь, столько времени прошло... Но я могу восстановить этот контакт.

— Все ясно! — ухмыльнулся Владислав. — И кто же теперь заменяет тебе Соню в койке? Я ее знаю?

— Вряд ли, — отрезал Билли и дал понять, что пора закругляться. — Если честно, Слава, ты меня разбудил. У меня была тяжелая неделя. Но я понял, что тебя интересует. Оставь мне свой телефон. Я перезвоню.

Владислав оставил Билли номер телефона-автомата, который стоял в скверике прямо под окнами его квартиры, и попросил перезвонить завтра ровно в пять вечера.

После этого он позвонил в Москву, Валерию Петровичу Авраменко — главному бухгалтеру «Госснабвооружения». В отличие от Билли Лайла, Валера Авраменко лишних вопросов не задавал. Он, похоже, даже не удивился, что Владислав Геннадьевич, целый и невредимый, звонит ему по международной связи. Обменявшись несколькими незначащими фразами насчет здоровья, они сразу приступили к деловой части.

— Валера, в двух словах, что там у нас?

— В двух словах вот что. После вашего... внезапного отъезда к нам посадили нового замгендиректора — некоего Леонида Аркадьевича Сурикова.

— Кто такой?

— Бизнесмен в штатском. Он сильно интересовался нашими финансовыми делами...

— Переводами за рубеж?

— Не знаю. Меня же выперли на вторую неделю.

— Тогда откуда про деньги знаешь? — насторожился Варяг: за последнее время он научился не доверять никому — даже своим давним партнерам по бизнесу.

— Окольными путями. Бухгалтерию нашу почистили, но не всех вычистили. Женю Иванову помнишь? Она там оставалась еще с месячишко, вот от нее и сведения. Но Сурикова оттуда тоже быстро убрали. Через два месяца.

— Куда? — Вопрос Варяг задал с отчаяния, прекрасно понимая, что Валера Авраменко этого знать никак не может.

Но Валера знал.

— Куда-то в Америку. В смысле — в Южную Америку. То ли в Бразилию, то ли в Аргентину.

— Информация надежная?

— Да он сам говорил. Когда увольнялся, отвальную устроил. Напился да и выболтал.

Это была важнейшая информация. Это был отправной пункт в поисках.

— Ну бывай, Валерий Петрович!

Варяг повесил трубку, сел за кухонный стол и задумался. Придется звонить Чижевскому. Герасима Герасимовича он пока беспокоить не хотел, потому что и так уже был ему многим обязан. Герасима надо попридержать на более серьезный случай. А Сурикова он и так найдет.

И тут ему в голову пришла совершенно невероятная мысль: а что, если и этот телефон в простой манхэттенской квартире прослушивается и ФБР в одной связке с ФСБ ищет Игнатова-Варяга по всей Америке? Нет, это была не паранойя, а обостренное чувство опасности. Рисковать нельзя. Теперь, когда он чудом смог вырваться из каменного мешка на окраине Москвы, рисковать нельзя ни в коем случае.

Он вышел на улицу, вошел в будку телефона-автомата в скверике и через код набрал мобильный номер Николая Валерьяновича. Соединение заняло секунд двадцать, которые тянулись невыносимо долго. Наконец он услышал гудки, и после третьего в трубке послышался голос Чижевского.

— А что ж вы сразу не позвонили, как приземлились? — с легкой обидой спросил отставной военный разведчик. — Мы тут сидим, беспокоимся, куда он подевался.

— Извините, Николай Валерьяныч, пока устроились, пока что... Все в порядке. И я уже к вам с просьбой. Мне необходимо установить местонахождение Сурикова Леонида Аркадьевича, бывшего заместителя... хотя что это я вам рассказываю, вы же и сами его знаете.

— Суриков сейчас в Бразилии. Он работает в российском посольстве, в аппарате военного атташе, занимается вопросами оружейной торговли, — отрапортовал Чижевский.

— Отлично, Николай Валерьяныч, отлично. — Варяг повеселел. — Как бы мне его выманить сюда, в Нью-Йорк? На откровенный разговор...

В трубке повисло молчание. Наконец Чижевский произнес задумчиво:

— Давайте созвонимся завтра утром, Владислав Геннадьевич. У меня есть одно соображение. Может быть, получится.

Глава 42

В офисе «Интеркоммодитис» все было по-прежнему, только жалюзи на окнах, выходящих на Центральный парк, сменили. Теперь они были нежно-салатового цвета.

— Вам кого? — вежливо поинтересовалась незнакомая секретарша-китаянка, устремив строгий, испытующий взгляд на высокого импозантного мужчину.

— Мне назначил встречу Билли Лайл, — смиренно произнёс хозяин компании «Интеркоммодитис». — На двенадцать.

— Мистер Лайл сейчас занят, — невозмутимо отчеканила китаянка. — Присядьте пожалуйста, он через пять минут освободится.

Варяг сел в широкое кожаное кресло. Но уже через секунду в конце коридора показалась плотная фигура Лайла. Он почти бежал, распростерши объятия.

— Слава! Хелло! Прости, Лю не знала, что ты... что я...

— Привет, Билли! — сухо поприветствовал Варяг своего директора. — Из Москвы звонили?

Билли энергично затряс головой:

— Утром. Два часа назад. Сейчас будут перезванивать. Пойдем!

Лайл повел московского гостя по коридору. Как только они вошли в кабинет, стоящий на подковообразном письменном столе телефон зазвонил.

— Алло! Да-да! Сейчас! — Билли протянул Владиславу телефонную трубку. — Это мистер Чижевский!

Варяг выслушал короткий рапорт: Суриков выехал в составе российской делегации в Нью-Йорк. Николай Иванович исчез.

— То есть как «исчез»? — Еще в Москве, перед самым отлетом в Нью-Йорк, Варяг приказал Чижевскому взять Николая Ивановича. Учитывая, что тот жил в охраняемом правительственном доме в Крылатском, а работал в еще более тщательно охраняемом учреждении Кремля, Чижевский предложил осуществить операцию захвата где-нибудь на Крылатских холмах или неохраняемом участке Хорошевского шоссе. — И куда же он исчез? Вы понимаете, что это единственный человек, который знает, где теперь находятся... подарки?

— Владислав Геннадьевич, вы же понимаете, что, если я говорю: исчез, значит, мы сделали все, что можно, чтобы найти его, — и не нашли! — с нескрываемой обидой в голосе заметил Чижевский. — Мы продолжаем поиски. Есть сведения, что он якобы вчера неожиданно заболел, сегодня на работу не вышел, но и дома его нет со вчерашнего дня. Его машина стоит на служебной стоянке.

— Ладно, — Варяг взъерошил пятерней волосы. — Что с Тимаковым? Его-то хоть нашли?

— Тимакова нашли. Держим на коротком поводке.

— Кто задействован?

— Ваши — Сержант и этот... питерский... Гепард. Что с ним делать?

Варяг на секунду задумался. Нужен ему Тима или нет? Если Тима убил Михалыча — гад должен понести суровое наказание. Самое суровое.

— Вот что, Николай Валерьяныч. Когда его возьмут — пусть допросят с пристрастием. Если Тима признается, тогда пусть мочат!

— В сортире? — В трубке послышался короткий смешок.

— Это что значит? — не понял Варяг.

— Да это у нас теперь такая новая шутка. Политический фольклор.

— А, ну не знаю. Я же оторвался от российской действительности и в политический фольклор не врубаюсь. В сортире? Да хоть бы и в сортире — главное, чтоб не забыли воду спустить... А что Урусов?

— Сидит тихо. Жалоб нет.

— Держите его там крепче. Пусть, сволочь, посидит в подвале с мое, пока я не вернусь. А там посмотрим, что с ним делать...

Поговорив с Чижевским, Варяг наконец вспомнил о Билли Лайле, который все это время терпеливо сидел за своим столом с угодливым выражением лица.

— Вот что, Билли, — начал Варяг, сев на стул напротив исполнительного директора. — Я тебя сейчас удивлю, но ты не удивляйся. «Интеркоммодитис» надо срочно продать. Вместе с нашими филиалами в Канаде и на Багамских островах. Сколько за это можно получить? Миллионов пятнадцать можно?

— Как продать, Слава... У нас же потрясающий бизнес. У нас самый чистый отмывочный бизнес на всем Восточном побережье! — Билли Лайл был ошарашен столь неожиданным решением босса. — «Интеркоммодитис» — это же идеальная стиральная машина, которая отмывает и отбеливает любые грязные бабки и в любом количестве! Да колумбийские наркобароны только мечтать могут о такой стиральной машине!

Но Варяг был непреклонен.

— Увы, Билли, так надо. Мне срочно нужны деньги. Срочно. У меня нет другого выхода. — Он не хотел посвящать глуповатого и болтливого Билли в свой план: ведь эти пятнадцать миллионов он рассчитывал потратить все до последнего цента, чтобы найти и вернуть пять миллиардов... А вот этого Билли как раз и не следовало знать.

Услышав от Чижевского малорадостную новость об исчезновении Николая Ивановича, Варяг понял, что потерялась единственная ниточка, которая могла бы привести его к деньгам общака. И теперь ему придется обращаться за помощью к ворам. Но чтобы подкрепить свои аргументы, требовалось предъявить им хотя бы малую толику общероссийской воровской кассы — хотя бы эти жалкие пятнадцать миллионов. И Варяг принял непростое, но абсолютно верное в сложившейся ситуации решение. Сам, в одиночку, пускай и с помощью верных людей, он вряд ли сможет поймать Николая Ивановича. Ему нужна сильная поддержка. И за этой поддержкой придется обращаться к ворам — иного выхода нет. Придется собирать большой сходняк. А значит, надо возвращаться в Россию. С деньгами. Пятнадцать миллионов — это хорошая кость тем псам, которые, позарившись на щедрые посулы, продали своего смотрящего за понюх табаку. И получили шиш с маслом...

— Ну так что, Билли? Сумеешь найти покупателя за неделю?

— За неделю? — горестным эхом отозвался Билли. — Пятнадцать миллионов? Это нереально.

Но Варяг понял, куда клонит исполнительный директор. И принял его негласное предложение.

— Вот что, Билли. Поступим так. К концу следующей недели ты должен мне дать номер счета в надежном банке — лучше европейском, — куда ты переведешь пятнадцать миллионов за «Интеркоммодитис». Все, что ты сможешь наварить сверх этих пятнадцати миллионов, будем считать твоими комиссионными. Идет?

Лицо Билли Лайла расплылось в приятной улыбке.

— Надо попробовать. Хотя сроки ты мне даешь нереальные.

— Билли! — Варяг встал, собираясь уходить. — Я же знал, кого взять исполнительным директором компании. Действуй!

***

Варяг надеялся, что внушительные гранитно-стеклянные архитектурные монстры Нью-Йорка и витрины нью-йоркских магазинов хоть немного отвлекут Лену от горестных мыслей, в которые она была погружена все последние недели. На следующий день после прибытия в Нью-Йорк он взял такси и повез их на экскурсию по городу: сначала прокатил по фешенебельной Парк-авеню, потом показал экзотический Чайнатаун, где по всем улочкам стояли лотки с дешевой одеждой, электроникой и часами и приветливые торговцы зазывали покупателей «небывалыми скидками» и «последними распродажами». Потом они взобрались на смотровую площадку стодесятиэтажного небоскреба Международного торгового центра, а вечером прошлись пешком по иллюминированному Бродвею. Но диковинки города-спрута произвели впечатление только на Лизу, которая взирала на все американские чудеса горящими глазами.

Сам Владислав торопил время и с нетерпением дожидался вечера. Оставив Лену с Лизой в квартире и настрого запретив им подходить к телефону и реагировать на вызовы домофона, он спустился в скверик и сел на скамейку перед телефонной будкой.

В восемь с минутами никелированный телефон взорвался пронзительной трелью звонка. Варяг подбежал к будке и снял трубку. Это был Чижевский.

— Есть зацепка, Владислав Геннадьевич, — торжествующе доложил он. — Военный атташе в Бразилии — Богдановский Александр Сергеевич. Это бывший резидент ГРУ в Венесуэле. Начинал переводчиком цирковых трупп, которые в семидесятые годы гастролировали по Латинской Америке. Потом, говорят, баловался лиратурными переводами и даже, кажется, завоевал довольно престижную премию за перевод какого-то бразильского романа. Последние пять лет работает в Рио-де-Жанейро. Он непосредственный начальник Сурикова. А ваш Суриков действительно сидит в Рио уже два месяца. Занимается переговорами по оружию. Вот только отзывы о нем неважные...

— В каком смысле? — насторожился Варяг, украдкой оглядываясь по сторонам: нет ли слежки.

— Да выпивает крепко наш Суриков. Можно даже сказать, страдает мини-запоями. Его даже хотели списать, но из Москвы поступил сигнал: оставить на месте.

— Видно, не хотят, чтобы он появился дома... — предположил Владислав. — Так, интересно, Николай Валерьянович. А как бы мне его вызвать сюда? В крайнем случае придется лететь в Бразилию, но окольными путями — через Пуэрто-Рико, а это головная боль.

— Его можно будет вызвать в Нью-Йорк, — уверенно заявил Чижевский. — Я этот вопрос уже проработал. В Нью-Йорке, точнее, в нашем представительстве в ООН работает еще один старый гэерушный кадр — некий Андрей Кофман. Тоже, кстати, литератор.

— Что это у нас все литераторы один к одному гэерушные кадры... — усмехнулся Варяг.

— Жизнь — суровая штука, Владислав Геннадьевич! Как говаривал товарищ Сталин, у нас, если надо, и кошка будет лаять... Так вот, позвоните Кофману, сошлитесь на генерала Бондарева... Право, не знаю, кто такой этот Бондарев, но это не важно... Сошлитесь на генерала Бондарева, скажите, мол, вы его старинный приятель, ну и попросите оказать содействие. Там на будущей неделе намечается некое международное мероприятие под эгидой какой-то комиссии ООН — под этим соусом можно будет Богдановского пригласить в Нью-Йорк. Ну и заодно этого Сурикова...

— Вас понял, Николай Валерьянович, очень хорошо. Спасибо! Связь держим через офис «Интеркоммоди-тис». Телефон 555-89-90 по манхэттенскому коду. Меня там можно будет найти через Билли Лайла. Это исполнительный директор компании.

Владислав связался, как и научил его Чижевский, с Кофманом, и тот, нимало не удивившись звонку незнакомого русского, сразу вызвался помочь. Видно, имя генерала Бондарева обладало просто магической силой воздействия на работников росзагранпредставительств, раз ооновский чиновник без колебаний пообещал оказать содействие.

И действительно, созвонившись с Кофманом на следующий же день, Варяг получил подтверждение того, что Суриков и Богдановский прибудут на следующей неделе в Нью-Йорк из Рио.

Итак, сети были расставлены. Теперь осталось только поймать птичку.

Глава 43

Гепард с Сержантом по асфальтированным дорожкам обошли добротный четырнадцатиэтажный дом. Уже стемнело, но в этот ветреный апрельский вечер во дворах было немало народу — кто-то возвращался домой, кто-то выгуливал собаку, кто-то распивал с приятелем бутылку на уютной скамейке под ветвями распускающихся кленов. На двух неторопливо прохаживавшихся мужчин никто не обращал внимания. Клены раскачивались и шумели под ветром, между фонарями метались тени, но бурная погода вселяла в душу Сержанта успокоение: он знал, что шум ветра и мельтешение теней маскируют вряд ли хуже тумана и снегопада.

Они вернулись с Гепардом на ту же точку, с которой начали обход. Все совпадало со схемой, которую Гепард вычертил в результате трехдневного наблюдения за домом. Главной особенностью его местоположения, которую сразу отметил Гепард, являлось то, что дом стоял на косогоре, и потому балкон второго этажа с той стороны, где они теперь стояли, находился необычно близко к земле. В окнах гостиной, за балконной дверью, горел свет. Дверь на балкон была приоткрыта, и за ней колыхалась зеленая штора. Сержант поднял глаза, взглядом пересчитывая этажи. На двенадцатом этаже он разглядел ту же картину, что и на втором, — свет во всех окнах, приоткрытая дверь на балкон и колышущаяся на ветру штора.

Квартиру на двенадцатом этаже снимал Тима Подольский, за которым по указанию Варяга Сержант и Гепард вели наблюдение.

Теперь Сержант стоял и смотрел задрав голову на окна квартиры на двенадцатом этаже. Согласно наблюдениям Гепарда, эту квартиру Тима держал для попоек с друзьями и любовных утех (впрочем, чаще и то и другое успешно совмещалось). В подъезде стоял домофон, и, кроме того, гладиаторы Тимы, видимо, также оставались дежурить в подъезде. Этим отчасти и объяснялась дерзость Тимы: он чувствовал себя в безопасности не только в своем элитном коттедже в Троицке, который надежно охранялся, но и здесь, на Крылатских холмах, куда приезжал весело провести время. А время Тима и впрямь проводил весело: наблюдавший за домом Гепард три вечера кряду слышал доносившиеся с двенадцатого этажа пьяные вопли, женский визг, хохот, звон посуды, громкую музыку, нестройное хоровое пение. Порой веселье затягивалось далеко за полночь, и тогда с других этажей слышались возмущенные крики соседей, на которые сам Тима отвечал издевательским смехом и ехидным матом. Однажды Гепарда чуть не убило почти полной бутылкой шампанского, со свистом прилетевшей сверху и взорвавшейся на асфальте у самых его ног. Егор, чертыхаясь, отскочил в сторону, а наверху истерически заржали какие-то бабы. Не раз во время кутежей к дому подъезжал милицейский «уазик», вызванный, видимо, измученными соседями, однако Тима умел находить с местными ментами общий язык: через некоторое время довольные милиционеры, посмеиваясь, выходили из подъезда, делили полученные деньги, садились в «уазик» и уезжали.

В настоящий момент гулянка на двенадцатом этаже была в самом разгаре: Сержант усмехнулся и двинулся к подъезду, сделав Гепарду знак следовать за собой. Куртка на Гепарде сидела мешковато: под ней на поясе были укреплены нехитрые альпинистские принадлежности, пользоваться которыми его когда-то научили в спецназе. Подойдя под балкон второго этажа, Сержант шепотом скомандовал:

— Пошел! Давай подсажу!

Сержант слегка присел и подставил сцепленные в замок руки. Гепард ступил на них тяжелым ботинком, второй ногой оттолкнулся от земли, и Сержант, кряхтя, подбросил его к балкону. Гепард ухватился обеими руками за нижнюю кромку, легко подтянулся, схватился за прутья решетки, подтянулся еще раз и, ухватившись за перила, встал на внешнюю кромку балкона. Он посмотрел вниз на Сержанта и показал ему на темные заросли кленов, что означало: «Жди меня там». Сержант кивнул и не оглядываясь пошел через двор, а Гепард бесшумно перелез через перила и оказался на балконе. Он осторожно заглянул за вздувавшуюся ветром зеленую штору и увидел в комнате мужчину и женщину, чинно сидевших за столом, на котором возвышалась бутылка вина, окруженная тарелками с фруктами и пирожными. Женщина понравилась Гепарду: загорелая брюнетка в открытом платье. Мягко ступая, он прошел в конец балкона, к металлическим стойкам, соединявшим все балконы дома сверху донизу между собой. У домов данной серии балконные стойки были соединены таким образом, что любой мало-мальски тренированный человек мог без труда долезть по ним до последнего этажа. Гепард вынул из-за пазухи смотанную веревку с крюком-»кошкой» на конце, аккуратно закинул крюк наверх и полез по веревке на третий этаж. Гепард, словно оправдывая свою кличку, ловко, по-кошачьи лез и лез, ни о чем не думая, не останавливаясь и не глядя вниз. Раскачиваясь на веревке, он внезапно услышал пугающе близко, над самой своей головой, голоса и женский смех, а вслед за этим щеку ему обжег горячий сигаретный пепел. Колян похвалил себя за то, что зацепил «кошку» за дальний торец балконной решетки, а не то его бы точно заметили... «Дура Нинка все-таки», — услышал он женский голос. «Да плевать на Нинку, — ответил игривый баритон. — Какая ты хорошенькая...» Послышалась возня, зазвенели сбитые ногами пустые бутылки, и затем воцарилась тишина, в которой Колян различил какие-то невнятные чмокающие звуки. Перебирая руками, он подтянулся по веревке к верхней кромке гофрированного пластикового щита, прикрепленного к балконной решетке, и посмотрел между прутьев. Спиной к нему стоял широкоплечий мужчина в спущенных черных джинсах и такой же джинсовой рубахе. Женщина в коротеньком летнем платьице, присев перед мужчиной на корточки, ритмично двигалась, то отталкиваясь от партнера, то вновь приближаясь к нему. Холеные руки с длинными наманикюренными ногтями жадно сжимали голые ягодицы мужчины. При этом, судя по доносившимся из квартиры звукам, там продолжалось застолье. Фигура мужчины закрывала Гепарда от глаз партнерши, да и женщина была слишком увлечена своим занятием, чтобы глазеть по сторонам. Поэтому он, набрав в легкие побольше воздуха, полез выше. В несколько мощных рывков он достиг следующего балкона и, не удержавшись, посмотрел вниз. Женщина все так же ритмично двигалась, то приближаясь, то отдаляясь от своего партнера. В падавшем из окна свете мягко поблескивали ее красивые полные бедра, ветерок шевелил пышные черные волосы. Ее лица Гепард не видел, но, судя по всему остальному, уродливым быть оно никак не могло. Между тем Гепард достиг цели. Бесшумно подкравшись к двери с колыхавшейся шторой, из-за которой доносились громкие хмельные голоса, он вытащил из кобуры под мышкой пистолет ПСМ с навинченным глушителем и осторожно заглянул в комнату.

За столом, на котором теснились бутылки с дорогими напитками и тарелки с закусками, сидели трое мужчин в белых сорочках и цветастых галстуках. Их пиджаки висели на спинках стульев. Перед каждым из собутыльников лежал на скатерти мобильный телефон. В дальнем конце комнаты напротив балконной двери на длинном диване сидели, закинув ногу на ногу, две большеглазые крашеные блондинки в чрезвычайно откровенных платьицах, больше похожих на ночные сорочки. И той и другой было никак не больше двадцати лет — этого обстоятельства не могла скрыть даже яркая косметика. Сбоку на одну из девиц навалился бритоголовый здоровяк с приплюснутым носом и вывороченными губами — Тима. Этими губами он прилипал то к обнаженному плечику сидевшей рядом блондинки, то к ее тонкой бледной руке. Он настойчиво пытался дотянуться до ложбинки между грудей, но девица со смехом уворачивалась. Вторая девушка, к которой никто не приставал, со скучающим видом смотрела в потолок. Мужчины за столом шумно, перебивая друг друга, обсуждали какой-то коммерческий проект — то и дело слышались слова «товар», «лавэ», «развести на бабки»... «Братаны отдыхают», — подумал Гепард. Надо сказать, что, начиная свое восхождение, Егор не знал, что он будет делать, достигнув двенадцатого этажа. «Посмотрим, — сказал он себе, — как фишка ляжет». Он тихо отодвинул штору и мягко шагнул через порог в комнату, держа ПСМ в опущенной правой руке. В этот момент сквозь шум застолья он услышал донесшееся с кухни негромкое звяканье. На кухне еще кто-то был — скорее всего охрана, решил Гепард. Однако этот вывод ничуть не поколебал его решимости.

Первым его заметил сидевший к нему боком спортивного вида пацан с упрямым подбородком, волевой складкой рта и буйной копной зачесанных назад рыжих волос. Поначалу он, продолжая говорить, скользнул по Гепарду безразличным взглядом, но затем осекся и резко повернулся к непрошеному гостю, пришедшему с балкона. Это появление было настолько неожиданным и необъяснимым, что рыжеволосый не вскочил, не крикнул, а просто смотрел в упор на Гепарда, словно не желая верить собственным глазам. Остальные, заметив странное поведение рыжего, тоже умолкли на полуслове, и в комнате на миг воцарилась тишина. В этой тишине отчетливо прозвучал хлопок выстрела, очень напоминавший тот звук, с которым откупоривают бутылку шампанского. Гепард выстрелил навскидку. Благодаря долгой тренировке его палец надавил на курок как раз в тот момент, когда траектория вылетающей из ствола пули уперлась точно в центр лба жертвы. Воцарившаяся в комнате тишина позволила услышать и другой звук — отвратительный липкий хруст пули, пробивающей черепную кость. Рыжий дернулся, словно пытаясь вскочить, и вместе со стулом грохнулся на пол. Гепард шагнул вперед, присел, прячась за столом, и дважды нажал на курок. Вновь раздались хлопки. Один из сидящих за столом дернулся и схватился за живот. Второй, которому пуля попала в голову, привстал, но тут же начал заваливаться вбок. В тщетной попытке удержать равновесие он судорожно схватился за скатерть, потащил ее на себя, и все бутылки, тарелки и бокалы с грохотом и звоном посыпались на распростершееся на паркете тело. На противоположной стене осталась крупная клякса крови с прилипшими к обоям ошметками мозгового вещества, вырванного из черепа прошедшей навылет пулей. После этого Гепард спокойно повернулся к дивану, на котором сидел в обнимку с девицами хозяин квартиры и ошалело взирал на все происходящее. Одна из девиц очнулась от оцепенения и завизжала.

— Давайте, барышни, проваливайте на кухню и там запритесь, — миролюбиво скомандовал Гепард перепуганным девицам. — У нас с господином Тимаковым деловой разговор. — И, дождавшись, когда девчонки поспешно выбежали из комнаты, он вплотную приблизился к остолбеневшему от всего происходящего Тиме и тихо продолжил: — Тима, ты меня не знаешь, я тебя не знаю. Так что, парень, лично я против тебя ничего не имею. Но мой старый друг Варяг тобой очень интересуется. Я бы, конечно, тебя отвел к Владиславу, но внизу в подъезде сшивается твоя братва, а мне не хочется поднимать тут большой хипеш. Так что поговорим прямо здесь. Кто тебе «заказал» Варяга?

Тима, бледный как смерть, вращал глазами во все стороны, но как только его взгляд останавливался на окровавленном теле, он тут же отводил глаза в сторону. Наконец он счел за лучшее уставиться прямо на Гепарда.

— Какой Варяг? — выдавил Тима.

— Но, но! — рассвирепел бывший спецназовец. — Ты мне только ваньку не валяй! Я этого не люблю. Ты что, гад, забыл Варяга?

— Не забыл... — промямлил Тима. — Только он же копыта отбросил. Еще в прошлом году.

— Тебе, козел, кто такие сказки порассказал? — оскалабился Гепард. Он достал сотовый телефон и, не отводя ствола от лица Тимы, набрал номер дачи.

К телефону подошел Владислав.

— Ты где, Егор?

— Я в гостях у Тимы. Владик, он уверяет меня, что не знает никакого Варяга...

— А ну дай этой падле трубку! — зло бросил Владислав.

Гепард протянул «Нокию» Тиме. Тот неверной рукой взял серебристую коробочку.

— Варяг? — Он не верил своим ушам, хотя узнал бы этот голос из тысяч других. — Так ты жив?.. А я слыхал, тебя порешили в тот же вечер... — Он умолк. — Ладно, Варяг. Я ему все скажу. Скажу как есть.

Отдав Гепарду трубку, Тима торопливо забасил:

— Это все пиковые придумали, суки. Шотада Закир. Пусть Варяг с них и спрашивает, понял? А с меня что за спрос. Как большой сходняк решил, так я и сделал.

— Кто «заказал» Варяга? — жестко повторил Гепард вопрос. Варяг дал ему четкие инструкции, как вести допрос Тимы.

— Кремлевские фраера! Вот кто...

Гепард знал это. Но он просто проверял Тиму, пытаясь понять, станет он изворачиваться и брехать почем зря или вывалит всю правду. Пока Тима кололся правильно.

— Фамилии... — продолжал Гепард деловито.

Тима напрягся. Ему страшно не хотелось сболтнуть лишнего. Но ствол с глушителем быстро растормошил его память.

— Есть один мужик. Коля. Николай Иванович. На Речном я с ним встречался...

— Ты лично встречался? — уточнил Гепард, поглядев на часы. Начало одиннадцатого. Он провел в квартире уже десять минут. Минут через десять надо было сваливать.

Тима кивнул:

— Меня Шота послал туда.

— Ладно, дальше. О чем базар был?

— Общак, — нехотя произнес Тима. — Тайник на Никитиной Горе.

Ствол с глушителем красноречиво дернулся.

— Я им адресок дал. Они там поискали.

— ...И нашли, — закончил Гепард. — Куда дели сундук?

— Коля взял. У него подельник есть. Имени не знаю, но знаю только, что очень большой человек. Из кремлевской администрации или что-то в этом роде.

— Прямо-таки из кремлевской? — недоверчиво переспросил Гепард. — Так, теперь вот еще что. Михалыча помнишь?

Глаза у законного вора сузились, в них заметались тени страха. Гепард с удовлетворением подумал, что попал в яблочко.

— Помню...

— Что ты ему подсыпал в коньяк?

— Ты чо, мужик! — всполошился Тима. — Это не я!

— А Вялый говорит, что ты! — рявкнул Гепард, свирепо ткнув Тиму глушителем в лоб.

— Да нет никакого Вялого! Вялого в тот же вечер в подвале грохнули! — заорал Тима.

— А ты откуда знаешь, умник? — криво усмехнулся Гепард. — Ты там был? Вон как я тебя, козла, подловил!

И Тима, осознав, что он по-глупому лопухнулся, злобно оскалился, но потом вдруг выпрыгнул со стула вперед, схватился правой рукой за глушитель направленного на него пистолета, а левой с размаху попытался врезать Гепарду промеж глаз. Но вор не на того напал. Гепард увернулся в сторону и сильно дернул пистолет вниз. Тима, не выпуская ствола из руки, по инерции клюнул головой, и тогда бывший спецназовец обрушил ему на затылок свой левый кулак. Ослепший от боли, Тима с грохотом повалился на пол.

«Удостоверься, Егор, — прозвучали в мозгу Гепарда напутственные слова Владислава. — Удостоверься наверняка, что именно он Михалыча на тот свет отправил, и грохни гада без сожаления».

Он приставил глушитель к затылку Тимы и дважды выстрелил. Голова дважды подпрыгнула на паркете, и под ней тотчас разлилась бурая лужа.

Теперь нужно быстро выйти на лестничную площадку, спуститься на лифте и как ни в чем не бывало пройти мимо Тиминых «гладиаторов» в подъезде. Сержант там, на холоде, наверно, его заждался.

Глава 44

Большой пруд посреди Центрального парка в Нью-Йорке облепили гомонящие дети. Группа подростков, столпившихся у каменной статуи неопределенной половой принадлежности, пускала парусные кораблики. Сегодня день был ветреный, и игрушечные яхты бодро рассекали волны игрушечного океана, к радости юных зрителей.

Встреча была назначена на двенадцать — как раз у Сурикова был обеденный перерыв между заседаниями, и он смог вырваться из зала заседаний на час-полтора. Варяг внимательно разглядывал проходящих мимо него мужчин средних лет, надеясь определить россиянина по походке, одежде и обуви. Он почему-то не сомневался, что Суриков обязательно придет.

Вчера он позвонил ему в гостиничный номер и представился, назвавшись Ярославом Малышевым, оператором Российского телевидения, который якобы привез для Леонида Сурикова посылку из Москвы. Суриков не удивился и сам предложил место и время для встречи. Судя по голосу, Леонид Аркадьевич был изрядно пьян. Но Варяг быстро отрезвил его, сообщив в завершение разговора, что в посылке очень важное письмо, касающееся его, Сурикова, прежнего места работы.

Он сидел на скамейке у пруда и размышлял о Сурикове. В его представлении это был простой служака, добросовестный чиновник, которому дали задание, и он его с усердием выполнил, не получив за работу никакого поощрения, кроме командировки в другое полушарие.

Наконец в пять минут первого на аллее показался высокий мужчина в легком сером плаще. Он шел нетвердой походкой то ли очень уставшего, то ли не вполне здорового человека и был глубоко погружен в свои мысли. Варяг поднялся ему навстречу и шагнул вперед.

— Леонид Аркадьевич!

Мужчина удивленно встрепенулся.

— Вы Ярослав Иванович? — Он протянул руку. Варяг пожал ее, едва ощутив слабое ответное пожатие.

— И что за письмо? — равнодушно поинтересовался Суриков, скользнув потухшим взглядом по лицу незнакомца.

— Давайте присядем, — предложил Варяг.

Суриков безвольно опустился на скамейку, распахнув полы плаща.

— Присели. Так что за письмо? — повторил Суриков.

— У меня нет никакого письма, Леонид Аркадьевич. У меня есть вопросы.

Бывший заместитель генерального директора «Госснабвооружения» поднял на собеседника глаза. В них вдруг вспыхнул огонек.

— Я, кажется, знаю, кто вы, — почти прошептал Суриков. — Вы Игнатов.

— Как вы догадались?

— Я видел ваши фотографии. Вы изменились, но не настолько, чтобы вас было не узнать. Позвольте, а мне говорили, что вы... — тут Суриков осекся. — Да нет, неважно. Что вас интересует? Хотя... — Он махнул рукой. — Тут и так ясно что — андоррские счета.

— Вы ими занимались? — Варяг поймал себя на мысли, что не испытывает к этому истерзанному алкоголем и, вероятно, душевными терзаниями мужчине никаких враждебных чувств. Скорее, сострадание.

Суриков кивнул.

— По поручению Александра Ивановича Сапрыкина. Мне пришлось немало потрудиться... Хе-хе... — Суриков издал хриплый нервный смешок. — Но все же я их нашел. Мне ваша бухгалтерская документация снилась по ночам. Деньги уходили из Москвы в Латвию и Белоруссию, оттуда в Лихтенштейн, а уж оттуда по десяткам каналов — в Андорру и оседали на счетах пяти тамошних банков. Здорово придумано. Жаль, не удалось в эту самую Андорру съездить — говорят, чудесной красоты место в горах... Горная республика. Сапрыкин — тот ездил, и не один раз.

— Кто такой Сапрыкин? — спросил Варяг. Эту фамилию он слышал впервые.

Суриков тяжело вздохнул:

— Поищите в администрации президента России. Александр Иванович Сапрыкин — большой маленький человек...

— А когда вы нашли деньги... — продолжал Варяг.

— ...то ими сразу же занялся Сапрыкин. Он меня отстранил от этой операции. Я не в курсе, куда и, главное, как он их перевел... Счета в Андорре ведь были номерные. Там надо было знать коды доступа... Но думаю, Сапрыкин это выяснил по своим каналам.

— Каким образом вы узнали, что это за деньги? — вдруг спросил Варяг. Он, кажется, догадался, с чем связана нервная запойность бедняги Сурикова: когда тот понял, что с его помощью были украдены миллиарды русского воровского сообщества, им овладел животный страх за свою жизнь.

— Совершенно случайно. Я услышал телефонный разговор Сапрыкина с одним человеком.

— С кем?

— Не знаю. Сапрыкин разговаривал при мне по мобильнику и назвал его только один раз... Тот человек ему позвонил во время нашего разговора...

— В офисе «Госснабвооружения»? — недоверчиво спросил Владислав.

— Нет, — покачал головой Суриков. — У него на даче в Жуковке... Он назвал того человека «Евгений Николаевич».

Евгений Николаевич Урусов! Так, значит, Сапрыкин лично давал указания Урусову! Генерал милиции был для него только прикрытием...

— Так. И что дальше?

— Он спросил у этого самого Евгения Николаевича, может ли тот гарантировать... не помню точно... словом, может ли он увести воров... вот так он и сказал: воров... на ложный след.

— В каком смысле? — решил уточнить Варяг.

Суриков пожал плечами:

— Не знаю. Очевидно, чтобы воры не заподозрили Сапрыкина в... воровстве! — Суриков слабо хохотнул, оценив свой каламбур. — Это все, что мне известно. — Он поднял на Варяга мутный взгляд. — Скажите, а вы... тоже из них?

— Из них, — кивнул Варяг.

— Вы меня убьете? — Суриков задал вопрос с равнодушной обреченностью.

Владислав положил руку ему на плечо, слегка похлопал и тихо, но твердо сказал:

— Ничего не бойтесь. Вы перед нами ни в чем не виноваты. Вы просто сделали свою работу. Но если Сапрыкин или связанные с ним люди узнают о нашей с вами встрече, они вас точно убьют! Так что будьте осторожны.

Суриков поднялся со скамейки и, не попрощавшись, неторопливо зашагал прочь.

Вечером Варяг вышел прогуляться в сквер около дома и, когда улица опустела, зашел в телефонную будку и связался с Москвой.

— Закир! — негромко произнес он. — Это Варяг. Мне стало известно, кто увел общак. Надо собирать большой сходняк. Передай ворам, если они заинтересованы в том, чтобы вернуть общак, пусть дадут мне знать. На следующей неделе я возвращаюсь в Москву!

Поднимаясь в лифте на пятнадцатый этаж, он думал, что дело даже не в пяти миллиардах. Дело в принципе. Еще никому и никогда не удавалось обвести Варяга вокруг пальца. «Я тебя, Сапрыкин, из-под земли достану. Ты принесешь мне эти пять тонн лимонов в зубах», — зло прошептал Владислав, отпирая ключом дверь.

***

Девушка-пограничница за толстым стеклом внимательно изучила его паспорт, сверилась со своим всезнающим компьютером и энергично проштамповала «въезд». Владислав дождался Лену с Лизой, и они втроем пошли к резиновой ленте-змейке искать свой багаж.

На выходе из таможенной зоны было столпотворение. Встречающие трясли букетами цветов, сотовыми телефонами, махали руками, улыбались, возбужденно кричали. Но на мужчину в сопровождении девушки лет двадцати пяти и шестилетней девочки никто не обратил внимания. Зато как только они вырвались из жужжащей толпы, к ним сразу подкатили четверо крепких ребят с одинаковыми значками «ТАКСИ» на рубашках.

— Машина до Москвы недорого! Низкий тариф! — наперебой стали предлагать они, заглядывая приезжему в глаза.

Варяг решительно помотал головой и, мягко отстранив «таксистов», двинулся к выходу. Его никто не встречал у выхода из таможенной зоны, но он дал такие инструкции Чижевскому: Варягу не хотелось привлекать ничьего внимания к своей персоне.

Он вдруг невольно вспомнил свое возвращение сюда, в международный аэропорт Шереметьево, три года назад, когда его оттерли от встречавших телохранителей переодетые менты, подбросили в карман плаща наркотики и чуть не повязали в кабинете дежурного милиционера... как его там звали... Тогда ему удалось спастись: он убежал из ментовской «Волги», плутал по лесу и приехал в Москву, переодевшись каким-то бомжом. И вот он снова прилетел из Америки в Шереметьево. История повторяется, хотя и не дословно. Второй раз он не даст себя одурачить. «В этой истории, — подумал Варяг, — будет новый поворот».

Проходя мимо газетного киоска, Владислав остановился на секунду и купил свежий номер «Известий». Его внимание привлек крупный заголовок на первой полосе: «Загадочная смерть чиновника». Он пробежал глазами заметку: «Вчера, 14 августа, на своей даче под Москвой покончил с собой сотрудник одного из управлений ФСБ Николай Иванович Соколов. Самоубийца произвел себе в рот выстрел из крупнокалиберного ружья. По сообщению информированных источников в МВД, против Н. Соколова недавно было возбуждено уголовное дело по подозрению в соучастии в финансовых махинациях, связанных с нецелевым использованием транша МВФ».

Варяг не знал, можно ли верить этому сообщению. Возможно, кто-то опять затеял двойную игру. Но с кем? С ним, или с ворами, или с новым президентом? Видно, у Николая Ивановича очень высокие покровители в МВД, если ему удалось инсценировать ни много ни мало собственное самоубийство. Вот только зачем? Но придумано классно: выстрел в рот из крупнокалиберного ружья — это значит, что голова «самоубийцы» разлетелась вдребезги, как упавший с грузовика арбуз. Хоронить, значит, будут в закрытом гробу — чтобы, не дай бог, родственники и знакомые не обнаружили подмены... Ну и махинаторы! Но быть может, это сообщение — правда. Тогда, возможно, от Николая Ивановича решили избавиться. Кто? Сапрыкин?

Владислава не особенно интересовали обстоятельства инсценированного самоубийства эфэсбэшника. Его интересовал живой Сапрыкин, которого теперь надо найти во что бы то ни стало.

Автоматические стеклянные двери аэровокзала с шипением разъехались и выпустили трех прибывших из Нью-Йорка пассажиров под низкий бетонный козырек. Оказавшись на улице, Варяг сразу ощутил прохладу, предвещавшую скорую московскую осень.

— Не холодно? — участливо спросил он, обернувшись к своим спутницам. — Середина августа, а уже как будто лето кончилось.

— У нас всегда так: лето начинается в июле, а заканчивается в первую декаду августа, — попробовала пошутить Лена, но печальный голос выдал ее далеко не веселое настроение.

— Ты что? — Владислав даже остановился. — Чего куксишься?

Лена посмотрела на него печальными серо-зелеными глазами и тихо ответила:

— Я боюсь.

Он поставил оба чемодана на асфальт и прижал ее к себе:

— Ну все, все... Ничего не бойся. Теперь все будет по-другому.

Но он понимал, что слова утешения не возымеют действия. Лена боялась. Четырехмесячное пребывание в страшном следственном изоляторе в Волоколамске оставило неизгладимый отпечаток на ее душе. Ей по-прежнему снились кошмары, ее мучили ужасные видения, а все тело, избитое, истерзанное, изломанное тюремными насильниками-извергами, болело так, словно в нем не осталось ни одной целой косточки. Варяг, наблюдая за ней все последние месяцы, сильно переживал. Не раз и не два у него возникало желание отдать приказ убить Урусова, невзирая на то что генерал-полковник МВД, до сих пор сидящий под замком в подвале дома Медведя в Кусково, был очень ценным заложником и его следовало беречь как зеницу ока. Варяг пока не знал, какую пользу Урусов может сослужить, но интуитивно понимал, что немалую.

К дверям терминала со свистом подкатил черный джип «мерседес» и притормозил около Варяга. Он заглянул в салон: за рулем сидел улыбающийся Сержант.

— Вот это сюрприз! А Чижевский обещал прислать Зверька. Привет, Степан! — весело поприветствовал его Варяг. — Ты откуда свалился? Я тебе на сотовый раз десять звонил из Америки — и все вел душещипательные беседы с твоим автоответчиком.

— Да я слыхал твои арии. Охота на финских озерах, знаешь ли, это как наркотик. Затягивает. А там глушь — одни водоплавающие. Я свой сотовый вырубил еще в Хельсинки. Только позавчера вернулся к цивилизованной жизни.

Сержант галантно поздоровался с Леной, ущипнул Лизу за щечку и помог Варягу погрузить чемоданы в багажник.

— Последние новости слыхал? — поинтересовался Варяг.

Джип уже вылетел на международное шоссе и понесся вдоль лесного массива. Сержант не ответил и, когда они промчались под трубой новенького надземного перехода, мрачно объявил:

— Вот тут Грунт подстерег Шелехова...

Варяг невольно оглянулся.

— А у меня, Степан, это место тоже связано с нехорошими воспоминаниями. Меня тут однажды везли в последний путь... Да только я им не дался...

— Дурное местечко, — бросил Сержант, не поняв, впрочем, что имеет в виду Варяг. — Ну и что теперь?

— Теперь нам с тобой опять предстоит охота. Но не на водоплавающих, а на дичь покрупнее.

— Не меньше носорога? И какой нам светит приз? — Сержант улыбнулся, чувствуя, как радостно забилось у него сердце в груди от предчувствия новых приключений, опасности и риска для здоровья.

— Пять миллиардов баксов.

Джип вылетел на эстакаду над Ленинградским шоссе, не снижая скорости, сделал левый поворот и влился в поток транспорта, текущий в сторону Москвы.

— Пять тонн лимонов? Старыми? — схохмил Сержант, похоже, ничуть не удивившись сумме.

— Да нет, самыми что ни на есть новыми — образца девяносто шестого года, — усмехнулся Варяг. — И учти: претендентов на эти пять тонн лимонов будет целая толпа.

ЭПИЛОГ

Собрать всех крупнейших воровских авторитетов Варяг решил в том самом месте, где они же его так подло предали. На этот раз Чижевский заранее произвел тщательную «зачистку» ресторана «Золотая нива». Накануне большого сходняка, назначенного Варягом на среду 2 августа, Николай Валерьянович приехал на Дмитровское шоссе ровно в полдень — к открытию. Его сопровождала верная «тройка нападения» в составе Абрамова, Лебедева и Усманова.

Дверь открыл шкафообразный здоровяк-охранник, который с первого взгляда узнал давних знакомцев, хотя со дня их предыдущего визита прошел без малого год.

— Эт-то... чего изволите? У нас уже открыто... — заикаясь, пробубнил «шкаф», приветливо осклабившись. Видно, его загодя проинформировали о визите, и мордоворот готов был расстелиться перед грозными гостями красной ковровой дорожкой.

Бывшие военные разведчики быстро рассредоточились по одноэтажному зданию, осмотрели все помещения и подвал, не забыв заглянуть и в кабинет к очаровательной директрисе Наталье Алексеевне.

По предварительной договоренности воры должны были съехаться в «Золотую ниву» без личной охраны: безопасность сходняка взял под свою ответственность сам Варяг.

К шести собрались тринадцать человек. Не хватало Дяди Толи, Паши Сибирского и Тимы, сыгравших не последнюю роль в устранении Варяга. А Тима в настоящее время проводил свой сходняк — в геенне огненной... В банкетный зал, где был накрыт скромный стол, входили по одному. Варяг сидел во главе стола, накрытого белой скатертью. Сегодня никаких изысканных яств и дорогой выпивки не было: встреча была подчеркнуто деловая. Рядом с Варягом сидели только Николай Валерьянович Чижевский в строгом темном костюме и Сержант в рубашке-хаки.

Первым вошел Шота, который хмуро, стараясь не смотреть на Варяга, присел на дальний стул. За Шотой показался Закир Большой, а за ними уже потянулись все остальные. Последним вошел Филат и закрыл тяжелую дверь.

Дождавшись, когда все рассядутся, Варяг тихо заговорил:

— Ну вот мы и встретились, люди. Много воды утекло со времени нашей последней встречи. Много чего произошло. Я знаю: кое у кого из вас ко мне накопилось немало обид. Да и мне на вас, люди, есть за что обижаться. Но сейчас не время обиды мусолить. Есть дело поважнее. Как вы знаете, нашлись дерзкие нахалы, которым удалось ни мало ни много увести воровской общак. Это огромные деньги. Наверное, вы даже не знали точно, сколько крутилось в нашем общаке. Этого никогда не знали ни ментовские, ни гэбэшные аудиторы. Я скажу вам, сколько там было: пять с лишним миллиардов долларов. Четверть нынешнего государственного бюджета России.

За столом поднялся ропот. Владислав поднял руку — и шум тотчас стих.

— Не буду говорить, на ком лежит вина. Скажу только, что в ноябре в этом зале вы поставили мне в вину, что я якобы разбазарил общаковские деньги на непонятные дела. Меня... скажем так, отстранили, — Варяг криво усмехнулся при этих словах. И продолжал на повышенном тоне: — Но без меня вы, люди, умудрились вчистую просрать весь общак! — Он обвел присутствующих укоризненным взглядом. Воры сидели не шелохнувшись. Только Шота Черноморский нервно заерзал на своем стуле, опустив глаза. — Надо эти пять миллиардов искать. И найти. Для этого мы должны прекратить наши разборки. Хотя бы на время. Кому потом сильно захочется продолжить разборку, я не против — можем и продолжить, но сейчас надо остановиться. Второе. Нам понадобятся бабки. Немалые бабки. Потому что найти пять миллиардов не так-то просто. Хотя бабки огромные, но и упрятаны они надежно. Вон Международный валютный фонд свои пять миллиардов тоже уже два года не может найти. Наши финансовые гении из Кремля умудрились их так хапнуть и спрятать, что теперь хер их найдешь. Но общак мы найдем. Подмаслим хоть бога, хоть черта, а найдем. Для начала есть пятнадцать миллионов баксов. Они лежат в одном банке в Венгрии. Это мои личные деньги. Я хочу их вложить в наше общее дело. Предлагаю каждому из вас тоже вложиться. Когда общак вернем, все получат свои обратно.

— Ситуация похожа на покупку торгового Балтийского флота, ты тогда тоже обещал вернуть сторицей! — насмешливо бросил Максим Кайзер, видимо, в надежде, что его поддержат другие авторитеты.

Но Максима неожиданно одернул Шота.

— Помолчи, батоно! Кто старое помиянет — тому глаз вон! Ми собралис тут, штобы важный вапрос абсуждать, а не прэдаваться дурным васпаминиям! Варьяг дэло говорит. — Старый грузинский авторитет кашлянул. — Я тоже дам пятнадцать лимонов.

— Я могу десять дать, — заявил Филат. — Больше не могу. Десять дам — через три дня. Налом из Питера пригоню.

Остальные участники большого сходняка тоже вошли в долю.

— Ну вот и лады, — миролюбиво закончил Варяг. — Есть один человек. Сапрыкин Александр Иванович. Именно он взял общак. Не один, конечно, ему сильно помогали другие. Но только ему одному известно точно, где сейчас находятся деньги. Его и надо разыскать.

— И где же? — бросил недоверчиво Саша Поляков по кличке Шкив, «хозяин» Воронежской области. — Где же его искать?

— Везде, — без тени улыбки ответил Варяг. — На всех шести континентах. Но начнем мы его искать здесь, в Москве. Потому что Сапрыкин тут сильно наследил...

Варяг замолчал и выжидательно посмотрел на воров. Над столом повисла тягостная тишина. Чувствовалось, что последнее слово сегодня еще не прозвучало. Наконец заговорил Шота:

— Вот что, льуди. Было бы нэправильно, если б я этого не сказал. Ми давно знаем Варьяга. Он уже сколко лэт держал общак. Кому-то нравилось то, что он делаэт, кому-то нет. Мнэ, например, не всэгда нравилось. Но думаю, Варьяг сваими действиями доказал, что ми можем ему даверят, как и прежде. — Шота сделал долгую паузу и, кажется, впервые за весь вечер посмотрел Варягу прямо в глаза. — Думаю, Владислав, ми билы нэ правы... — Взяв в руку полную стопку водки, Шота тяжело поднялся из-за стола и направился к смотрящему России с намерением чокнуться.

Авторы выражают благодарность
С. Н. Деревянко и О. А. Алякринскому
за помощь и творческое сотрудничество
при подготовке рукописи к изданию.

Под псевдонимом Евгений Сухов
над серией «Я — вор в законе»
работает коллектив авторов.

Я — ВОР В ЗАКОНЕ
Сходняк

Литературная обработка *О. Алякринского, С. Деревянко*
Корректоры *Т. Коновалова, Р. Станкова*
Компьютерная верстка *Е. Ростовцевой, Д. Никулова*

ИД № 04467 от 19.04.2001.

Подписано в печать 12.09.02. Формат 84×108/32.
Гарнитура «Ньютон». Печать высокая. Бумага газетная.
Печ. л. 13,5. Тираж 10 000 экз. Заказ № 2519. С-207.

Общероссийский классификатор продукции
ОК-005-93, том 2—953 000.

ООО «АСТ-ПРЕСС КНИГА»
107078, Москва, Рязанский пер., дом 3.

Отпечатано с готовых диапозитивов
в Государственном ордена Октябрьской Революции,
ордена Трудового Красного Знамени Московском
предприятии «Первая Образцовая типография»
Министерства Российской Федерации по делам печати,
телерадиовещания и средств массовых коммуникаций.
113054, Москва, Валовая, 28

Компания «АСТ-ПРЕСС» предлагает вниманию читателей
десятую книгу остросюжетного криминального романа

ЕВГЕНИЯ СУХОВА

«Я — вор в законе. Оборотень»

Книга продолжает рассказ о жизни знаменитого российского вора в законе по кличке Варяг.

Компания «АСТ-ПРЕСС» предлагает вниманию читателей
одиннадцатую книгу остросюжетного криминального романа

ЕВГЕНИЯ СУХОВА

«Я — вор в законе. Общак»

КОМПАНИЯ «АСТ-ПРЕСС»
предлагает вниманию читателей
двенадцать книг остросюжетного
криминального романа

Евгения Сухова:

«Я — ВОР В ЗАКОНЕ»

«Я — ВОР В ЗАКОНЕ. РАЗБОРКИ АВТОРИТЕТОВ»

«Я — ВОР В ЗАКОНЕ. НА ЗОНЕ»

«Я — ВОР В ЗАКОНЕ. ПОБЕГ»

«Я — ВОР В ЗАКОНЕ. НА ВОЛЕ»

«Я — ВОР В ЗАКОНЕ. СТЕНКА НА СТЕНКУ»

«Я — ВОР В ЗАКОНЕ. МАФИЯ И ВЛАСТЬ»

«Я — ВОР В ЗАКОНЕ. МЕДВЕЖАТНИК»

«Я — ВОР В ЗАКОНЕ. СХОДНЯК»

«Я — ВОР В ЗАКОНЕ. ОБОРОТЕНЬ»

«Я — ВОР В ЗАКОНЕ. ОБЩАК»

«Я — ВОР В ЗАКОНЕ. КЛЯТВА НА ВЕРНОСТЬ»

КОМПАНИЯ «АСТ-ПРЕСС»
предлагает вниманию читателей книги

Заура Зугумова

«БРОДЯГА»

Это потрясающая история человека, который из голодного послевоенного детства был заброшен судьбой в мир тюрем и охранников, этапов и пересылок, воров и воровских законов. Многие десятилетия он жил по этим законам, стараясь отстаивать справедливость среди царивших вокруг лжи и насилия.

«БРОДЯГА-2»

Вторая книга Заура Зугумова не менее трагична, чем первая. Каково быть несправедливо осужденным, нести крест ложных обвинений в самых тяжких преступлениях, пережить ужасы зон и тюрем, утрату друзей и близких, пройти трясину наркомании, смертельную болезнь... И при этом остаться человеком чести и достоинства.

КОМПАНИЯ «АСТ-ПРЕСС»
предлагает вниманию читателей три книги
остросюжетного криминального романа

Павла Стовбчатого

**«ОСОБАЯ МАСТЬ.
ЧЕТВЕРТЫЙ ПОБЕГ»**

**«ОСОБАЯ МАСТЬ.
КОРОНОВАННЫЙ СУДЬБОЙ»**

**«ОСОБАЯ МАСТЬ.
ГЛОТОК СВОБОДЫ»**

Новый захватывающий сериал
Павла Стовбчатого рассказывает о сильном
и справедливом человеке —
Андрее Кречетове (он же Кречет).
Пройдя через суровые испытания,
через тюрьмы и зоны, из неопытного юнца
он вырастает в сильного волевого человека,
которого уважают и ценят,
с которым в криминальной среде
считаются не только простые зеки, но и матерые
уголовные авторитеты.
Дерзкие побеги,
чтобы обрести глоток свободы,
кровавые разборки, чтобы утвердить власть,
жестокие расправы,
чтобы держать в страхе слабых духом,
предательства и справедливые возмездия
достоверно показаны в книгах
Павла Стовбчатого.

**Четвертая книга о Кречете
«Особая масть. Проклятый Богом»
готовится к выпуску осенью 2002 года.**

КОМПАНИЯ «АСТ-ПРЕСС»
предлагает вниманию читателей
новую серию криминальных романов

АНДРЕЯ ЩУПОВА

«МЫ ИЗ СПЕЦНАЗА»:

«Двойная игра»

«Поединок»

«Заложники»

Для всех любителей серьезных боевиков издательство АСТ-ПРЕСС предлагает новые приключенческие боевики Андрея Щупова.

Волна преступности захлестнула небольшой сибирский город. Серия загадочных убийств ставит в тупик правоохранительные органы. Неизвестные похищают дочь главного героя. Матвей решает действовать самостоятельно, не надеясь на помощь милиции. С помощью своих друзей — бывших спецназовцев, а ныне сотрудников охранного агентства «Кандагар» — ему удается обнаружить нити, ведущие в логово бандитов, помешать выполнению их чудовищных планов и освободить заложников, жизнь которых висит на волоске...

ЗАО «КОМПАНИЯ «АСТ-ПРЕСС»:
Россия, 107078, Москва, Рязанский пер., д. 3
(ст. м. «Комсомольская», «Красные ворота»)
Тел./факс: 261-31-60, тел.: 265-86-30, 265-83-59
E-mail: ast_press @ col.ru

По вопросам покупки книг «АСТ-ПРЕСС» обращайтесь:

Фирменный магазин — г. Москва, Рязанский переулок, д.3
«36.6-Книжный Двор»: Тел.: (095) 265-86-56

Доставка по магазинам Москвы:
КОРФ «У Сытина» — 125183, г. Москва, проезд Черепановых, д. 56
Тел.: (095) 156-86-70, факс: (095) 154-30-40
E-mail: shop@kvest.com
Интернет: http://www.kvest.com

Оптовая торговля:
в Москве:
ООО «ИКТФ Книжный Клуб 36.6»
Офис: тел./факс: (095) 265-13-05, 267-29-69, 267-28-33, 261-24-90
Склад: тел.: (095) 523-11-10, 523-25-56
Мелкий опт.: тел: (095) 265-81-14
E-mail: club366@aha.ru
Интернет: www.club36.6.ru
Переписка: 107078, г. Москва, а/я 245, ООО «ИКТФ Книжный Клуб 36.6»

«АСТ-ПРЕСС. Образование»
Офис: Москва, Рязанский пер., д. 3
Тел./факс: (095) 265-84-97, 265-83-29
E-mail: ast-press-edu@mtu-net.ru
Склад: г. Балашиха, ш. Энтузиастов, д. 4
Тел.: (095) 521-78-37, 521-03-72

в Санкт-Петербурге и Северо-Западном регионе:
«Невская книга» — Тел.: (812) 567-47-55, 567-53-30
в Киеве: Тел.: (044) 228-01-88,
«АСТ-ПРЕСС-Дикси» — 464-08-74

Фирменные магазины в регионах:
г. Владимир — Большая Московская, 44, магазин «Былина»
Тел.: (0922) 32-31-59
г. Липецк — проспект Победы, 8.
Тел.: (0742) 48-79-32, 77-40-64
г. Липецк — ул. Заводская, 3. Тел.: (0742) 71-23-13
г. Орел — ул. Матвеева, 29. Тел.: (0862) 41-49-10
г. Ростов-на-Дону — ул. Большая Садовая, 84, магазин «Глобус»
Тел.: (8632) 40-63-87

Серия
«Я – вор в законе»

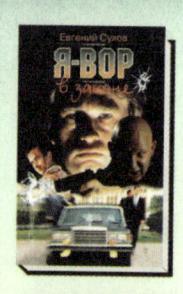

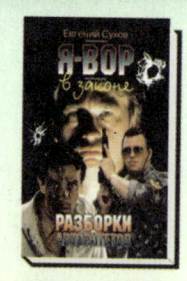

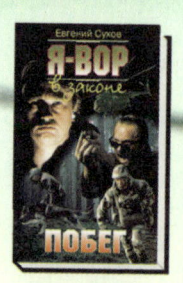

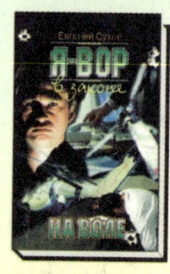

Серия продолжается

Серия
«По прозвищу ВОРОН»

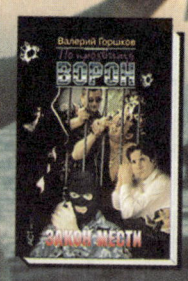

Серия продолжается